D0811276

Vango
Tussen hemel en aarde

Ander werk van Timothée de Fombelle

Tobie Lolness. Op de vlucht (2007) Zilveren Griffel 2008
Tobie Lolness. De ogen van Elisha (2008)

Timothée de Fombelle

Vango

Deel een

Tussen hemel en aarde

Vertaald door Eef Gratama

Amsterdam · Antwerpen
Em. Querido's Uitgeverij B V
2011

www.queridojeugdboeken.nl

De vertaalster ontving voor deze vertaling een werkbeurs van
het Nederlands Letterenfonds

Oorspronkelijke titel *Vango Entre ciel et terre*, Gallimard Jeunesse, 2010

Omslag Marlies Visser

ISBN 978 90 451 1149 0 / NUR 284

Ik heb touwen gespannen tussen de klokken,
slingers tussen de ramen, gouden kettingen
tussen de sterren, en ik dans.

Arthur Rimbaud

Deel een

1
De weg van de engelen

Parijs, april 1934

Veertig mannen in witte gewaden lagen op de straatstenen.

Het leek net een besneeuwde akker. Fluitend scheerden de zwaluwen rakelings over de lichamen heen. Duizenden mensen stonden naar dit schouwspel te kijken. De schaduw van de Notre-Dame strekte zich over de menigte uit.

Plotseling leek het alsof de hele stad rondom het plein een ogenblik stilte in acht nam.

Vango lag met zijn voorhoofd op de stenen. Hij luisterde naar zijn eigen ademhaling. Hij dacht aan het leven dat hem hier had gebracht. Voor één keer was hij niet bang.

Hij dacht aan de zee, aan de zilte wind, aan een paar stemmen, een paar gezichten, aan de tranen van de vrouw die hem had grootgebracht.

Het regende nu op het plein voor de kathedraal, maar Vango merkte er niets van. Hij lag tussen zijn kameraden op de grond en keek niet naar de paraplu's die een voor een als bloemen opengingen.

Vango zag de samengedromde menigte Parijzenaren niet, de families in zondagse kledij, de vrome oude dametjes, de kinderen die tussen de benen door kropen, de in elkaar gedoken duiven, de in het rond scherende zwaluwen, de voorbijgangers die op de open huurrijtuigen waren geklommen, en ook niet de groene ogen die daar, aan de zijkant, onafgebroken op hem gericht waren.

Twee groene betraande ogen, die achter een kleine sluier schuilgingen.

Vango hield zijn ogen dicht. Hij was nog geen twintig jaar oud. Het was de grote dag van zijn leven. Uit zijn buik welde een intens geluksgevoel op.

Over een paar tellen zou hij priester worden.

'Je reinste waanzin!'

Dat fluisterde de klokkenluider van de Notre-Dame, helemaal bovenin, terwijl hij een blik op het plein wierp. Hij wachtte. Hij had een meisje, een zekere Clara, uitgenodigd om bij hem in de toren een zachtgekookt eitje te komen eten.

Hij wist dat ze niet zou komen, net zomin als alle anderen. En terwijl onder de reusachtige klok het water in de pan borrelde, keek de klokkenluider naar die jongens die tot priester zouden worden gewijd. Nog een paar minuten zouden ze op de grond blijven liggen voordat ze hun eeuwige gelofte zouden afleggen. Op dat moment, terwijl hij zich vijftig meter boven de menigte bevond, was het niet de diepte die Karel de klokkenluider deed duizelen, maar al die levens die daar op de grond lagen, klaar om zich te geven, om zich in het onbekende te storten.

'Waanzin,' herhaalde hij. 'Waanzin!'

Hij sloeg een kruis, want je kon nooit weten, en toen richtte hij zijn aandacht weer op zijn eieren.

De groene ogen hadden Vango niet losgelaten.

Het was een meisje van een jaar of zestien in een asgrijze, fluwelen mantel. Haar hand tastte rond in haar jaszak en kwam weer tevoorschijn zonder de zakdoek die ze zocht. Daarom gleed de rug van diezelfde witte hand voorzichtig onder de sluier om de tranen van de wangen te vegen. De regen begon door de mantel heen te dringen.

Het meisje huiverde en tuurde naar de overkant van het plein.

Een man draaide plotseling zijn hoofd om. Hij keek naar haar. Ze wist het zeker. Het was de tweede keer die ochtend dat ze hem opmerkte, maar ze kon zich heel vaag herinneren dat ze hem al eens ergens gezien had. Een lijkbleek gezicht, grijs haar, een dunne snor en een kleine bril met een ijzeren montuur. Waar was ze hem tegengekomen?

De donderende klanken van het orgel vestigden haar aandacht weer op Vango.

Het plechtige moment was aangebroken. De oude kardinaal stond op en daalde af naar de jongemannen in het wit. De paraplu die hem werd toegestoken om hem droog te houden duwde hij weg, en ook weerde hij alle handen af die hem wilden helpen om de treden af te lopen.

'Laat me!'

Hij droeg zijn zware aartsbisschopsstaf, en elke stap die hij zette leek een klein wonder.

De kardinaal was oud en ziek. Diezelfde ochtend nog had Esquirol, zijn arts, hem verboden deze mis op te dragen. De kardinaal had gelachen, hij had iedereen weggestuurd en was uit bed gekomen om zich aan te kleden. Zodra hij alleen was, stond hij zichzelf toe om te kreunen bij elke beweging die hij maakte, maar in het openbaar gaf hij geen krimp.

Nu daalde hij in de regen de treden af.

Twee uur geleden, bij het zien van de donkere wolken die zich samenpakten, hadden ze hem gesmeekt om de plechtigheid in de kathedraal te houden. Ook toen had hij voet bij stuk gehouden. Hij wilde dat het buiten gebeurde, ten overstaan van de wereld waaraan die jongelieden zich de rest van hun leven zouden wijden.

'Als ze bang zijn dat ze kouvatten moeten ze ander werk zoeken. Ze zullen nog wel eens in zwaarder weer belanden.'

Op de laatste trede bleef de kardinaal staan.

Hij was de eerste die merkte dat er op het plein iets aan de hand was.

Daarboven had Karel de klokkenluider niets in de gaten. Hij legde de eieren in het water en begon te tellen.

Wie had kunnen zeggen wat er precies in de tijd die nodig is om een zacht eitje te koken, zou gaan gebeuren?

Drie minuten waarin het lot een andere wending zou nemen.

Terwijl het water opnieuw begon te borrelen, ging er ook vanaf de achterste rijen een rilling door de menigte. Het meisje huiverde weer. Er gebeurde iets op het plein voor de kerk. De kardinaal hief zijn hoofd op.

Een stuk of twintig mensen baanden zich een weg door het publiek. Het geroezemoes werd luider. Er klonken opgewonden stemmen.

'Maak plaats!'

De veertig seminaristen verroerden zich niet. Alleen Vango draaide zijn hoofd opzij terwijl hij zijn wang en zijn oor als een Apache tegen de grond drukte. Achter de voorste rij zag hij schaduwen heen en weer gaan.

De stemmen werden duidelijker.

'Wat is er aan de hand?'

'Opzij!'

De mensen werden onrustig. Twee maanden geleden waren er bij onlusten op de Place de la Concorde doden gevallen en honderden mensen gewond geraakt.

'Het is de politie...' riep een vrouw om de menigte gerust te stellen.

Ze zochten iemand. Een paar gelovigen probeerden het rumoer te laten verstommen.

'Sst... Stil nou.'

Negenenvijftig seconden.

Onder zijn klok was de klokkenluider nog steeds aan het tellen. Hij dacht aan het meisje, aan Clara, die hem had beloofd dat ze zou komen. Hij keek naar de tafel die voor twee personen op een kist was gedekt. Hij hoorde de eieren zachtjes stuiteren op de bodem van de pan.

Een priester in een wit gewaad liep naar de kardinaal toe en fluisterde hem iets in het oor. Vlak achter hen hield een kleine, gezette man zijn hoed in zijn handen. Het was commissaris Boulard. Hij was te herkennen aan zijn hangende oogleden, die aan een oude hond deden denken, aan zijn mopsneus en zijn roze wangen, maar vooral aan zijn fel glinsterende ogen. Auguste Boulard. Zonder zich iets van de aprilregen aan te trekken, hield hij elke beweging van de jongens die op de grond lagen in de gaten.

Eén minuut en twintig seconden.

Toen stond een van hen op. Hij was niet erg groot. Zijn gewaad was zwaar van de regen, zijn gezicht kletsnat. Te midden van de lichamen die zich niet hadden verroerd draaide hij zich 360 graden om. Van alle kanten doken er agenten in burger op en deden een stap in zijn richting. De jongen vouwde zijn handen in elkaar en liet ze toen langs zijn lichaam vallen. In zijn ogen trokken alle wolken aan de hemel voorbij.

'Vango Romano?' riep de commissaris.

De jongen knikte.

Ergens in de menigte schoten twee groene ogen alle kanten op, als vlinders in een net. Wat wilden ze van Vango?

Die kwam opeens in beweging. Hij stapte over zijn makkers heen en liep naar de commissaris toe. De agenten kwamen langzaam maar zeker dichterbij.

Terwijl hij naar voren liep, trok Vango zijn witte gewaad uit; daaronder droeg hij donkere kleren. Hij bleef voor de kardinaal staan en knielde op de grond.

'Vergeef me, vader.'

'Wat heb je gedaan, Vango?'

'Ik weet het niet, Eminentie, ik smeek u om me te geloven. Ik weet het niet.'

Eén minuut vijftig.

De oude kardinaal omklemde zijn staf met beide handen. Hij leunde er met zijn volle gewicht op, zijn arm en schouder om het vergulde hout gekruld, als klimop om een boom. Bedroefd keek hij om zich heen. Hij kende ieder van deze veertig jongens bij hun naam.

'Ik geloof je, mijn jongen, maar ik ben bang dat ik hier de enige ben.'

'Het is al veel als ú me echt gelooft.'

'Dat zal niet voldoende zijn,' fluisterde de kardinaal.

Hij had gelijk. Boulard en zijn mannen waren nog maar een paar passen van hen verwijderd.

'Vergeef me,' smeekte Vango opnieuw.

'Wat wil je dat ik je vergeef als je niets hebt gedaan?'

Toen commissaris Boulard pal achter Vango zijn hand op zijn schouder legde, zei Vango tegen de kardinaal: 'Ik wil dat u me dít vergeeft...'

En met een ijzeren hand greep hij die van de commissaris, kwam overeind, draaide de arm van Boulard achter diens rug en gaf hem een harde zet zodat hij tegen een van zijn mannen aan viel.

Met een paar sprongen ontweek Vango twee agenten die op hem af doken. Een derde trok zijn wapen.

'Niet schieten,' brulde Boulard, die nog op de grond lag.

De mensen begonnen te schreeuwen, maar met een simpel handgebaar legde de kardinaal de menigte het zwijgen op.

Vango rende de treden van het podium op. Een zwerm koorknapen stoof gillend voor hem uiteen. De agenten kregen het gevoel dat ze een schoolplein overstaken. Bij elke stap die ze deden struikelden ze over een kind of voelden ze een blond hoofdje in hun buik duwen. Boulard riep naar de kardinaal: 'Zeg tegen hen dat ze opzij moeten gaan! Naar wie luisteren ze?'

De kardinaal stak zijn vinger in de lucht en zei stralend: 'Naar God alleen, meneer de commissaris.'

Twee minuten dertig seconden.

Vango stond voor het middelste portaal van de kathedraal. Hij zag hoe een mollig meisje met een doodsbleek gezicht om de hoek van de deur verdween en die achter zich dichttrok. Hij duwde uit alle macht tegen het houten paneel van de deur.

14

Aan de andere kant was de grendel ervoor geschoven.

'Doe open!' schreeuwde Vango. 'Laat me erin!'

Een trillende stem antwoordde: 'Ik wist dat ik het niet mocht doen. Het spijt me. Ik had geen kwaad in de zin. De klokkenluider had me gevraagd om te komen.'

Het meisje achter de deur huilde.

'Doe open,' herhaalde Vango. 'Ik weet niet eens waar je het over hebt. Ik vraag je alleen maar om de deur open te doen.'

'Hij leek zo aardig... Alsjeblieft. Ik heet Clara. Ik bedoel het niet verkeerd.'

Vango hoorde de stemmen van de agenten achter hem. Hij voelde hoe zijn knieën begonnen te knikken.

'Juffrouw, ik verwijt je niets. Ik heb alleen je hulp nodig. Doe de deur voor me open.'

'Nee... Dat kan ik niet... Ik ben bang.'

Vango draaide zich om.

Tien mannen stonden in een halve cirkel om het gebeeldhouwde portaal heen.

'Verroer je niet,' zei een van hen.

Vango drukte zijn rug tegen het koperen beslag van de deur. Hij fluisterde: 'Nu is het te laat, juffrouw. Doe vooral niet meer open. Onder geen beding moet je nog opendoen. Ik neem een andere weg.'

Hij deed een stap naar de mannen toe, draaide zich toen om en keek omhoog. Het was het portaal van het Laatste Oordeel. Hij kende het uit zijn hoofd. Een kantwerk van gebeeldhouwde stenen dat de deur omlijstte. Rechts zag je de verdoemden in de hel. Links het paradijs en de engelen.

Vango verkoos de weg van de engelen.

Op dat moment kwam commissaris Boulard eraan. Hij viel bijna flauw toen hij zag wat er gebeurde.

In een oogwenk was Vango Romano op de eerste beeldenrijen geklommen. Hij bevond zich vijf meter boven de grond.

15

Drie minuten.

Karel de klokkenluider, die niets had gezien, haalde met een schuimspaan de eieren uit de pan.

Het leek of Vango niet klom, maar langzaam over de gevel gleed. Zijn vingers vonden grip aan de kleinste oneffenheid. Zijn armen en zijn benen verplaatsten zich moeiteloos. Je zou haast denken dat hij verticaal aan het zwemmen was.

De menigte keek met open mond toe. Een vrouw viel flauw en gleed als een slappe vaatdoek van haar stoel af.

Onder aan de muur stoven de agenten alle kanten op. De commissaris stond aan de grond genageld.

Er klonk een schot. Boulard had nog genoeg adem om te schreeuwen: 'Stop! Niet schieten, zei ik.'

Maar geen van de agenten had zijn wapen getrokken. Een van hen gaf zijn maat tevergeefs een kontje. De arme stakker kwam niet verder dan tachtig centimeter van de grond. De anderen probeerden met hun nagels de deur van twee ton open te krijgen.

Weer een knal.

'Wie heeft er geschoten?' schreeuwde Boulard, en hij greep een van zijn mannen in zijn kraag. 'Ga kijken wie er aan het schieten is, in plaats van aan die deur te trekken. Waarom willen jullie naar binnen? Om een kaars aan te steken?'

'We dachten hem in een van de torens te vangen, commissaris.'

'Er is een trap aan de noordkant,' zei Boulard. Hij wees zenuwachtig naar links. 'Rémi en Avignon blijven bij mij. Ik wil weten wie er onder mijn duiven schiet.'

Vango had intussen al de galerij van de koningen bereikt. Hij ging staan en klampte zich aan een zuil vast, rustig ademhalend. Op zijn gezicht stond evenveel vastberadenheid als wanhoop te lezen. Hij keek naar het kerkplein. Duizenden wijd opengesperde ogen waren strak op hem gericht. Een stenen kroon vlak bij zijn oor werd door een kogel aan gruzelementen geschoten, waardoor er wolkjes wit gruis op zijn wang belandden. Helemaal beneden zag hij hoe de commissaris als een gek in het rond sprong.

'Wie deed dat?' brulde Boulard.

Het was niet de politie die op hem schoot. Dat had Vango algauw in de gaten. Er waren andere vijanden op het plein.

Hij klom weer verder en met een paar voetgrepen was hij bij het roosvenster. Nu klom hij over het mooiste gebrandschilderde raam ter wereld, als een spin die over haar web glijdt.

Beneden was de menigte stil geworden. Zwijgend stond iedereen toe te kijken, gefascineerd door de aanblik van die jongen die zich aan het westelijke raam van de Notre-Dame vastklampte.

De zwaluwen vlogen in een dichte zwerm om hem heen, alsof ze Vango met hun gevederde lijfjes wilden beschermen.

Met de tranen in zijn ogen sloeg Karel onder zijn klok met zijn mes het kapje van het eerste ei af. Ook dit keer zou ze niet komen.

'Het is een droevige wereld,' zei hij zachtjes.

Toen hij de houten trap naar de klok hoorde kraken, zweeg hij abrupt en stamelde toen: 'Juffrouw?'

Hij keek naar het tweede ei. Onthutst dacht hij even dat het geluk voor zijn deur stond.

'Clara? Ben jij dat?'

'Ze staat beneden op je te wachten.'

Het was Vango; toen hij de galerij van de waterspuwers bereikte, was een laatste kogel langs zijn zij geschampt.

'Ze heeft je nodig,' zei hij tegen de klokkenluider.

Karel voelde iets van vreugde in zijn borst opwellen. Nog nooit had iemand hem nodig gehad.

'En jij? Wie ben jij? Wat doe je hier?'

'Dat weet ik niet,' zei Vango. 'Ik heb geen flauw idee. Maar ik heb je ook nodig.'

Op het plein probeerde het andere meisje, dat met de groene ogen en de asgrijze mantel, zich uit alle macht door de menigte naar voren te werken. Toen Vango ervandoor ging had ze gezien hoe de man

17

met het lijkbleke gezicht een wapen uit zijn jas had gehaald. Ze was in zijn richting gesneld, maar in het onrustige publiek kwam ze niet vooruit. Toen ze eindelijk de andere kant bereikte, was hij verdwenen.

Ze had niets meer van het zielige natte katje van daarnet. Ze was nu een ontsnapte leeuw die alles op zijn weg omverliep.

Toen hoorde ze het eerste schot. Vreemd genoeg begreep ze onmiddellijk dat er op Vango geschoten werd. Bij het tweede schot richtte ze haar blik op het gasthuis aan de noordzijde van het plein. Toen zag ze de man. Hij had op de eerste verdieping postgevat. Het pistool stak uit een gebroken ruit naar buiten en in de schaduw zag je de ijzige weerspiegeling van het gezicht van de moordenaar. Hij was het.

Ze wierp een blik naar boven. Vango hield zich in evenwicht. Op het laatste nippertje had de voorzienigheid zijn leven een andere wending gegeven. Voor haar betekende het dat alles weer mogelijk werd. Als hij maar bleef leven.

Het meisje met de groene ogen rende naar het gasthuis.

Plotseling dook er in de lucht boven de Notre-Dame een reusachtig monster op waardoor de menigte bijna vergat wat zich allemaal op de grond afspeelde. Even groot en imposant als de kathedraal verscheen de zeppelin, glimmend van de regen.

Hij vulde het luchtruim.

Voor in de gondel met de ramen zocht Hugo Eckener, de oude commandant van de Graf Zeppelin, door zijn verrekijker naar de gedaante van zijn vriend op het plein. Hij kwam terug uit Brazilië en was op weg naar het Bodenmeer, maar hij had de koers van het luchtschip gewijzigd om via Parijs te vliegen, zodat de schaduw van de zeppelin dit grote moment in Vango's leven zou bestrijken.

Bij het derde schot begreep hij dat er iets mis was.

'We moeten weg, commandant,' zei Lehmann, zijn eerste piloot.

Een verdwaalde kogel zou het omhulsel kunnen doorboren van

18

de ballon, die onder in zijn glanzende binnenste zestig passagiers en bemanningsleden verborg.

Er klonk een laatste knal op de grond.

'Vlug, commandant...'

Eckener liet zijn kijker zakken en zei droevig: 'Ja, we gaan.'

Beneden viel er een dode zwaluw voor de voeten van Boulard neer.

En de klokken van de Notre-Dame begonnen te luiden.

2

Het Dampende Everzwijn

Commissaris Boulard had een biefstuk voor zijn neus, en een geruit servet voor zijn borst. Zijn manschappen stonden om hem heen in het vertrek, dat blauw zag van de rook. Terwijl ze toekeken hoe hij zat te eten, trakteerde hij hen op ongezouten kritiek: 'Als mijn vlees slecht zou zijn, zou ik gewoon om een andere biefstuk kunnen vragen. Maar met jullie, stelletje papzakken, zit ik opgescheept. Jullie worden niet vervangen. Dat is wat me de eetlust beneemt...'

In feite liet de commissaris het zich goed smaken. Tijdens zijn drieënveertigjarige loopbaan had hij geleerd om op moeilijke momenten de moed erin te houden.

Dit speelde zich af in de eetzaal van Het Dampende Everzwijn, het beroemde restaurant bij de Hallen.

'Hij heeft jullie beetgenomen! Een snotjongen heeft jullie voor de ogen van tweeduizend mensen afgeschud!'

Boulard prikte een aardappel met boterjus op zijn vork, hield zijn hand even stil, rolde met zijn ogen en vatte samen wat zo klaar als een klontje was: 'Jullie zijn allemaal mislukkelingen.'

Het wonderbaarlijkste was dat niemand van die grote kerels die daar op een rijtje stonden het in zijn hoofd zou hebben gehaald om die bewering in twijfel te trekken. Wat Boulard zei, was altijd waar. Als hij had gezegd 'jullie zijn balletdanseressen', zouden ze allemaal op hun tenen zijn gaan staan met hun armen in de lucht.

Commissaris Boulard werd door zijn mannen op handen gedragen. Hij liet ze op zijn schouder uithuilen als ze in de put zaten, hij kende de voornamen van hun kinderen, hij gaf hun vrouwen een bos bloemen als ze jarig waren, maar wanneer hij teleurgesteld was, wanneer hij écht teleurgesteld was, herkende hij hen niet eens meer op straat en keerde hij hun de rug toe, alsof ze zwerfhonden waren.

Vanwege deze inderhaast belegde vergadering was de eerste verdieping van Het Dampende Everzwijn voor het publiek gesloten. Er brandden slechts twee peertjes aan weerszijden van de dikke kop van een everzwijn, vlak boven Boulard. Daarachter lag de keuken. Er kwamen onophoudelijk kelners langs, beladen met borden.

Een beetje terzijde van de commissaris en zijn mannen zat een bediende aan een aparte tafel aardappelen te schillen.

Boulard gaf de voorkeur aan deze sfeer boven die van het hoofdbureau van politie aan de Quai des Orfèvres. Als het maar even kon, belegde hij zijn vergaderingen hier. Hij genoot van de geur van de sauzen en het geklapper van de keukendeuren. Hij was opgegroeid in een herberg in de Zuid-Franse streek Aveyron.

'En die zeppelin?' riep Boulard. 'Weet iemand wat die daar deed? Jullie willen me toch niet vertellen dat die daar toevallig was?'

Niemand gaf antwoord.

Er kwam een man binnen. Hij boog zich voorover naar het oor van de commissaris, die hem met opgetrokken wenkbrauwen antwoordde: 'Wie is dat?'

Dat wist de ander niet.

'Goed. Laat haar maar boven komen.'

De boodschapper verdween.

Boulard brak een stuk brood af om zijn bord schoon te maken. Hij maakte een vaag gebaar naar de jongen die daar in een hoekje met zijn rug naar hen toe aardappelen zat te schillen.

'Ik wil mensen zoals die daar,' gromde hij. 'Je vraagt hem iets en hij doet het. Jullie zijn met vijfentwintig man en toch laten jullie dat joch ontsnappen. Als die nu hier in dit vertrek was zou een van jullie zelfs het raam voor hem openzetten.'

'Commissaris...'

Boulard zocht met zijn ogen degene die zijn mond had durven opendoen. Het was Augustin Avignon, al twintig jaar zijn trouwe rechterhand. Boulard keek hem met samengeknepen ogen aan, alsof het gezicht van de man hem vaag bekend voorkwam.

'Commissaris, er is geen verklaring voor wat er is gebeurd. Zelfs de klokkenluider daarboven zegt dat hij hem niet heeft gezien. Het is een duivel, die jongen. Ik zweer u dat we ons uiterste best hebben gedaan.'

Boulard wreef langzaam over zijn oorlel. Wanneer hij dat gebaar maakte moest je oppassen. Zachtjes zei hij tegen Avignon: 'Neem me niet kwalijk... Ik weet niet wat u hier doet, meneer. Ik weet zelfs niet wie u precies bent. Ik weet alleen dat er aan het eind van de straat, aan de linkerkant, een slakkenverkoper staat die uw werk nog beter zou doen dan u.'

Boulard boog zich weer over zijn saus. De neus van Avignon verschrompelde een beetje. Zijn ogen prikten. Hij wendde zich af om ze onopvallend met zijn mouw te deppen.

Gelukkig keek niemand naar hem.

Alsof er een bevende antilope op de eerste verdieping van Het Dampende Everzwijn was opgedoken, zo had de hele groep zich met één ruk omgedraaid naar het meisje dat zojuist boven aan de trap was verschenen.

Het was het meisje met de groene ogen.

Boulard veegde zijn mond met een hoek van zijn servet af, schoof de tafel een beetje naar achteren en stond op.

'Juffrouw.'

Ten overstaan van zo'n menigte politieagenten sloeg de jongedame haar ogen neer.

'U wilde mij spreken?' vroeg Boulard.

Hij deed een paar passen in haar richting, pakte de pet die een van zijn mannen had vergeten af te doen en stopte hem terloops in een

22

halflege soepterrine die door een bediende werd teruggebracht. De pet verdween naar de keuken.

De jongedame hief haar hoofd op. Ze leek te aarzelen om in aanwezigheid van dit gezelschap het woord te nemen.

'Doet u maar alsof deze lieden er niet zijn,' zei Boulard. 'Voor mij bestaan ze niet meer.'

'Ik was erbij vanmorgen,' zei ze.

Alle mannen gingen iets rechter overeind staan. Ze had een heel licht Engels accent, met een vleugje mist in haar woorden, waardoor elke man zin kreeg om zich van zijn beste kant te laten zien. Zelfs de jongen van de aardappelen hield op met schillen, maar hij draaide zich niet om.

'Ik heb iets gezien,' vervolgde ze.

'U bent niet de enige,' zei Boulard. 'Deze heren hebben een mooie vertoning voor ons ten beste gegeven.'

'Maar ik heb iets anders gezien, meneer de agent.'

Hier en daar werd besmuikt geglimlacht. Ze praatte tegen de beroemde commissaris alsof hij een verkeersagent was.

'Ik heb de man gezien die schoot.'

De glimlachjes verdwenen als sneeuw voor de zon. Boulard klemde zijn servet in zijn hand.

'Hij stond bij een raam van het gasthuis,' ging ze verder. 'Ik kwam te laat. Hij was al weg. Dat is alles wat ik weet.'

Ze reikte de commissaris een dubbelgevouwen vel papier aan. Hij vouwde het open. Het was een met potlood getekend portret. Een snor en een dunne bril.

'Dat is het gezicht van de man,' zei ze. 'Probeer hem te vinden.'

Boulard deed geen poging om zijn verbazing te verhullen. Hij had nu een spoor. Voor hem was de schutter even belangrijk als de voortvluchtige.

'Gaat u maar met ons mee, juffrouw,' zei hij. 'Ik wil graag wat nadere gegevens hebben.'

'Er zijn geen nadere gegevens. Dit is alles.'

Ze liep naar het grote krijtbord waarop het dagmenu geschreven stond, veegde met haar elleboog de bloedworst en de varkenspoot uit, schreef een adres op en zei: 'Ik vertrek morgenochtend om vijf uur met de boot uit Calais. Ik rijd de hele nacht door. Mijn auto staat voor de deur. Maar u kunt me daarginds komen opzoeken, als u wilt.'

Alle mannen begonnen schaapachtig te glimlachen. Ze kregen opeens zin om het ruime sop te kiezen.

Commissaris Boulard bekeek het adres dat ze had opgeschreven. Erboven had ze haar voornaam en de initialen van haar achternaam geschreven:

Ethel B. H.
Everland Manor
Inverness

Voor het eerst van zijn leven wist Boulard niet wat hij moest zeggen. En in het bijzijn van zijn mannen voelde hij zich opgelaten omdat hij zich opgelaten voelde.

'Goed,' zei hij. 'Dat is in Engeland.'

De commissaris had zijn woorden met zorg gekozen om er zeker van te zijn dat hij niets verkeerds zei.

'Nee. Helemaal niet. Het is niet in Engeland.'

Terwijl ze dat antwoordde, stopte ze haar bruine haar in een zachte leren helm met een grote bril aan de voorkant.

'Het is...'

'Het is in Schotland, meneer de agent.'

'Natuurlijk,' zei Boulard snel. Onwillekeurig maakte hij met zijn elleboog een doedelzakgebaar.

Hij aarzelde of hij nog een paar toeristische opmerkingen zou maken waardoor deze jongedame zeker zou weten dat hij volkomen op de hoogte was van het bestaan van Schotland, de Schotse whisky en de kilts. Maar voordat hij iets kon zeggen, vroeg ze: 'Die Vango, wat heeft hij gedaan dat hij zo achtervolgd wordt?'

'Dat mag ik u niet zeggen,' antwoordde Boulard, dolblij dat hij weer overwicht over haar en zichzelf kreeg. 'Interesseert hij u?'

'Ik vind het wel een grappig idee dat een priester kathedralen beklimt om aan de politie te ontsnappen.'

'Hij was nog geen priester,' corrigeerde Boulard haar.

'Godzijdank.'

Dat zei ze met nog meer mist en mysterie in haar stem. De commissaris begreep dat die woorden een dubbele betekenis hadden. Blijkbaar was ze opgelucht dat het geen gewijde priester was die zoiets had gedaan. Maar er was nog iets anders... Boulard voelde dat ze er heimelijk blij om was dat de jongeman, juist deze jongeman, uiteindelijk geen priester was geworden.

'Kende u hem?' vroeg Boulard en deed een stap in haar richting.

'Nee.'

Dit keer hoorde hij een droevige ondertoon in haar stem. En Boulard, die onwillekeurig altijd alles analyseerde, zag dat ze niet loog. Ze kende deze kathedralen beklimmende seminariestudent niet, ze herkende de Vango niet meer die zich deze dag had laten zien, maar Boulard vermoedde dat ze hem vroeger beslist wel had gekend.

De commissaris realiseerde zich ook dat ze Vango bij zijn voornaam had genoemd. Hij was er bijna zeker van. Hoe wist ze die voornaam? Hij had hem maar één keer hardop gezegd in de menigte op het kerkplein. In de avondbladen stond geen enkele naam. Hij probeerde haar nog even op te houden.

'Waarom was u daar vanmorgen?'

'Ik ben dol op romantische plechtigheden.'

Ze trok haar handschoenen aan, die niets van de ranke vorm van haar vingers verhulden.

Boulard kreeg zijn juiste reflexen terug.

'Mag ik een van mijn mannen vragen om u de weg naar buiten te wijzen?'

'Ik ben heel goed in staat om zelf de weg te vinden, meneer. Goedenavond.'

Met vlugge stappen liep ze de trap af.

Boulard zag dat al zijn mannen naar de ramen snelden. Ze keken hoe Ethel naar een piepkleine, bemodderde Napier-Railton liep, een prachtige, razendsnelle auto die net door Thomson & Taylor in Brooklands was geproduceerd. Een regelrechte vliegtuigmotor in gehard staal.

Ze startte de motor, zette haar bril op en verdween in de nacht.

Opeens leek de zaal van Het Dampende Everzwijn zich te ontspannen. Iedereen begon te lachen en elkaar op de schouders te kloppen, alsof de mannen samen de naschok van een aardbeving hadden overleefd.

Boulard bleef bij het venster staan. Hij keek naar een jongen met een donkerrood schort om, die in zijn eentje bij de straatlantaarn stond. Hij had gezien hoe die naar beneden was gelopen vlak nadat de auto was weggereden, nog even in dezelfde richting was gerend, toen was blijven staan en steun had gezocht tegen de gaslantaarn.

Door de uitlaatgassen van de wegrijdende auto kon hij zijn gezicht eerst niet zien. Maar toen die optrok, slaakte commissaris Boulard een kreet en rende de trap af.

. Vijf tellen later stond de commissaris op de stoep aan de overkant van de straat.

Niemand.

Boulard gaf een schop tegen de lantaarnpaal en hinkte zo snel als hij kon terug naar het restaurant. Hij liep de trap op, ging de keuken binnen, greep de chef-kok in zijn kraag, trok hem mee naar de eetzaal en wees hem op de berg perfect geschilde aardappelen op tafel.

De kok zette zijn muts recht, nam een pieper tussen duim en wijsvinger, bekeek die langdurig met een kennersblik om te zien of er iets verkeerds mee was, maar had er niets op aan te merken.

'Prachtig. Een achtkanter, een achtkantig geschilde pieper. Mooier kan het niet. Een kunstwerk.'

'Waar is hij, degene die dat heeft gedaan?' vroeg Boulard.

'Dat... dat weet ik niet. Maar ik zou hem graag terugzien. Hij zal niet weggaan zonder zijn loon te krijgen, maakt u zich geen zorgen. Dan kunt u hem zeggen wat u vindt van zijn aardapp...'

Boulard glimlachte zuur.

'Ach zo? En kent u hem al lang, deze kunstenaar?'

'Nee. Zaterdags, als het heel druk is, nemen we dagkrachten die op de markt bij de Hallen voor de Église Saint-Eustache op werk staan te wachten. Ik heb hem vanavond om negen uur opgepikt. Ik weet niet hoe hij heet.'

Boulard smeet de tafel met de prachtige piramide van achtkantige piepers omver.

'Ik zal u vertellen hoe hij heet. Zijn naam is Vango Romano. En hij heeft vannacht een moord gepleegd.'

3
Paranoia

Sotsji, aan de kust van de Zwarte Zee,
diezelfde avond in april 1934

Het is een kleine, verlichte serre die als een kristallen lantaarn tegen het grote huis aan staat. De rest is in duisternis gehuld. De gewapende wachters op het dak en in de bomen zijn niet te zien. Van achter uit het dal komt de zeewind aangewaaid.

In de serre valt het licht van drie spirituslampen die tussen de orchideeën hangen, op een man. Je zou denken dat het een tuinman was. Hij snoeit oranjeboompjes die in een pot staan.

'Het is bedtijd, Setanka, lieve Setanotsjka.'

De stem klinkt vriendelijk. Setanka doet alsof ze het niet heeft gehoord. Ze is acht jaar. Ze zit in haar nachtjapon op de grond en laat langwerpige zaadkorrels als bootjes in het water van een gieter ronddobberen.

Buiten zwaait een lamp heen en weer. Een bezorgd gezicht verschijnt achter het raam van de deur. Er wordt op de ruit getikt.

De snor van de tuinman krult een beetje omhoog. Hij gaat verder met zijn werk zonder te reageren.

De bezoeker komt binnen en loopt tussen de sinaasappelboompjes naar voren.

'Er is nieuws uit Parijs,' zegt hij.

De tuinman heeft niet eens zijn hoofd naar hem toe gedraaid. De plooien in zijn ooghoeken doen vermoeden dat hij glimlacht.

'Het is geen goed nieuws,' gaat de man verder.

Deze keer boren de ogen van de ander zich in de zijne, ogen die zo blauw zijn als het ijs van het Bajkalmeer.

'De vogel...' zegt de boodschapper terwijl hij een stap achteruit doet, 'de Vogel is gevlogen. Het is onbegrijpelijk.'

De tuinman zuigt op zijn duim, die een beetje bloedt. Hij heeft zich net aan zijn koperen schaar bezeerd.

Het kleine meisje aan zijn voeten is opgehouden met haar spel. Ze luistert.

Ze hoort nu al een paar jaar over de Vogel praten.

Van al die mensen die met haar vader komen praten, van al die raadselachtige gesprekken, is de Vogel het enige wat haar interesseert.

Ze heeft voor zichzelf allemaal verhalen om hem heen verzonnen. 's Avonds droomt ze dat hij haar kamer binnenvliegt, dat ze hem verstopt in haar handen of onder de lakens.

'Boris heeft misgeschoten,' legt de man uit. 'Maar Boris zegt dat hij hem weer zal vinden. En anders krijgt de Franse politie hem wel te pakken...'

Zwijgend blijft de man staan. Hij voelt een koude luchtstroom in zijn rug. En wanneer de tuinman eindelijk zijn blik afwendt, loopt de boodschapper lijkbleek naar buiten, doet de deur met de dikke glazen ruiten zorgvuldig dicht en gaat weg.

De lamp verdwijnt in de duisternis.

Een stemmetje vraagt: 'Over welke vogel had hij het?'

De tuinman verroert zich nog steeds niet.

'Ga slapen, Setanka.'

Dit keer staat ze op, kust de dikke snor van haar vader, zoals ze dat elke avond doet, en fluistert hem iets in zijn oor.

Dan loopt ze de serre uit in haar witte nachtjapon, terwijl ze haar armen als vleugels uitspreidt.

De tuinman legt zijn schaar op tafel. Hij is met zijn gedachten elders.

Hij is al vergeten wat zijn dochter net tegen hem zei.

'Je moet niet op vogels schieten.'
Dat zei ze.
Ze moest eens weten.

Parijs, op dat moment

Vango loopt over de daken van Parijs. Hij kent de luchtweg tussen de karmelieten en de Jardin du Luxembourg uit zijn hoofd. Hij kan hem bijna zonder de grond te raken afleggen. Hij weet dat de politie voor het seminarie heeft postgevat en hem staat op te wachten.

Vango loopt over lange zinken platen, glijdt over leistenen daken, springt van de ene schoorsteen naar de andere. Hij weet waar kabels zijn gespannen, zodat hij straten kan oversteken. De duiven die in april al in de dakgoten zitten te koeren, schrikken niet eens van hem. Hij zweeft boven de bewoners van de zolderkamers – studenten, dienstbodes, kunstenaars. Hij maakt de katten niet wakker, strijkt niet eens langs het wasgoed op de dakterrassen. Soms staat er een vrouw gewikkeld in een deken bij een open venster de lucht van de lentenacht in te ademen.

Springend van dak naar dak scheert hij er geruisloos bovenlangs.

Een paar dagen geleden legde Vango deze weg nog in omgekeerde richting af om midden in de nacht uit het seminarie te ontsnappen en naar het besneeuwde park te gaan.

Vanuit de laatste dakgoot sprong hij over naar een oude kastanjeboom die boven het hoge hek van de Jardin du Luxembourg uitstak, en liet hij zich langs de stam naar beneden glijden.

Het had gesneeuwd in de eerste dagen van april. Vango liep tot het aanbreken van de dag tussen de grasvelden en de verlaten paden van het grote park, terwijl zijn voeten in de sneeuw wegzakten. Hij keek naar het ijs in de vijvers en keerde toen, opnieuw via de daken, terug naar de kapel van de karmelieten voor de ochtendmis.

Omdat hij net te laat was mopperde vader Jean een beetje.

'Je slaapt te veel, jochie.'

Terwijl hij dat zei keek hij naar Vango's schoenen, die nat waren van de sneeuw en de modder. Vader Jean had altijd alles in de gaten.

Maar deze keer vermoedde Vango, terwijl hij over de daken van Parijs liep, dat hem in het seminarie geen vriendelijke verwijten van vader Jean te wachten stonden, en zelfs niet de woede van de oude Bastide, de overste die het huis als een kazerne bestierde...

Wat hem te wachten stond, was de politie, die hem in de boeien zou slaan, en misschien wel de gevangenis...

Waarom had hij vanmorgen bij de Notre-Dame de benen genomen? Waarom was hij gevlucht als hij zichzelf niets te verwijten had? Daardoor verklaarde hij zichzelf juist schuldig. Maar Vango kon zich niet onttrekken aan die bovenmenselijke kracht die hem ertoe bracht om alles te wantrouwen, aan het gevoel dat allerlei vijanden het op hem gemunt hadden.

Vango dacht dat hij gevaar liep. Vanaf zijn veertiende zei men dat hij leed aan een kwaal die een psychiater met hoofdletters op zijn dossier had geschreven: PARANOIA. Vanwege die acht letters was hij bijna het seminarie uit gezet. Vader Jean had hem uit alle macht verdedigd. Hij had ingestaan voor Vango's geestelijke gezondheid.

'U neemt risico's,' had de domheer Bastide tegen vader Jean gezegd. 'Daar zult u spijt van krijgen.'

Vader Jean nam elke dag risico's, en hij had er nooit spijt van.

Maar deze keer maakte hij zich ongerust.

Diep in zijn hart voelde hij zich verantwoordelijk voor wat er met Vango gebeurde. Hij had het biechtgeheim geschonden en Bastide verteld van Vango's angsten.

De jonge seminariestudent vertelde hem namelijk alles. Hij dacht dat er jacht op hem werd gemaakt, dat hij op straat door auto's werd gevolgd, dat zijn kamer werd doorzocht wanneer hij er niet was, dat er een steiger als bij toeval vlak achter hem was ingestort, en dat hij

31

zich 's nachts in het klooster van de karmelieten moest verweren tegen een schaduw die met een mes in het rond zwaaide.

Iemand had het op hem gemunt.

Paranoia, achtervolgingswaan. Daar wist vader Jean alles van. Tijdens de Eerste Wereldoorlog was hij legerarts geweest. Hij kende de effecten van deze ziekte, die mensen gek kon maken. Eerst dachten ze dat ze alleen maar werden bespied of lastiggevallen, daarna gingen ze hun eigen familie en hun beste vrienden verdenken en werden ze een gevaar voor hun naaste omgeving.

Vango bleef staan, met de tranen in zijn ogen. Hij hield zich in evenwicht op een stalen balk tussen twee gebouwen die vlak naast elkaar stonden. Zojuist had hij de klok van de kapel van het seminarie drie uur horen slaan. Zijn hele leven lag besloten in de weergalm van klokken. Andere klokken, verder weg in Parijs en in zijn herinneringen, begonnen ook te luiden.

Toen deze ene klok ophield, stond Vango's besluit vast. Hij zou teruggaan naar de slaapkamer van vader Jean en zich overgeven.

Vader Jean zou hem naar de politie brengen en hem verdedigen. Hij zou uitleggen waarom Vango gevlucht was. Samen zouden ze eindelijk horen waarvan hij beschuldigd werd. Dat had Vango besloten. Hij zou zich kunnen verantwoorden, want hij had niets verkeerds gedaan.

Een paar minuten later herkende hij het dak van het seminarie van de karmelieten. Hij hoefde nog maar één straat over te steken. Er stond een zwarte Citroën Rosalie voor de stoep geparkeerd. In de auto gloeiden sigaretten rood op. Ze hadden het daarbinnen waarschijnlijk heel benauwd. Er zat vast en zeker een heel politiebureau, in twee of drie rijen in die rokerige auto gepropt.

Zelfs de carrosserie leek te kuchen.

Toen hij dat voor zich zag, moest Vango weer glimlachen. Hij had een idee gekregen.

Hij bevond zich dus op het dak van het gebouw recht tegenover het seminarie, aan de overkant van de straat. In zijn rug voelde hij het warme kanaal van een schoorsteen en boven zijn hoofd stegen kringelende rookwolken op.

Hij trok een paar loszittende bakstenen uit de muur en legde die op de aardewerken pijpen van alle schoorstenen op het dak. Nu kon de rook er niet uit. Hij ging vlak bij de dakgoot zitten en wachtte af.

Het duurde niet lang.

Eerst gingen de lichten achter de ramen aan, daarna gingen de ramen open en kwamen de mensen op de balkons staan om de buitenlucht in te ademen. Hier en daar klonk al een gil, daarna rende iemand de trap af. Doordat de rook niet via het dak naar buiten kon, verspreidde hij zich binnenshuis.

Vango kroop door een zolderraam naar binnen, kwam terecht in het bomvolle trappenhuis en begon zorgvuldig alle appartementen te doorzoeken. Hij wilde niemand in gevaar brengen en keek daarom of er nergens meer iemand was achtergebleven. In het voorbijgaan streek hij met zijn hand langs het roet in een schoorsteen en smeerde dat op zijn gezicht. Nu konden ze Vango onmogelijk herkennen tussen al die schimmen die zich in het trappenhuis verdrongen met wangen die zwart zagen van de rook.

Op de tweede verdieping liep hij naar een vrouw die twee kinderen droeg. Hij nam de kleinste, een huilende peuter, van haar over.

'Ik zal u wel helpen.'

Hij liep naar buiten en kwam op straat terecht tussen een menigte mensen in pyjama. De politieagenten waren uit hun auto gekomen. Ze waren haast nog meer in paniek dan de bewoners.

Vango stak de straat over om zich te voegen bij iedereen die aan de overkant was gaan staan. Hij was nog maar een paar passen van de poort van het seminarie verwijderd. Hij wendde zich tot een politieagent en drukte hem de brullende peuter in zijn armen.

'Bent u van de politie?' vroeg Vango.

'Ja...'

'Zeg dan tegen uw vrienden dat mijn oma nog op de bovenste

33

verdieping is. Ze zoekt haar poes. Ze weigert zonder hem naar buiten te gaan.'

De agent hield de peuter in zijn armen alsof het een bom was die ieder moment kon ontploffen. Hij gaf hem aan de eerste de beste die hij tegenkwam, wenkte zijn collega's en rende naar het gebouw. Het geklingel van de brandweerauto kwam steeds dichterbij.

'Er zit een oma op de vijfde verdieping!'

Vango dook onder in de menigte.

Grote rampspoeden gaan vaak gepaard met kleine wonderen. Dat had hij altijd gedacht. Het was een kwestie van vertrouwen.

Vango kwam bij de poort van het seminarie en duwde er met zijn schouder tegenaan. Jammer genoeg zat hij op slot. Hij deed een stap naar achteren maar kreeg niet eens de tijd om hem opnieuw aan te raken. Wonder boven wonder ging de poort prompt open. Jammer genoeg kwam Weber naar buiten, de portier van het klooster. Wonder boven wonder... Nee. Weber bleef stokstijf staan.

Even keken ze elkaar aan.

Was het mogelijk dat hij Vango niet zou herkennen? Die telde de seconden in afwachting van het volgende wonder. Webers gezicht werd rood. Hij deed zijn mond wijd open en dwong zichzelf om geen kreet te slaken.

Vango's adem stokte in zijn keel.

'Nina Bienvenue,' zei Weber.

'Wat zegt u?' fluisterde Vango.

'Dat is Nina Bienvenue.'

'Wie?'

'Ik ben een meisje uit de stad...'

'Hoe bedoelt u?'

'Vervuld van liefde is mijn hart...'

Uit de mond van een karmeliet in kamerjas klonken die woorden nogal verrassend. Zijn wangen waren vuurrood geworden.

'Neem mij in je armen, mijn liefste, mijn schat, neem me in je armen, ik wou dat ik je had...'

Weber spreidde inderdaad zijn armen. Vango deed een stap opzij.

'Kijk,' zei de portier plechtig. 'Nina Bienvenue, de zangeres van La Lune Rousse!'

Vango draaide zich om. Op de stoep aan de overkant stond een stralende verschijning op blote voeten, in een nachtjapon die de knieën niet bedekte, afgezet met roze bont en roze strikken op haar heupen, en een bijpassend gezicht: Nina Bienvenue, de vedette van nachtclub La Lune Rousse in Montmartre. Ze was vijfentwintig jaar en de hartendief van Parijs.

Zij was het laatste kleine wonder. De ideale afleiding. Als een gerookte haring was ze in haar grote appartement op de eerste verdieping wakker geworden.

Webers ogen straalden. Hij kende al haar liedjes.

Raimundo Weber was een kapucijner monnik uit Perpignan, die na zijn pensioen naar de hoofdstad was gekomen en 's nachts foxtrotmuziek speelde op het orgel van de kloosterkapel. Hij was hooguit een meter vijfenvijftig lang, maar kon met elke hand twee octaven bespelen.

Hij rechtte zijn rug, maakte zijn kamerjas los en liet die als een stierenvechter om zich heen zwaaien. Daaronder droeg hij een geruite pyjama. Hij deed een stap in de richting van de zangeres, en nog een, en nog een, alsof hij haar uitnodigde voor een tango op straat. Ten slotte maakte hij een buiging waardoor hij, vanwege zijn geringe lengte, bijna de straatstenen raakte. Hij maakte een nieuwe stierenvechtersbeweging met zijn kamerjas en sloeg die toen om de blote schouders van de jongedame heen.

'Sta mij toe, juffrouw. Ik bewonder u zeer.'

Nina Bienvenue glimlachte.

Vango stond al op de binnenplaats. Hij sloeg een lange gang in en kwam op een andere binnenplaats terecht. Hij hoorde stemmen naderen, dook weg in een donker hoekje en klom als een hagedis langs een buis die in de muur verankerd was. Hij belandde op het dak en kwam weer op adem.

Zoals altijd voelde hij zich dichter bij de hemel meer op zijn gemak. Hoog boven de grond was hij in zijn element. Wat hem gisteren was overkomen en waardoor het bijna verkeerd met hem was afgelopen, was dat niet gebeurd toen hij voor het eerst op de grond lag?

Hij had zijn hele jeugd doorgebracht op kliffen die loodrecht uit zee oprezen, te midden van de vogels. Hij had de peilloze diepte bedwongen.

Vango deed een paar passen langs de smalle daklijst. De kamer van vader Jean was vlakbij, in het kleine gebouw aan het eind van de stenen binnenplaats.

Vader Jean, zijn enige hoop.

Twee mannen stonden op de stoep voor de deur op wacht.

Vango liet zich niet afschrikken door die bewakers, want hij was niet bepaald het type dat simpelweg door deuren naar binnen ging, maar hun aanwezigheid verontrustte hem wel. Hij hoopte dat ze vader Jean niet vanwege hem hadden lastiggevallen. Als ze nu maar niet dachten dat Jean medeplichtig was aan zijn ontsnapping of aan het vergrijp waarvan hij werd beschuldigd. Het vergrijp... Welk vergrijp?

Toen hij stiekem restaurant Het Dampende Everzwijn was binnengekomen nadat hij te elfder ure was aangenomen om aardappelen te schillen, wilde Vango alleen maar weten wat hij had misdaan. Hij had de commissaris opgespoord, hij had hem horen praten, maar hij was niets wijzer geworden. De enige opheldering was verschaft door een andere stem, zo zacht als een zomerregen, maar die stem had zo'n schok bij hem teweeggebracht dat hij bijna in tranen was uitgebarsten.

Ethel.

Voor het eerst sinds vijf jaar hoorde hij Ethels stem.

Ze was dus gekomen.

In het restaurant had hij zich niet eens kunnen omdraaien om naar haar te kijken. Maar hij hoorde duidelijk dat ze niet was veranderd. Vango had Ethel in 1929 leren kennen, toen zij twaalf was en hij veertien. Door die ontmoeting was er veel in zijn leven veranderd. Vanaf die dag had hij de wereld veel mooier gevonden, en ook een beetje ingewikkelder.

Er brandde een kaars voor het raam van vader Jean. Waarschijnlijk was hij in zijn kamer. Vango klom over de dakgoot, liet zich boven de afgrond zakken, sprong op de rand van het raam van de bovenste verdieping en haalde dezelfde acrobatische toeren uit om een verdieping lager uit te komen. Op de stoeptreden vlak onder hem staken de bewakers een sigaret op. Vango drukte zijn gezicht tegen de ruit. Eén enkele kaars, die bijna helemaal was opgebrand, verlichtte het vertrek. Hij zag vader Jean slapend op zijn bed liggen.

Waarschijnlijk was hij tijdens zijn avondgebed ingedommeld. Vango glimlachte. Zo was hij. Vader Jean was helemaal aangekleed en had zijn rozenkrans nog in zijn handen.

Het raam was niet dicht. Vango hoefde het alleen maar open te duwen. Hij klom naar binnen.

Bijna was hij gered. Met vader Jean aan zijn zijde kon hem niets meer gebeuren.

Vango was bang om hem aan het schrikken te maken. Heel zachtjes riep hij: 'Ik ben het, vader. Vango.' Vanwege het raam dat nog op een kier stond, was het ijskoud in de kamer. Hij durfde niet naar het bed toe te lopen en besloot te wachten totdat vader Jean wakker zou worden.

Op zoek naar een stoel zag hij dat een deel van de kamer was afgezet met een draad die horizontaal een meter boven de grond was gespannen. Vango kroop eronderdoor en liep naar het kleine bureau waar hij zoveel uren naast zijn oude vriend had doorgebracht.

'Een bureau is als een boot,' had vader Jean op een dag tegen hem gezegd terwijl hij ging zitten. 'Zó moet je werken. Je buigt je over je boek en je hijst de zeilen.'

Op de gang sloeg een deur dicht. Vango wachtte een poos voordat hij weer een stap durfde te zetten.

Het was een grote janboel op het bureaublad. Ganzenveren lagen in een plas inkt die voor de helft door het hout was opgezogen. Een groot schrift lag opengeslagen. Het merkwaardigste was dat elk voorwerp met wit krijt omcirkeld was, alsof de plaats ervan moest worden vastgelegd.

Vango huiverde en boog zich over het schrift heen. Op een pagina ontdekte hij een donkere vlek en slechts twee woorden, in het Latijn, die door de hand van vader Jean haastig waren opgeschreven:

FUGERE VANGO

In een flits van een seconde begreep hij alles. De vlek was een bloedvlek. Ze hadden het vertrek gelaten zoals het was. De man die op het bed lag, was een dode man.

Nu wist Vango wat zijn vergrijp was.

Vader Jean was dood.

En de twee woorden in het schrift wezen hem als schuldige aan: VLUCHTEN VOOR VANGO.

In de ogen van iedereen was hij de moordenaar van vader Jean. Hij werd gezocht voor dit misdrijf dat de vorige nacht was gepleegd, vlak voordat hij tot priester zou worden gewijd. Vango zakte op zijn knieën voor het bed van zijn vriend neer. Hij pakte zijn ijskoude hand vast en drukte die tegen zijn voorhoofd.

Het ergste. Het ergste was hem overkomen. Een met spijkers beslagen kogel tolde in zijn binnenste rond. Hij had het gevoel alsof zijn hart en zijn huid binnenstebuiten werden gekeerd, zoals de konijnen die door de jagers uit zijn jeugd in de Siciliaanse zon werden opengesneden.

Maar toen hij even later opstond, wist hij zeker dat de twee woorden die vader Jean had opgeschreven, geen beschuldiging waren.

Ze waren een noodkreet, een bevel dat voor Vango bedoeld was.

Vluchten, Vango!

4
Een nieuw begin

Salina, Eolische Eilanden, Sicilië,
zestien jaar eerder, oktober 1918

Ze duwden de deur open en de stormwind waaide met hen naar binnen.

Ze waren met z'n vieren. Vier mannen die een levenloze, in een rood zeil gewikkelde vrouw droegen. Iedereen stond op. Tonino, de waard van de herberg, maakte voor de broodoven een tafel vrij en riep zijn dochters. Ze legden het lichaam op het houten blad neer.

'Leeft ze nog?' vroeg Tonino.

Zijn oudste dochter sloeg de rode stof opzij, scheurde de doorweekte jurk open en legde haar oor op het hart van de vrouw. De gasten van de herberg, de waard, de vissers die het lichaam hadden meegenomen, iedereen in de gelagkamer wachtte.

Carla luisterde een hele poos.

'En, Carlotta?' riep Tonino ongeduldig.

'Sst...' antwoordde ze.

Ze wist het niet zeker. Buiten huilde de wind. Een tak van een bougainvillestruik sloeg tegen het luik. Niets is zo licht als een hartslag. Vergeleken bij een storm is het een belletje dat het tegen een fanfare moet opnemen.

Uiteindelijk stond Carla op en glimlachte.

'Ze leeft.'

Haar zusje kwam al met doeken aanzetten om het lichaam af te drogen. Ze pakte een paar grote keien die bij het vuur lagen te warmen, wikkelde die in een lap en legde ze als kruiken tegen de natte huid. De mannen, die gebiologeerd naar de blote schouders staarden, werden met resolute gebaren door de zusjes weggestuurd.

'*Ciao, signori! Ciao!*'

Ze spanden een laken om een aparte plek te maken waar ze de vrouw konden uitkleden.

Tonino gaf iedereen iets te drinken.

'Waar komt ze vandaan?' vroeg hij.

Er waren een stuk of twintig mensen in de herberg van Malfa.

'Slecht weer, goede zaken.' Dat had de waard die ochtend nog gezegd, toen de lucht betrok. En inderdaad was de gelagkamer die ochtend vol.

Toch waren er niet veel bewoners meer op het eiland. In enkele tientallen jaren tijd was de bevolking zes keer zo klein geworden. De mensen vertrokken met hele bootladingen tegelijk om hun fortuin in Amerika of Australië te gaan zoeken. Ze lieten spookdorpen achter.

'We hebben haar op het keienpad boven het strand van Scario gevonden.'

Dat zei Pippo Troisi. Hij was geen visser. Hij teelde kappertjes en hij had een piepkleine wijngaard, maar als het hard waaide werd hij ingehuurd om de sloepen te verzwaren.

Hij was degene die de vrouw het eerst had gezien, en het was voor hem een persoonlijke zaak geworden. Het enige in zijn leven waar hij trots op was. Af en toe keek hij met een bezittersblik naar het schimmenspel dat zich achter het laken afspeelde.

'Waar komt ze vandaan?' vroeg Tonino.

'Niemand kent haar,' antwoordde Pippo.

Daar hadden ze niks op te zeggen en het bleef een poos stil. Op een eiland kent iedereen elkaar. En ook al ontmoette je wel eens onbekende schippers in de havens, ze hadden nog nooit een onbekende, beeldschone vrouw op een pad bij de kliffen opgeraapt.

'Je kon haar uitwringen,' voegde Pippo eraan toe. 'Ze moet een hele poos in de regen hebben gelegen.'

'Waar komt ze nou vandaan?' ging de herbergier maar door, starend in zijn glas.

De wind speelde nu fluit op de schoorsteen.

'Ze komt van zee,' antwoordde een stem van achter het laken.

Dat was Carla. Ze stak haar hoofd om de hoek en zei: 'Deze vrouw is net zo gepekeld als een vaatje van jouw kappertjes, Pippo Troisi.'

Ze keken elkaar zwijgend aan. De zee had hun alles gegeven, hij liet hen leven en soms sterven, hij bezorgde hun verrassingen – een gestrande walvis, wrakken of zeven kisten bananen die vorige zomer van een schip waren gevallen – maar nog nooit had hij een vrouw als een vliegende vis halverwege de klif boven het strand van Scario geworpen.

'Ze doet haar ogen open!'

Ze snelden naar voren. Carla en haar zus hielden hen tegen, en ze lieten het wel uit hun hoofd om nog één stap verder te zetten.

De vrouw lag nu onder een dikke laag sjaals en dekens. De meisjes hadden het grondig aangepakt. Een non was er niks bij: geen enkel stukje huid was zichtbaar. Zelfs haar haren waren in een lap stof gewikkeld. Het enige wat je kon zien was haar hoofd, dat op een wollen kussen steunde.

Ze was veel minder jong dan ze hadden gedacht, maar door de kou leek haar gezicht opgemaakt voor een dansfeest: een bleke huid, paarse lippen en donker omrande ogen. Doordat ze opwarmde, kleurden haar wangen poederroze. Ze staarde een hele poos met open ogen voor zich uit, en toen zei ze één woord:

'Vango.'

Een uur later vonden ze het jongetje Vango tussen twee rotsblokken op het strand. Hij was een jaar of drie. Hij had een blauwe zijden pyjama aan. Zijn haar viel in krullen voor zijn ogen. Bang leek hij niet te zijn. In zijn hand hield hij een geborduurde zakdoek als een balletje in elkaar gefrommeld. Hij keek naar al die mensen om hem heen.

Vango.

De vrouw had precies aangegeven waar hij verborgen zat.

Ze lieten de dokter komen om te vertalen wat ze zei.

Hij boog zich voorover en hoorde haar een paar woorden fluisteren.

'Ze spreekt Frans,' zei hij ernstig, alsof hij zojuist een forse keelontsteking had geconstateerd.

Er klonk een tevreden gefluister op. Iedereen wist dat de dokter, die altijd veel verhalen vertelde over zijn vroegere reizen, nooit uitgepraat raakte als het over Frankrijk ging.

'Wat zegt ze?'

Dokter Basilio leek een beetje opgelaten. In feite was hij nooit verder dan Napels gekomen. Zijn kennis van de Franse taal was tamelijk vaag, ook al liep hij altijd met een nummer van de krant *L'Aurore* onder de arm en zei hij vaak 'Ach! Parijs, Parijs...' als hij naar modefoto's keek.

Hij schraapte al zijn kennis bij elkaar en probeerde er wijs uit te worden.

'Ze praat ook andere talen. Van alles door elkaar, net als bij de toren van Babel.'

Dit keer loog hij niet. De vrouw was zo moe dat ze diverse talen door elkaar heen sprak als ze wat zei.

'Dat is Grieks,' zei de dokter.

'En wat wil dat zeggen?'

'Dat wil zeggen dat ze Grieks praat.'

Deze uitleg wekte grote bewondering.

Uiteindelijk kwamen ze erachter dat ze ook Italiaans sprak. Opgelucht leidde de dokter de ondervraging. Ten slotte herhaalde hij gewoon in het Siciliaans wat zij fluisterde in een bijna perfect Italiaans dat iedereen kon begrijpen.

De vrouw en het kind waren door de golven met een hoopje planken en balken op het kiezelstrand geworpen. Ze had het kind op een beschutte plek gelegd en was vervolgens links van de baai langs het pad omhooggelopen om hulp te zoeken. Onderweg was ze in elkaar gezakt.

Inmiddels zat ze in een stoel en Vango drukte zich tegen haar aan.

'Is dat uw kind?' vroeg de dokter. Hij deed zijn best om zo duidelijk mogelijk te spreken.

Ze probeerde te glimlachen. Ze had de leeftijd niet meer om een kind van drie jaar te hebben.

De dokter knikte, een beetje beschaamd over zijn vraag. Voor zover bekend was hij altijd vrijgezel geweest, maar hij werd toch geacht de cyclus van het menselijke lichaam beroepshalve te kennen.

Bij wijze van afleiding en omdat ze zich niets meer kon herinneren, begon dokter Basilio de enige twee Franse woorden die hij kende te herhalen: '*Souvenez-vous, souvenez-vous...*'

Hij zei het als een smeekbede en boog zich naar haar toe.

De taal van anderen is een vreemd lied waarvan je de melodie nadoet voordat je de woorden begrijpt. Toen de weinige omstanders deze woorden in het Frans hoorden, moesten ze lachen. Ze wisten niet wat het betekende, maar ze keken elkaar allemaal aan en zeiden '*Souvenez-vous*', op een bezwerende toon.

Iedereen in de herberg begon over die twee woorden te mijmeren.

'*Souvenez-vous,*' zei een vrouw tegen haar man, knipperend met haar ogen.

'*Souvenez-vous!*'

Het geroezemoes werd steeds luider.

'*Souvenez-vous,*' riep Pippo Troisi en hij hief zijn glas.

De dokter maakte abrupt een einde aan het spel: 'Mond houden!'

Het werd muisstil.

De dokter vertaalde nogmaals in het Siciliaans wat iedereen allang had begrepen: 'Ze weet niets. Ze weet niet waar ze vandaan komt, noch waar ze heen gaat. Ze zegt dat ze Mademoiselle heet en ze weet dat het kind Vango heet. Dat is alles. Ze is de kinderjuffrouw van de jongen.'

Hij had het Franse woord *mademoiselle* gebruikt.

'Wat is ze van plan?' vroeg een van de dochters van de waard.

De drenkelinge zei een paar woorden, met tranen in haar ogen.

De dokter herhaalde: 'Dat weet ze niet. Ze wil hier blijven. Ze is bang.'

'Maar wat kan ze hier dan doen? Die jongen moet toch ergens ouders hebben! Ze moet een boot naar hun land nemen!'

'Welk land?' vroeg de dokter geërgerd.

'U zei dat ze Frans spreekt.'

'Ze spreekt ook Engels. En ze heeft een zin in het Grieks gezegd. Dus waar is dat land?'

Om de zaak nog ingewikkelder te maken liet de vrouw een paar klanken horen.

'Dat is Duits,' zei de dokter.

Ze fluisterde nog iets.

'En dat is Russisch.'

Het jongetje klemde de zakdoek tussen zijn vingers. Op de donkerblauwe stof was een grote, in goud geborduurde V te zien.

De V van Vango.

De dokter nam het handje vriendelijk in de zijne, en het lukte hem even om de kostbare zakdoek vast te pakken. Boven de V van goud stond nog iets, waarschijnlijk de achternaam van het kind: ROMANO.

'Die naam komt hier ook voor,' zei Carla.

'Vango Romano,' zei haar zus.

En daarboven, op de rand van de zakdoek, ontcijferde de dokter, zonder dat hij er iets van begreep, een paar raadselachtige Franse woorden die in rode lettertjes geborduurd waren: *Combien de royaumes nous ignorent...**

Hij las ze langzaam, als een kind dat het alfabet leert: '*Combien... de royaumes... nous ignorent...*'

---

* Hoeveel koninkrijken hebben geen weet van ons...

Het was stil in de herberg.

Als een kleine roofvogel dook Vango's hand op het lapje stof en liet het verdwijnen.

'Mijn God,' zuchtte een vrouw.

'Daar zijn we mooi mee in de aap gelogeerd,' zei Tonino.

Er was zojuist een man binnengekomen. Hij was in een hoek gaan zitten, had een volkomen doorweekte hes van dierenhuid uitgetrokken en malvasiawijn en koek besteld. Zijn lange haar plakte door de regen tegen zijn achterhoofd.

'Eerst betalen,' antwoordde de waard wantrouwig.

De man heette Mazzetta. Iedereen kende hem. Hij woonde alleen met zijn ezel en had beslist geen geld om zichzelf te trakteren op wijn en koek, behalve met Kerstmis en Pasen. Tonino vertrouwde het niet.

'Eerst betalen!'

De man keek hem aan. Hij liet een splinternieuw muntstuk op het dienblad vallen.

De waard nam het tussen zijn vingers en bekeek het aandachtig.

'Heb je je ezel verkocht, Mazzetta?'

Normaal gesproken zou Mazzetta misschien de tafel stuk hebben geslagen, of zou hij Tonino tussen de strengen knoflook en de hammen aan een balk in zijn keuken hebben gehangen.

Maar hij zag het jongetje in de blauwe pyjama.

Het jongetje keek hem aan. Hij zat met zijn wang stijf tegen de schouder van zijn kinderjuffrouw aan gedrukt, en hij keek hem aan alsof hij hem kende.

Mazzetta liet de waard ongemoeid. Hij kon Vango's blik niet lang verdragen. Hij boog zijn hoofd en richtte zich toen langzaam weer op. Op dat moment ontdekte hij Mademoiselle.

Toen Mazzetta Mademoiselle zag, toen zijn bloeddoorlopen ogen de blauwe ogen van Mademoiselle aankeken, verstijfde hij.

Hij veranderde in een blok steen.

Een brok lava van de vulkaan Stromboli, dat in zee valt.

Voor het eerst sinds ze daar was gebracht begon Mademoiselle te huilen.

Mazzetta schoof zijn stoel naar achteren en wendde zijn gezicht naar de muur.

Behalve Vango had niemand dit merkwaardige oogcontact opgemerkt. Ze zagen alleen maar de tranen op Mademoiselles wangen. Wat moesten ze aanvangen met die vrouw en dat kind? Dat was de enige vraag die hen bezighield.

'Kunnen ze bij jou terecht, Pippo Troisi?'

Pippo zat net een vuistdik stuk gebakken ravioli te eten, dat hij uit een lap tevoorschijn had gehaald. Hij stikte er bijna in.

'Bij mij thuis?'

'Totdat we iets hebben bedacht...'

Pippo zou maar wat graag ja hebben gezegd. Hij was de aangewezen persoon, want hij had ze als eerste gezien. Er blonk zelfs even een glimp van trots in zijn ogen, maar meteen daarna wist hij het weer: Pippo Troisi had thuis niets te vertellen.

'Het probleem is...'

Giuseppina. Hij hoefde zijn zin niet af te maken. Iedereen wist wat het probleem was: zijn vrouw.

Giuseppina koesterde haar man zo erg dat hij het er benauwd van kreeg. Tegen andere mensen was ze net zo gastvrij als een moedergans die haar ei bewaakt. Ze zou nooit een vrouw en een kind die verdwaald waren in de buurt van haar nest laten komen.

Misschien was het wel vanwege zijn vrouw dat Pippo de kappertjesteler ervan droomde om zeeman te worden. Er zijn mensen aan wal die zorgen dat je zin krijgt om heel ver en vooral heel lang te gaan varen.

Niemand weet precies hoe het kwam dat Vango en Mademoiselle uiteindelijk hun intrek namen in het huis van de raadselachtige Mazzetta.

Toen Mazzetta was opgestaan om te zeggen: 'Ze kunnen wel bij mij terecht', had iedereen heel verbaasd gekeken. Mademoiselle had het jongetje heel stevig tegen zich aan gedrukt. Ze had nee geschud zonder ook maar één woord te kunnen uitbrengen.

Mazzetta's huis bestond uit twee witte vierkante blokken in de krater van Pollara, die in zee uitliep. Daartussen stond een olijfboom. De andere huizen in het gehucht Pollara stonden al jaren leeg. Daar gingen Vango en Mademoiselle wonen.

Mazzetta verkaste naar het hutje van zijn ezel, honderd meter verderop. Het was eerder een hol in de rots, met stro op de grond en een stenen muurtje ervoor. Alsof hij zijn ezel wilde bedanken dat die voor hem inschikte, maakte Mazzetta een mooi halster van hout en leer, waardoor de kop van het dier naar beneden hing.

Vanaf die dag tot aan zijn dood zette Mazzetta nooit meer een voet in zijn oude huis. Vanaf die dag zorgde de straatarme Mazzetta dat zijn beschermelingen te eten hadden door bij elke nieuwe maan een zilveren muntstuk voor hun deur neer te leggen. Vanaf die dag werd de hardhandige Mazzetta nog zachtaardiger dan zijn ezel, hij noemde hem Tesoro, en af en toe zag iemand toevallig dat hij stond te huilen als hij uitkeek over zee.

In alle jaren die daarop volgden richtte Mademoiselle niet één keer het woord tot hem en keek ze hem niet één keer aan.

Er bestond een raadselachtig verbond tussen die twee. Een verbond dat door geen enkel woord was bezegeld. Een stilzwijgend verbond.

Op de helling van deze uitgedoofde vulkaan groeide Vango op.

Hij vond er alles wat hij nodig had.

Hij groeide op met drie verzorgsters: vrijheid, eenzaamheid en Mademoiselle. Gedrieën voedden ze hem op. Van hen leerde hij alles wat hij meende te kunnen leren.

Toen hij vijf was begreep hij vijf talen, maar hij praatte met niemand. Toen hij zeven was beklom hij de kliffen zonder zijn voeten te gebruiken. Toen hij negen was voerde hij de valken die op hem neerdoken om uit zijn hand te eten. Hij sliep in zijn blote bast op de rotsen, met een hagedis op zijn hart. Hij riep de zwaluwen door naar ze te fluiten. Hij las Franse boeken die Mademoiselle in Lipari kocht. Hij klom naar de top van de vulkaan om zijn haren in de wolken nat te laten worden. Hij zong Russische wiegeliedjes voor de kevers. Hij keek hoe Mademoiselle groente met kaarsrechte kanten sneed alsof het diamanten waren, en hij verslond alle heerlijkheden die zij voor hem kookte.

Zeven jaar lang dacht Vango dat hij niets anders nodig had dan Mademoiselles genegenheid, de wilde natuur van het eiland, de zon en de schaduw van de vulkaan.

Maar wat er rond zijn tiende gebeurde veranderde zijn leven voorgoed. Door wat hij toen ontdekte leek het stukje eiland waar hij woonde plotseling piepklein. Het was alsof er in hem een onderwaterbrand uitbrak.

In zijn ogen veranderde de wereld van kleur.

Toen hij terugkeerde naar zijn kleine paradijs zou hij zichzelf nooit meer kunnen beletten om voorbij de kliffen en de laatste rots naar de horizon en de hemel te kijken.

5
Achter de mist

Eolische Eilanden, september 1925

Het avontuur begon die nacht.

Hij hoorde het geschreeuw voordat hij de zee hoorde.

Toch overstemde de zee alles. Die stortte zich met het geweld van de bliksem op de voet van de klif. Dan trok hij zich terug, draaide om zichzelf heen, viel van andere kanten aan, barstte opnieuw los. Vango deed zijn ogen open en begreep dat hij in een gat in slaap was gevallen. Hij was net tien jaar oud. Hij wist niet eens meer wat hij die avond daarboven op de klif was komen doen.

Het was midden in de nacht.

Hij spitste zijn oren en hoorde weer een schreeuw. Je moest de zee goed kennen om zo'n zwak geroep midden in de storm te kunnen horen.

Vango kwam overeind en boog zich over de rand van zijn schuilplaats heen. Ondanks de duisternis was er toch een lichtschijnsel in de lucht. Misschien was de avond toch nog niet zo lang geleden afgelopen, of was het bijna ochtend. Je zag de scherpe kammen van de golven, die het eiland als een leger bajonetten bestormden. In de bulderende storm meende hij soms klokken te horen. En vooral was er de wind, die het schuim in het rond blies.

Vango herinnerde zich nu dat hij hierheen was gegaan om de valken in de schemering te zien rondcirkelen. Zoals wel vaker gebeurde was hij in slaap gevallen. Er was geen reden om naar huis te gaan. Mademoiselle zou zich niet ongerust maken. Ze hadden met elkaar afgesproken dat ze zich pas zorgen om hem hoefde te maken als hij twee nachten wegbleef.

Voor een kind van nog maar net tien jaar was dat een ondenkbare, onzinnige vrijheid, maar voor Vango had zijn eiland de afmetingen van een kinderkamer. Hij voelde zich er net zo veilig als een ander jongetje tussen zijn bed, zijn klerenkast en zijn speelgoedkist.

Het geschreeuw was gestopt. Vango aarzelde even en besloot toen op nader onderzoek uit te gaan. Hij liet zich uit zijn gat glijden, met zijn buik tegen de rotswand.

Hij begon naar beneden te klimmen.

Dit speelde zich af op een gladde, loodrechte wand van iets minder dan honderd meter hoog, waarop de jongen zich, boven de woeste zee, met zijn armen en benen als een ster uit elkaar gespreid, trefzeker voortbewoog. Doordat hij dag in dag uit op de rotsen bivakkeerde, had Vango de verhouding tussen zijn lichaamsgewicht en zijn lichaamskracht geleidelijk aan ontregeld. Het gebeurde wel dat hij zich een paar minuten lang met drie of vier vingers aan een gat in de wand vasthield terwijl de rest van zijn lichaam boven de afgrond bungelde, om met zijn andere hand de donzen veren van een nest in de rots aan te raken.

Het horizontale vlak van de zee maakte hem juist duizelig. Hij was nog nooit in een boot gestapt en kon geen stap in zee zetten.

Vanaf de herfst begonnen de kliffen groen uit te slaan als het flink regende. Maar deze klif was vooralsnog helemaal kaal en leek de zee met zijn witte kleur bij te lichten. Vijftien meter boven de golven stopte Vango. Hij luisterde.

Deze keer was het geschreeuw helemaal verstomd. Hij stelde zich gerust met de gedachte dat het een trekvogel was geweest. Hij kende de roep van alle vogels op het eiland, maar het gebeurde wel eens dat een paar trekkers die uit de koers waren geraakt gedurende één nacht hun onbekende gezang lieten horen.

Vango verbaasde zich nergens meer over: Sicilië lag op de route naar Afrika en als ze hadden kunnen vliegen, had je hele eskaders olifanten kunnen zien passeren.

Zolang hij zich aan de rots vasthield met zijn lichaam bungelend boven de diepte, trok Vango zich van de windstoten niets aan. Maar toen hij het water naderde, durfde hij niet verder.

De deining van de zee maakte hem bang.

Hij begon weer naar boven te klimmen en de herinnering aan Mademoiselles wittebrood lonkte al, trok hem naar boven toe. Als hij een beetje opschoot zat hij binnen een uur aan tafel.

Iets onder hem zat de dikke Pippo Troisi achter in zijn sloep te huilen.

Pippo Troisi, de kappertjesteler, die jaren geleden Vango en zijn kinderjuffrouw op het kiezelstrand van Scario had gevonden.

Nu hield hij zijn koffer in zijn armen alsof het een reddingsboei was. Elke keer dat de kiel kraakte, drukte hij hem nog steviger tegen zich aan.

Het bootje zat vast tussen twee zwarte rotsen boven de golven. De man had drie of vier keer tevergeefs geroepen. Het was de onherbergzame kant van het eiland. Niemand kon hem horen. Hij had zojuist alles achter zich gelaten om aan het grote avontuur van zijn leven te beginnen, en nu was het al afgelopen.

Pippo Troisi had alleen maar de tijd gehad om zijn hele bestaan in deze sloep te gooien en die de zee in te duwen.

Binnen de kortste keren was zijn zeil kapotgescheurd. Er was een roeispaan gebroken. Zijn zak met proviand was in het water gevallen. Hij had een paar uur langs de kust gedobberd en was tegen de rotsen aan geduwd. Ten slotte was zijn hand tussen de kiel en de steen bekneld geraakt toen hij de boot weer probeerde af te duwen. Vanaf zijn elleboog was zijn arm gevoelloos en zijn vingers hingen er als de flarden van een bebloede zakdoek bij.

Alles was afgelopen voordat er ook maar iets had kunnen beginnen.

Zijn leven ontvluchten, ervandoor gaan... In een kwart nacht was de tien jaar lang gekoesterde ontsnappingsdroom in duigen gevallen.

Pippo Troisi wachtte alleen nog maar op de laatste golf.

Smekend zat hij erop te wachten.

En als hij zijn hand niet had verwond, zou hij zijn duim naar beneden hebben gedraaid om zijn dood te eisen. Maar er kwam niets. De golven rolden onverschillig om de boot heen en wendden hun blik af, zoals voorbijgangers die langs een stervende lopen.

Het was zijn opstandigheid die Pippo redde. Het enige wat hij vroeg, was dat er snel een einde aan kwam. Meer niet. Konden ze hem dat dan niet gunnen? Eén golf! Eén enkele golf die als een bladzijde van schuim zijn leven zou afsluiten!

Daarom schreeuwde hij nog een laatste keer.

Een paar tellen later dook het kind vlak boven hem in de duisternis op. Hij keek een poos naar de boot, en naar de man die hem niet zag.

'Signor...'

Bij het horen van de stem klemde Pippo Troisi zijn koffer nog steviger beet.

'Signor Troisi...'

De man rolde om en zag het kind op de reusachtige rotswand.

Onmiddellijk herkende hij Vango, de wilde jongen uit Pollara.

'Ik heb geen gevoel meer in mijn hand,' zei Troisi.

Toen begreep Vango dat hij datgene moest doen wat hij niet wilde. Hij moest de boot lostrekken, anders dreigde die door de eerstvolgende golf versplinterd te worden. Pippo keek naar die vleermuisjongen die in de woeste storm aan de rotswand hing. Wie had ervoor gezorgd dat hij precies op dat moment daar was?

Vango ontspande de vingers waarmee hij zich aan de rots vasthield. Daarmee bezegelde hij zijn lot. Terwijl hij zich in Pippo Troisi's sloep liet vallen, ging Vango scheep, een stormachtig leven tegemoet.

Toen Pippo Troisi wakker werd, voelde hij dat de zee tot rust was gekomen. Hij ontdekte Vango, die met de overgebleven roeispaan achter in de boot stond. De wind had plaatsgemaakt voor mist. Het water was zo glad als een meer. Onder de deken van mist weigerde de dag aan te breken.

'Dank je,' zei hij tegen Vango.

Die keek hem met zijn donkere ogen aan. De sloep ging nergens heen. Behalve de ovale vorm van de kiel die door het water sneed, was er niets te zien. Het uiteinde van de roeispaan verdween in de nevel alvorens het wateroppervlak te raken.

Het was koud. Vango rilde niet. Hij had de hele nacht de storm getrotseerd.

Het had twee uur geduurd voordat hij de overgebleven roeispaan als een hefboom had weten te gebruiken om de boot uit zijn benarde positie te krijgen. Daarna nog een uur om hem uit de kolkende golven bij de kust weg te krijgen. Het smalle strookje strand was door de storm weggevaagd. Er was nergens plek om aan land te gaan.

Toen was de mist komen opzetten.

'Ik wilde weggaan. Ik had alles voorbereid,' zei Pippo Troisi. 'Ik ken de zee.'

Pippo kende de zee alleen vanuit de verte, maar hij had zijn hart eraan verpand. Tot dan toe had hij alleen dienst gedaan als ballast die door de vissers van Salina bij slecht weer aan boord werd genomen, maar van nature hoorde hij thuis in zijn wijngaard en op zijn stenige akker met kappertjesstruiken. Daar leefde hij, zonder kinderen, onder de heerschappij van zijn vrouw.

Het duurde een poos voordat hij aan zijn redder opbiechtte wat hij van plan was geweest. Vango had niets gevraagd. Hij luisterde zonder hem aan te kijken.

Pippo Troisi had zijn ontsnapping grondig voorbereid. Hij wilde naar Lipari gaan, dan de boot naar Milazzo nemen en vandaar naar Palermo reizen. Hij wist dat er in Palermo schepen naar Egypte vertrokken en dat hij Port-Saïd, het Suezkanaal en daarna de Rode Zee zou kunnen bereiken. Zijn droom lag besloten in drie lettergrepen:

Zanzibar. Hij had die naam gehoord uit de mond van een zingende zeeman in een herberg in Rinella.

Zanzibar.

Hij herinnerde zich niet meer alle woorden, maar het lied vertelde dat de zeelucht in Zanzibar een smaak van suiker op je tong achterliet.

Dat was voor hem genoeg aanleiding om zijn koffers te pakken.

'Ik wil niet terug naar huis,' zei Pippo Troisi.

Vango tuurde naar de horizon. Het zachte gesnik van zijn medepassagier hoorde hij niet eens meer. Hij was moe, maar hij kreeg de smaak van het onbekende weer te pakken. Een gevoel van blijdschap dat hij ook had gehad tijdens zijn eerste verkenningstochten over het eiland, toen hij een kastanjebos achter in de zuidelijke vulkaan had ontdekt, of een warme bron onder een rots had uitgegraven...

Nu koerste hij vooral op zijn angst. De zee werd een weg voor hem. Hij was trots op deze overwinning.

Toen Vango land in zicht kreeg, was hij bijna teleurgesteld dat het al afgelopen was, dat ze alweer terug waren. Door de mist zagen ze alleen maar flarden van de kust. Pippo had zich op zijn linkerelleboog opgericht en zei alsmaar: 'Ik wil niet terug naar huis.'

Hij wist dat Pina, zijn vrouw, hem met kalkoenengekakel en strafmaatregelen zou opwachten, maar wat hem het wanhopigste maakte was dat hij de droom waardoor hij het bij haar had uitgehouden, niet meer kon koesteren. Zanzibar...

In één nacht tijd was Zanzibar met zijn geur van palmbomen en zijn smaak van suiker door de golven verzwolgen.

Vango herkende het strand waarop hij de boot liet vastlopen niet. Toen de kiel de eerste grote keien raakte, knarste hij nog één keer en scheurde toen over zijn hele lengte open. Dat was op het nippertje. Je kon je hele arm door het gat heen steken.

Vango wilde Pippo Troisi helpen opstaan, maar die weerde hem zachtjes af.

'Laat me maar even, er kan nu niks meer met me gebeuren.'

'Signor Troisi...'

'Alsjeblieft, jongen. Laat me nog even in mijn boot zitten. Daarna zal ik naar huis gaan.'

Vango aarzelde. Maar toen hij dacht aan de schrikwekkende gestalte van Giuseppina kreeg hij medelijden met Pippo. Die kon best nog een paar uur langer in zijn wrak blijven. Er dreigde geen gevaar meer. Een onbeweeglijk reisje naar Zanzibar. Vango hurkte bij hem neer en keek hem aan.

'Ik zweer je dat ik niets doms zal doen,' zei Pippo.

Pippo keek Vango na toen hij wegliep. De hele nacht had hij zijn stem nauwelijks gehoord.

Inderdaad, een vreemde jongen.

Sinds hij zeven jaar geleden naar Salina was gekomen, had niemand contact met hem gezocht. Soms zagen ze 's avonds zijn schim op de rotskammen van het eiland. Sommigen zeiden dat hij zijn arm uitstrekte om de zwaluwen te voeren. Maar dat was vast een legende.

Een steile wand rees boven de inham uit. Het mistte nog steeds. Vango herkende de plaats waar hij had aangemeerd niet. Achter het gordijn van mist kon hij niet eens zien waar de zon stond. Daarom klom hij omhoog, zonder zich verder iets af te vragen, want hij koos altijd de meest verticale weg. Boven zou het hem, zoals altijd, wel duidelijk worden.

Naarmate hij hoger kwam werd de mist steeds dichter en zijn gezicht steeds natter. Hij dacht aan het ontbijt van Mademoiselle, die ergens achter die wolken op hem zat te wachten.

Mademoiselle was een keukenfee.

Op haar kleine fornuis, aan de rand van dat afgelegen eiland in de Middellandse Zee, toverde ze elke dag de heerlijkste dingen tevoorschijn, die chef-koks in de grootste wereldsteden tot tranen toe zouden hebben bewogen. Op de bodem van haar diepe pannen voerden groentes een bedwelmende dans uit in sauzen waarvan de geur je naar het hoofd steeg en je hart sneller deed kloppen.

Een simpele boterham met tijm werd een vliegend tapijt. Gegratineerde schotels lieten je watertanden voordat je ook maar een stap over de drempel had gezet. En de soufflés... Lieve hemel. De soufflés waren zo licht en luchtig dat ze tot aan het plafond zouden kunnen rijzen. Maar Vango had ze al verslonden voordat ze de kans kregen op te stijgen.

Mademoiselle maakte ongelooflijk lekkere soepen en taarten. Ze klopte hemelse toetjes stijf. Ze diende vis op in het donkere stoofnat van onbekende kruiden die ze tussen de rotsen vond.

Vango had lang gedacht dat er in alle huizen zo gegeten werd. Hij had trouwens nooit ergens anders gegeten. Maar sinds de dag dat de dokter had moeten komen omdat het jongetje longontsteking had, hij was toen een jaar of vijf, had hij begrepen dat Mademoiselle geen gewone kokkin was.

Dokter Basilio had zichzelf voor het middagmaal uitgenodigd. Hoewel hij doorgaans het hoogste woord voerde, had hij tijdens de maaltijd geen woord kunnen uitbrengen. Hij zat met gesloten ogen te eten. Bij het weggaan had hij Mademoiselle vier keer op beide wangen gekust.

's Avonds was hij teruggekomen, toevallig rond etenstijd, om Vango's pols op te nemen. En de volgende dag kwam hij rond het middaguur. En 's avonds weer. Toevallig. Elke keer was hij aan tafel gaan zitten, eerst een beetje verlegen, maar dat was algauw overgegaan.

Toen Vango weer helemaal de oude was, had de dokter zo bedroefd gekeken dat Mademoiselle hem had voorgesteld om elke maandag tussen de middag te komen eten.

Het was een gewoonte geworden. De dokter was de enige buitenstaander die in het huis in Pollara over de vloer kwam.

Mazzetta zag hem vanuit zijn ezelhutje langskomen.

'Het was uw beroep,' zei de dokter op een dag tegen Mademoiselle. 'Pardon?'

Hij hield een flinterdun gebakken aardappelschijfje tussen zijn vingers, dat om een blaadje salie was gerold.

'U bent vroeger kokkin geweest...'

'Vroeger? Ik weet niets meer van vroeger.'

'Bent u kokkin geweest?'

'Denkt u dat?'

Ze zag er bedroefd uit.

'Hoe doet u het?' vroeg hij terwijl hij hapte in het knapperige aardappelschijfje.

'Dat gaat vanzelf,' antwoordde ze.

Op een ochtend, toen de dokter wederom had geweigerd om zich voor zijn diensten te laten betalen, had Mademoiselle tegen Vango gezegd: 'Ik geloof dat de dokter mij het hof maakt.'

Ze leek van haar stuk gebracht.

Het hof maken... Vango had nooit begrepen wat dat precies inhield, maar uit verschillende situaties had hij opgemaakt dat het wilde zeggen dat je iemand anders hielp, een dienst bewees. Ja, de dokter maakte hun echt het hof.

Maar dat verklaarde nog niet waarom hij Mademoiselle zo raar aankeek en waarom hij, als ze naar hem glimlachte, afwisselend bleek en daarna zo rood als zijn sjaal werd. Hij leek wel een knipperlicht.

Terwijl hij met gelijkmatige bewegingen omhoogklom, dacht Vango aan het lekkere eten van Mademoiselle.

Op een gegeven moment kon hij niet verder klimmen. Hij stopte en boog zich voorover om een blauw bloemetje vlak bij zijn voet op te rapen. Hij bekeek het aandachtig en draaide zich toen om. Nog steeds een muur van mist. Maar het bloemetje had hem zojuist ingefluisterd wat hij al vermoedde sinds hij aan land was gegaan.

Dit bloemetje kende hij niet.

Dit was zijn eiland niet.

'Ik dacht dat het langer zou duren. Hoe ben je hier gekomen?'

Vango zag degene niet dat zei, vlak achter hem.

'Ik heb de kortste weg genomen,' antwoordde hij automatisch. 'Ik weet het niet.'

'Je klimt snel.'

Vango was bijna geneigd zich te verontschuldigen omdat hij voorliep op dit onverklaarbare tijdsschema.

'Hallo.'

Er werd hem een hand toegestoken en uit de mist dook een gezicht op.

Het was een oude man in een lange jas van geitenhuiden met een geweer.

Vango hield op met nadenken. Hij volgde de man blindelings door een doolhof van verbrijzelde rotsen. De geuren van bloemen om hem heen verrasten hem. Hij hoorde ook een zacht gekabbel. Waar waren ze?

Een paar minuten later stonden ze voor een grote poort. Voordat hij die openduwde trok de man eerst zijn jas uit. Daaronder droeg hij een zwarte pij met een touw om zijn middel geknoopt. Het geweer zette hij tegen de muur.

Ze gingen een lang en laag vertrek binnen waar een brandend haardvuur de enige lichtbron was. Achterin tekende zich in het schijnsel van de vlammen de schaduw af van een dikke man, die op een kruk zat. Hij stond op, keek Vango stralend aan en zwaaide met een van de olijfolie druipend stuk brood in zijn linkerhand.

'Let maar eens op,' zei hij, 'hier weten ze hoe je een gast ontvangt.'

Hoe kon Pippo Troisi daar nu al zijn? Ze hadden zijn hand verbonden. Hij was een ander mens.

Vango wendde zich tot de oude man met het geweer. Die zei heel zachtjes: 'Jullie ontvangen is geen kunst. Maar zorgen dat jullie Arkudah kunnen verlaten, dát is de moeilijkheid. Dat zullen we aan Zefiro moeten vragen.'

Arkudah. Vango had die naam al eens gehoord in de oude verhalen over zeerovers die op zijn Eolische Eilanden de ronde deden.

'Het is tijd,' zei iemand.

Toen zag Vango dat er beweging kwam in de duisternis van het vertrek. Om hem heen kwamen schaduwen overeind. Hij had ze niet gezien. Maar sinds hij binnen was gekomen, hadden tientallen in het zwart geklede mannen, zittend op stenen banken, onafgebroken naar hem zitten kijken.

6

Het geheimzinnige eiland

Op dezelfde plek, de volgende dag

Vango dacht dat hij in het binnenste van de aarde in slaap was gevallen, maar toen hij wakker werd, was hij vlak bij de zon. Een lichtstraal, zo dik als warme olie, stroomde horizontaal over zijn gezicht.

'Ik weet niet wat ik met je aan moet, jochie.'

De man die praatte stond voor de vensterbank. Het was een breed venster en hij vulde het niet helemaal op. Door het tegenlicht was zijn gezicht niet te zien, en de zonnestraal boven zijn schouder verblindde Vango.

'Die vriend van jou, hoe heet hij?'

'Pippo Troisi,' zei Vango. 'En hij is mijn vriend niet.'

'Ja, Troisi. Dat is het. Hij blijft hier. Maar jij... Hoe oud ben je?'

'Mademoiselle zit op mij te wachten.'

'Mademoiselle?'

Vango gaf geen antwoord. Hij wist niet precies tegen wie hij praatte. Daar hield hij niet van.

'Ik kan de leeftijd van kinderen niet meer inschatten,' zei de man. 'Ik kan precies zeggen hoe oud een bij is, of een wijnstok. Maar ik heb al heel lang geen kind meer ontmoet.'

'Ik ben vijftien,' zei Vango, die deze kans meteen aangreep om in één klap vijf jaar ouder te worden.

Dat was de eerste leugen van zijn leven. Hij had nog nooit eerder het idee of de kans gehad om te liegen. Eigenlijk beviel het hem wel.

'Drink wat.'

Er werd een beker voor zijn neus gezet. Vango kwam overeind om te drinken. De man keek toe hoe hij de beker weer neerzette. Hij keerde zich van het venster af en liep naar de deur.

Vango proefde een vreemde smaak op zijn tong. Wat had hij gedronken? Hij voelde zich een beetje draaierig.

'Als je tien jaar was,' zei de man, 'had ik je rustig laten weggaan. Een kind van tien vormt geen gevaar. Maar met vijftien jaar...'

Hij sloeg de deur achter zich dicht en schoof er een grendel voor. Vango verloor het bewustzijn.

Ditmaal werd Vango wakker in een wolk van geuren die hij goed kende.

Hij lag languit op het blauwe stenen bankje, vlak bij de tafel waaraan Basilio en Mademoiselle zaten. De dokter at amandelkoekjes die hij in zijn chocolademelk doopte. Mademoiselle glimlachte naar Vango.

'Waar zijn ze?' bracht hij moeizaam uit, met droge lippen.

'Hier,' zei de dokter, en hij stak hem het mandje met koekjes toe. 'Er zijn er nog een paar over voor jou.'

Vango schudde met zijn hoofd. Hij had het niet over de koekjes.

'De mensen, waar zijn ze?'

'Welke mensen?' vroeg Mademoiselle vriendelijk.

'De zeerovers.'

Dokter Basilio glimlachte, maakte een geruststellend gebaar naar Mademoiselle en zei tegen Vango: 'Mazzetta, de buurman, heeft je gevonden. Je bent waarschijnlijk ergens aan de verlaten kust gevallen en buiten kennis geraakt.'

'Ik val niet,' zei Vango.

'Hij heeft je bij toeval gevonden. Hij is een beste kerel.'

Geen van drieën konden ze weten dat Mazzetta Vango niet bij toeval had gevonden, maar dat hij hem dag en nacht in alle uithoeken van het eiland had gezocht, zodra hij had gemerkt dat Mademoiselle zich ongerust maakte.

Uiteindelijk had hij hem buiten kennis aangetroffen op een plek waar hij al drie keer meende te zijn geweest. Mazzetta voelde zich al jaren verantwoordelijk voor Vango.

'Ik heb de boot genomen,' zei Vango. 'Ik ben op het eiland van de mannen met de zwarte kleren geweest.'

'Ja, jij komt van ver,' zei de dokter met een brede glimlach. 'Alleen ben je niet gaan varen, Vango. Je bent gevallen. Maar het gaat alweer beter met je.'

'Ik val niet,' herhaalde de jongen.

'Voel maar aan de bult boven je nek... Ik laat je nu verder uitrusten en vanavond kom ik weer naar je kijken,' zei de dokter, dolgelukkig dat hij Mademoiselle buiten de afgesproken maandagen kon komen opzoeken.

Hij gaf haar een hand en zij zei: 'Dank u wel, dokter.'

Ze wist dat hij haar smeekte om hem bij zijn voornaam te noemen, maar zij wilde hem geen enkele hoop geven door hem tegemoet te komen. Hij hield haar hand iets te lang in de zijne.

Ze maakte zich los en deed de deur open.

'En u? Wilt u me uw voornaam niet zeggen, Mademoiselle?'

'Die weet ik zelf niet eens, het spijt me.'

Ze droeg een kort sjaaltje om haar hals en schouders. Voordat ze de deur weer dichtdeed, zag ze hoe Mazzetta hen vanuit de verte gadesloeg.

De dokter zag hem ook en zei tegen Mademoiselle: 'Ik zal hem zeggen dat het beter gaat met Vango. Mazzetta heeft zijn leven gered doordat hij hem op tijd heeft gevonden.'

'U moet zelf maar weten wat u tegen hem zegt.'

'Wat hebt u tegen hem, Mademoiselle? Die man heeft u alles gegeven wat hij bezit.'

Mademoiselle gaf geen antwoord.

'Weet u dat hij zijn ezel "Schat" noemt?' zei de dokter lachend.

'Ik weet van niets.'

Ze deed de deur dicht.

Ik weet van niets. Ik herinner me niets. Altijd dezelfde woorden.

Mademoiselle besefte dat ze op een dag moest ophouden met vluchten voor alles wat ze maar al te goed wist, alles wat ze zich ieder moment van de dag herinnerde.

Ze liep naar Vango en knielde naast hem neer. Zijn ogen waren gesloten.

Het was voor die jongen dat ze besloten had om alles te vergeten. Om hem een leven te gunnen.

Ondertussen lag Vango te doezelen en probeerde zich te herinneren wat hem de afgelopen uren was overkomen.

Zijn herinneringen waren niet erg nauwkeurig. Hij haalde de volgorde van de gebeurtenissen in zijn gedachten door elkaar. Hij herinnerde zich de boot, een tocht door de mist, een paar mannen in het zwart, maar hij wist al niet meer of hij er één of meer had gezien en of het 's nachts of op klaarlichte dag was gebeurd. Boven de wazige beelden uit klonk heel duidelijk één stem. Een donkere stem in het licht. Een stem die deze merkwaardige zin zei: 'Ik heb al heel lang geen kind meer ontmoet.'

Een paar uur later, toen hij kon opstaan en bij Mademoiselle aan tafel kon komen zitten, besloot hij het uit zijn hoofd te zetten. Zijn avontuur leek te veel op een droom waarvan de contouren al vervaagden.

Het enige wat hij eraan zou overhouden, was een grote bult en een merkwaardig gevoel van weemoed.

Hij at met smaak. De dokter kwam langs toen ze net aan het toetje begonnen. Eerst voelde hij aan Vango's achterhoofd.

'Het is al bijna over.'

Ja, voor Vango was het bijna over.

'Wilt u een beetje soep?' vroeg Mademoiselle. 'Er is nog een flinke kom over.' Het was een overbodige vraag.

'Ik wil niet onbescheiden zijn,' zei de dokter terwijl hij zijn servet al om zijn nek knoopte. 'Dat kan ik echt niet aannemen.'

De dokter ging zitten. Je kon niet zeggen wat zijn ogen meer deed glanzen: de geur van de soep of de glimlach van Mademoiselle.

En tot slot, na een glas sinaasappelwijn waarvan Vango een slokje had mogen proeven, nadat ze heel wat hadden afgelachen om de verhalen die Basilio altijd uit zijn grote dokterstas opdiepte, en toen Vango zijn wonderlijke uitstapje bijna voorgoed vergeten was, zei de dokter één klein zinnetje waardoor alles veranderde: 'Maar er is wel iets naars gebeurd, want Pippo Troisi, weten jullie wel, de man van de kappertjes, die is verdwenen.'

'Wat zei u?'

'Pippo Troisi. Zijn vrouw Pina is al drie dagen aan het huilen. Hij is verdwenen.'

Vango sloot zijn ogen.

'Ik had nooit gedacht dat het haar zo'n verdriet zou doen, die Giuseppina,' ging de dokter verder. 'Om eerlijk te zijn is ze zo schrikwekkend dat sommige mensen aanvankelijk zeiden dat zij hem zelf had opgegeten...'

De dokter glimlachte. Vango stond haastig op en glipte naar buiten.

Hij deed een paar stappen in de richting van de ondergaande zon en keek in de verte. Achter het eerste, langwerpige en heuvelachtige eiland dat als een zwangere vrouw plat op het water lag, kon je een ander eiland zien. Dat eiland heette Alicudi. De laatste bewoners waren er weggegaan. Men zei dat er al minstens twintig jaar niemand meer woonde.

'Vango?'

Ongerust was de dokter de jongen naar buiten gevolgd.

'Je moet het nog een dag of twee rustig aan doen.'

'Goed. Dat zal ik doen. Ik kom eraan...'

De dokter liep terug naar het huis.

'Dokter...'

'Ja?'

'Hoe heet dat eiland daar, dat het verste weg ligt?'

De dokter kneep zijn ogen toe en tuurde naar de zee.

'Alicudi.'

'Is dat alles?'

'Ja, dat is alles.'

'Vroeger, lang geleden, had het toch een andere naam... In de tijd van de zeerovers...'

'Ja, dat is waar. Het had een Arabische naam.'

'Hoe heette het dan?'

'Arkudah.'

Arkudah, zeven dagen later

Vango klom de laatste tien meter langs de helling naar boven.

Vanaf die kant zouden ze hem niet zien aankomen. Hij kon ongestoord op verkenning gaan.

De zwaluwen maakten voor het laatst pijlsnelle duikvluchten langs en om hem heen voordat ze aan hun grote trek zouden beginnen.

Vango trok zwaluwen en alle andere vogels als een magneet aan. Toen hij een jaar of zes was had hij zich ontfermd over een gewonde zwaluw die tegen een raam van een leegstaand huis was gevlogen. Hij had hem zes maanden lang verzorgd en zijn vleugel als een wijnrank gespalkt. De vogel was die winter niet op reis gegaan maar was gevoerd met doodgeslagen vliegen en boter. Toen zijn makkers in april van hun ballingsoord terugkwamen, was hij weggevlogen.

Sindsdien koesterde de hele diersoort een raadselachtige dankbaarheid voor Vango. Een dansende dankbaarheid die met honderd vogels per uur langs hem scheerde waardoor de lucht om hem heen suisde.

Soms vond Vango ze een beetje te opdringerig. 'Nou is het wel genoeg,' zei hij als ze tussen zijn benen door vlogen. Zwaluwen kunnen heel oud worden, veel ouder dan de oudste paarden, en aan hun genegenheid voor hem zou dus voorlopig nog geen einde komen.

Vango draaide zich weer om naar de zee. Midden op die immense watervlakte zag hij een zeil dat kleiner werd. Het was het grote koopvaardijschip dat op weg was naar Palermo en dat hem onderweg bij het eiland Arkudah had afgezet.

Op het moment dat de boot het haventje van Malfa uit voer, was Vango aan boord gesprongen. De kapitein was een Fransman. Hij was erg verbaasd geweest dat die jongen hem had aangesproken in zijn eigen taal, zonder accent en zelfs met een verfijnde manier van spreken die aan vroeger deed denken. Vango had uitgelegd dat zijn oom woonde op het eiland dat je daarginds zag liggen, en dat hij de vissersboot had gemist die hem daar gewoonlijk op zondag naartoe bracht.

'Maar het is geen zondag vandaag,' had de kapitein hem onderbroken, 'het is woensdag.'

Vango had hem heel zelfverzekerd aangekeken.

'De woensdag noemen ze hier zondag,' had hij in volle ernst uitgelegd. 'U moet niet vergeten dat dit geen Frankrijk is.'

In een paar dagen tijd had Vango zijn achterstand met liegen ingehaald. Hij loog erop los, met het enthousiasme van een beginner.

Tijdens de paar uur die de oversteek duurde, legde hij de bemanning uit dat zijn oom met een beer en een aapje op het eiland woonde. Vango was nog nooit van zijn leven zo spraakzaam geweest. Aan een Russische matroos die hem vroeg waar het aapje vandaan kwam, vertelde hij, in het Russisch, dat ze het hadden gevonden in een ton die op de keien was aangespoeld.

'Spreek jij Russisch?'

Vango had geen antwoord gegeven, want hij was bezig uit te leggen dat de beer zwemmend aan land was gekomen.

Hij vond het zo leuk om er maar op los te kletsen dat hij bijna niet meer van ophouden wist.

Hij had een briefje voor Mademoiselle achtergelaten waarin hij uitlegde dat hij een paar dagen op stap ging om 'iemand het hof te maken'. Hij was er nog steeds van overtuigd dat dat betekende dat hij iemand een handje ging helpen, en dat was niet eens helemaal bezijden de waarheid. Pippo Troisi was in gevaar.

Zijn doel was vooral om erachter te komen of datgene wat hij op dat eiland dacht te hebben gezien ook echt bestond.

Maar toen hij boven aan de helling kwam, was er niets te zien.

Hij keek om zich heen en zag geen enkel spoor van menselijk leven. Hij dacht dat hij een smerig kampement zou aantreffen, een paar grotten: het zeeroversnest dat hij zich bij de naam Arkudah had voorgesteld.

De man met wie hij in de stralende ochtendzon had gesproken, was in zijn beleving de leider van die zeerovers, en Pippo Troisi was hun gevangene.

Maar er was op dat eiland niet één piratenpet of -hoed te bekennen, geen zwarte vlag met een doodskop, geen brutale praatgrage papegaaien, geen enkele mensenschedel die als asbak werd gebruikt.

Er waren alleen maar stenen en struiken.

Zonder het aan zichzelf te willen toegeven voelde Vango zich een beetje teleurgesteld.

'Ik wist het tóch al.'

Door dat een paar keer tegen zichzelf te zeggen leek hij voor één keer weer op een doodgewoon jongetje van tien jaar.

Hij rende naar het punt waar de helling zacht glooiend naar beneden liep. Tussen de rotsen stond een eenzame boom. Vango besloot daar zijn kamp op te slaan om na te denken over de manier waarop hij van het eiland af kon komen en naar Mademoiselle kon teruggaan. Hij ging tegen de stam zitten en keek naar de zee.

Het groene veld waarop hij zat stak scherp af tegen de glinsterende spiegel van de zee. Maar daar, langs de lijn die het gras van het water scheidde, zag Vango een gekleurde vlek. Eerst dacht hij nog dat het een zeil op de golven was, maar toen hij zijn ogen samenkneep zag hij dat het een bloemetje was. Zo'n blauw bloemetje dat hij al eens had opgeraapt, het bloemetje dat voor hem het bewijs was geweest dat hij niet op zijn eigen eiland was. Hij stond op, liep in vijf passen naar het bloemetje toe en hurkte neer.

En toen hij zo op zijn knieën zat ontdekte hij veel meer dan hij zocht.

7
Zefiro

Het was geen zeeroversnest, het was een tuin. Een betoverend mooie tuin op dit kale, dorre eiland.

Vlak onder Vango lag een dalletje dat eruitzag als de palm van een hand. Een geheimzinnige stenen constructie omringde de weelderige struiken en planten. Er hing een blauwe nevel om dit verscholen paradijs heen. De warmte van de zon deed de aarde van de tuin dampen.

Vango had nog nooit zo'n plek gezien en hij had nooit van zoiets gedroomd. Hij had het gevoel alsof hij tussen twee keien geboren was en niets anders kende dan bremstruiken, dor gras en stekelige vijgdistels. Maar hier stonden afwisselend prachtige heggen, onberispelijk gesnoeide perken, groentebedden die de zwarte aarde als borduurwerk bedekten, en haast onzichtbare gebouwen die door palmbomen gedeeltelijk aan het oog werden onttrokken. Twee lage torens leken op rotsen die oprezen uit een zee van groen.

Toch was er niemand op de tuinpaden te bekennen, er was geen mens te zien, geen stem te horen. Geen spoor van die zeerovers met groene vingers die de stenen tot bloei wisten te brengen.

Vango besloot van hun afwezigheid gebruik te maken om naar beneden te lopen en de plek van dichterbij te gaan bekijken.

Waar hadden ze Pippo Troisi opgesloten?

Vango herkende meteen de geur van jasmijn en het geluid van kabbelend water. Hier hadden ze hem tijdens zijn wonderlijke uitstapje heen gebracht. Hij had toen niets van de omgeving kunnen zien, maar geuren en geluiden vergeet je nooit.

Vango sloop onder de citroenbomen door en liep diep bukkend langs een rij tomatenplanten. Het was heerlijk koel in de tuin. Overal was water. Het stroomde door goten van uitgehold hout, belandde in stenen bakken, klom dankzij een vernuftig mechanisme langs een rad van wilgentenen omhoog en verspreidde zich via talloze stroompjes, die steeds smaller en bruisender werden.

Vango geloofde zijn ogen niet. De mensen hadden het eiland Alicudi verlaten omdat er geen bron en geen beschermde haven was, omdat er niets groeide en omdat zelfs de muilezels er van de hitte en de verveling doodgingen. En nu ontdekte Vango hier een plek die lieflijker, koeler en mooier begroeid was dan alles wat hij zich had kunnen voorstellen.

Pippo Troisi zat alleen op een stoel; hij was druk doende om de mazen van een groot net dat helemaal over hem heen hing uit elkaar te trekken. Vango zag hem zitten in de zon, op een terras van keien. Hij was heel geconcentreerd met zijn werkje bezig en gebruikte af en toe zijn tanden.

Liggend op de grond sloeg Vango hem gade, vol afschuw over het lot van die man die had gedroomd van een vrij leven in Zanzibar en die nu als een vogel in een kooi gevangenzat onder dit vissersnet. Hij kroop tussen de rozemarijnstruiken naar voren en kwam toen tevoorschijn, nog steeds plat op zijn buik liggend op het stenen pad.

'Signor Troisi...'

De man hoorde hem niet. Vango kroop nog verder naar voren. Pippo Troisi zat bijna met zijn rug naar hem toe gekeerd.

Voor de tweede keer probeerde Vango zijn leven te redden. Er was nog steeds niets te horen in de tuin, maar Vango was op zijn hoede. Hij wist dat ze de gevangene niet al te lang alleen zouden laten. De zeerovers zouden terugkomen. Hij moest snel zijn.

Eerst voelde Troisi hoe het net tussen zijn handen op de grond gleed. Hij probeerde het twee keer tegen te houden, maar het ging te snel.

'Hé!'

Ten slotte schoof hij zijn voet in een maas om het net vast te zetten. Met een harde ruk scheurde het henneptouw los, en het net werd uit zijn handen getrokken.

'Hierheen! Kom hierheen...' fluisterde een stem.

Pippo Troisi draaide zich om en ontdekte Vango aan zijn voeten.

'U hoeft niet bang te zijn, we gaan er met z'n tweeën vandoor...'

'Wat doe jij hier?'

'Ik kom u helpen.'

'Nee, Vango.'

'Kom mee, Signor Troisi. Kom.'

Troisi draaide op zijn stoel heen en weer alsof hij hulp zocht.

'Ga weg, Vango!'

'Hou moed, ik ben gekomen om u te halen.'

Vango greep zijn pols beet en liet hem niet meer los.

'Laat me met rust! Ga naar huis!' zei Pippo. Zijn gezicht was verwrongen van angst. 'Hou op, Vango!'

Maar de jongen had besloten om Pippo Troisi te redden, ook al wilde die dat niet. Hij trok hem uit alle macht met zich mee.

'Nooit,' schreeuwde Pippo, nooit!'

Toen pakte Pippo met zijn vrije hand de rugleuning van zijn stoel vast, aarzelde heel even met een spijtig gezicht, kneep toen zijn ogen dicht om niet te zien wat er gebeurde en smeet de stoel boven op Vango.

'Het spijt me, jongen. Ik had het je gezegd. Ik had je gewaarschuwd.'

Pippo pakte de stoel op. Trillend ging hij weer zitten en keek naar Vango, die bewusteloos op het terras lag.

'Nooit,' zei hij nogmaals. 'Nooit krijgen ze me hiervandaan.'

De enige angst die hem kwelde was dat hij op een dag deze plek zou moeten verlaten.

Pippo vouwde het net dat hij aan het repareren was tot een matrasje op en legde het lichaam van Vango erop neer. Hij trok een zakdoek onder zijn riem vandaan, liep naar een fontein waaruit papyrus

71

omhoogstak, maakte de zakdoek nat en liep terug om hem op het voorhoofd van het kind te leggen.

'Ik wilde je niet slaan.'

Terwijl hij zich over Vango heen boog merkte hij dat er iemand achter hem stond.

Pippo Troisi draaide zich om en zei bijna huilend: 'Padre! O, padre! Het spijt me, ik denk dat ik hem pijn heb gedaan. Ik heb hem op zijn hoofd geslagen. Maar hij begon... Ik wil hier blijven. Wilt u hem alstublieft vertellen dat ik hier wil blijven?'

Padre Zefiro was geen zeerover.

Hij was een monnik van tweeënveertig jaar.

Hij was een meter negentig lang en de monnikspij zat hem als gegoten. Hij had nog vier andere monniken bij zich, met kappen op hun hoofd en door de zon gebruinde gezichten. Op hun rug droegen ze fuiken van wilgenteen vol met spartelende vis.

De padre keek naar Vango. 'Hij is teruggekomen,' zei hij.

'Regelrecht en zonder tussenstop,' antwoordde Pippo, die deze uitdrukking uit de mond van Zefiro had opgevangen en hem inmiddels tien keer per dag gebruikte, als eerbetoon aan deze belangrijke figuur.

'Hij is teruggekomen,' zei de padre nogmaals.

Zijn gezicht had een nieuwsgierige uitdrukking.

'Breng hem naar broeder Marco in de keuken,' zei hij tegen Pippo. 'Laat hem wat olie op zijn hoofd smeren.'

Pippo sprong op.

'Gaat... gaat u?'

'Wat is er, fratello?' vroeg Zefiro, die alweer wegliep.

'Gaat u hem opeten?'

Zefiro bleef staan. Vader Zefiro glimlachte zelden, maar als dat gebeurde straalde zijn hele gezicht.

'Ja,' antwoordde hij. 'Regelrecht en zonder tussenstop.'

In feite was Marco, de keukenbroeder, een soort dokter. Hij verzorgde Vango's hoofd met kamferolie en legde hem op een warm plekje naast zijn fornuis.

Zefiro stond inmiddels in zijn eigen kamer. De monniken woonden in piepkleine cellen naast de tuin. Het kamertje was leeg, op een eenvoudige slaapmat na, die opgerold in de hoek lag, en de enige opening was een horizontale spleet die bij wijze van venster over de hele lengte van een van de muren liep. Door deze smalle opening, die op ooghoogte in de stenen was uitgehakt, keek Zefiro naar buiten.

Hij vroeg zich af wat hij ging doen met die jonge bezoeker die het kloosterleven was komen verstoren.

Arkudah was Zefiro's werk.

Hij noemde het zijn onzichtbare klooster.

Sinds vijf jaar leefden er dertig monniken bij de padre, zonder dat de wereld er iets van wist. Eerst hadden ze eigenhandig de gebouwen neergezet, de tuin aangelegd en gezorgd dat ze wat water en voedsel betreft in hun eigen behoeften konden voorzien. Daarna had het leven van de gemeenschap het ritme aangenomen van alle kloosters. De dagen en de avonden werden in een vaste volgorde doorgebracht met werken, vissen, bidden, lezen, tuinieren, eten en slapen. Het was een rustige, menselijke klok die nooit leek te stoppen.

Vango was als een zandkorrel in het uurwerk terechtgekomen.

Niemand wist van het bestaan van het onzichtbare klooster, behalve de paus, die Zefiro had aangemoedigd om het te stichten, en een stuk of tien contactpersonen op het vasteland, verspreid over de hele wereld.

De komst van Pippo Troisi had al een bron van zorg kunnen zijn, maar nadat ze zijn lange relaas hadden aangehoord, had de gemeenschap besloten dat hij mocht blijven. De manier waarop hij zijn vrouw, de verschrikkelijke Giuseppina, had beschreven, deed de bijeengekomen onzichtbare monniken beven van angst en schudden van het lachen.

Ze hadden Pippo tot 'huwelijksvluchteling' verklaard en ze beschouwden hem als een overlevende.

Toen hij hoorde dat hij mocht blijven had Pippo een gat in de lucht gesprongen. Hij had het gevoel alsof hij in het paradijs was beland. Regelrecht en zonder tussenstop.

Maar de eerste dag van Pippo Troisi was bijna verkeerd afgelopen. Hij was zo onverstandig geweest om niet naar de mis te gaan.

Toen hij om half zeven 's morgens nog lag te slapen, kwam Zefiro de kapel uit om bij de regenput een emmer met water te vullen en die over het hoofd van de arme novice leeg te gieten.

'Slapen we uit, fratello Pippo?'

De volgende morgen zat Pippo, die nog nooit een voet in een kerk had gezet, met een ingetogen gezicht en gevouwen handen al voor vijf uur op zijn bidstoel. Zefiro mocht hem wel. Hij vond het grappig om te zien hoe Pippo tijdens de Latijnse gezangen met zijn lippen zat te bewegen alsof hij de tekst kende, maar ondertussen binnensmonds coupletten van zeemansliederen mompelde die niet bepaald godsdienstig waren: *Graziella, tralala, die mag er wezen, tralala...*

Vango, de nieuwkomer, baarde de padre veel meer zorgen.

Zefiro hield hem nu drie dagen in de gaten.

Vango begon te herstellen en kwam steeds vaker de keuken uit. Hij sloeg het leven van de monniken nauwlettend gade, volgde alles wat ze deden. Ze hadden hem erop betrapt dat hij op het dak van de kapel naar het gezang van de avondmis zat te luisteren.

Pippo Troisi had Zefiro verteld over Vango's levensgeschiedenis, over het raadsel van zijn afkomst en over zijn kinderjuffrouw die altijd voor hem gezorgd had. Zefiro had aandachtig geluisterd.

Een kind mocht hij niet in het klooster vasthouden.

Maar hoe kon hij zorgen dat dit kind het geheim van Arkudah zou bewaren als het zich eenmaal buiten deze muren bevond?

Zefiro hoorde niet dat er op de deur werd geklopt. Marco, de keukenbroeder, kwam binnen en liep naar hem toe.

'Padre.'

Hij schrok op uit zijn overpeinzingen.

'Ja?'

Het gesprek dat vervolgens tussen de twee geestelijken plaatsvond deed hun engelbewaarders vast het schaamrood naar de kaken stijgen.

'Ik heb uw koningin gevonden,' zei de keukenbroeder.

'Mijn koningin...'

Zefiro deed de deur zorgvuldig dicht.

'Werkelijk? Heb je mijn koningin?'

'Ik geloof dat ik haar gevonden heb, padre.'

Zefiro zocht met zijn hand steun tegen de muur. Het leek alsof hij wankelde.

'Geloof je dat? Meer niet?'

De kok frummelde aan zijn bril, die er toch al niet te best uitzag. 'Ik geloof...' stamelde hij.

'Geloven is niet genoeg!' zei Zefiro.

Uit de mond van een man die van geloven zijn beroep had gemaakt, was deze opmerking een misser. Zefiro besefte dat. Hij probeerde zich te beheersen voordat zijn engelbewaarder achter zijn rug in elkaar zou zakken.

'Je moet begrijpen, broeder Marco...' ging hij verder.

Ze spraken nu bijna op fluistertoon.

'Ik zoek mijn koningin al zo lang...'

'Ik begrijp het, padre. Daarom kom ik het u vertellen. Ik geloof... Ik denk dat ze binnen een paar dagen hier kan zijn, als u dat wilt.'

Bij die woorden werd Zefiro lijkbleek. Hij glimlachte.

'Binnen een paar dagen... Mijn koningin, lieve God! Mijn koningin!'

'Op één voorwaarde.'

'Ja?'

'U moet de jongen laten gaan.'

Zefiro keek broeder Marco met diens ondeugende apengezicht strak aan.

'De jongen?'

'Ja, de jongen Vango. Vandaag nog.'

Zefiro deed alsof hij daar erg veel moeite mee had. In feite was hij tot alles bereid.

'Is dit chantage?'

'Min of meer.'

'Goed. Dan moet hij maar gaan.'

'En ... U moet het ook goedvinden dat hij terugkomt.'

Padre Zefiro schrok op.

'Wat? Ben je gek geworden?'

'Zonder Vango geen koningin.'

'Ben je gek geworden, fratello?'

'Ik ben niet gek. Vango weet waar ze is. Hij zal haar hier brengen.'

Op dit punt van het gesprek tussen de twee monniken zou er maar één manier zijn geweest om hun engelbewaarders, die geschokt, met hun aureool scheef op hun hoofd, waren flauwgevallen, weer bij te brengen.

Daarvoor hoefden ze alleen maar de volgende uitleg te krijgen.

Zefiro, die in alle opzichten een deugdzaam mens was geworden, had één verborgen gebrek, een dwaze en onbedwingbare passie. Al jaren had hij een legertje jonge, sterke vrouwelijke zeeschuimers in dienst die hij eropuit stuurde om de andere eilanden van de archipel te plunderen.

's Avonds kwamen ze trillend en beladen met goud en zoetigheden terug, uitgeput door de kilometers die ze hadden afgelegd, om hun buit aan hun meester te brengen.

Die zeeroofsters waren bijen.

Zefiro was imker.

Zodra hij op het eiland was aangekomen, had hij vijf bijenkorven neergezet. De rondzwervende bijen boden hem heimelijk troost voor de reizen die hij niet meer zou maken sinds hij door een geheim was veroordeeld om dit onzichtbare klooster te stichten en er de rest van zijn leven te blijven.

De afgelopen jaren had Zefiro dus niet alleen een monnikenbestaan geleid, maar was hij ook de aanvoerder van deze roversbende geweest, en hij zag zijn bijen 's morgens en 's avonds als ze terugkwamen van hun missie. Maar een paar maanden geleden waren ze allemaal doodgegaan toen ze in een zomerse onweersbui terecht waren gekomen. Zefiro had zijn diepe verslagenheid niet laten merken en hij had zelfs de keukenbroeder opgebeurd, die huilde omdat hij nu geen honing meer kreeg en geen kruidkoek meer kon maken.

Sinds die ramp was Zefiro op zoek naar een koningin. Hij had een bijenkoningin nodig om een nieuwe zwerm aan te trekken en zijn korven opnieuw te bevolken.

Vango, die zijn intrek in de keuken had genomen, had het geweeklaag van broeder Marco aangehoord. Hij had de kok verteld dat hij minstens drie of vier bijenvolken wist, die in de kliffen op het eiland Salina huisden. Hij zou makkelijk een koningin kunnen vinden om de bijenkorven van Arkudah weer tot leven te brengen.

Als je hem had gevraagd om een kangoeroe of een kokosnoot zou Vango, eerlijk gezegd, net zo gretig hebben beloofd om die te gaan halen. Het kon hem niet schelen wat hij zou moeten verzinnen om weer naar huis te kunnen. Maar deze keer loog hij niet, want net als alle andere levende wezens op zijn eiland kende hij de bijen goed.

Het leek hem een koud kunstje.

Direct de volgende morgen kreeg hij een van de sloepen mee die de monniken in een diepe grot vlak boven de zeespiegel aan de westkant van het eiland verborgen hielden. Vango bleef vier dagen weg en kwam terug met twee koninginnen, lucifers, taart en rundvlees. De monniken verwelkomden hem met nog meer ontzag dan een profeet.

Toen hij die avond met hen een stoofpot zat te eten, die hij op de wijze van Mademoiselle voor de monniken had bereid, begreep hij dat hij zijn vrijheid had verworven. De vrijheid om weg te gaan en terug te komen, als een onzichtbare te midden van de onzichtbaren.

Voortaan verdeelde hij zijn tijd tussen enerzijds het leven in de vrije natuur op zijn eiland en de genegenheid en de kennis van Mademoiselle, en anderzijds het grote mysterie van het onzichtbare klooster waar hij steeds meer tijd doorbracht. Hij voer als een smokkelaar tussen de twee eilanden heen en weer, verschafte Zefiro wat hij nodig had, postte briefjes voor hem op het postkantoor van Salina en werd in ruil daarvoor hartelijk in de kloostergemeenschap ontvangen.

Vango sloeg het leven van de monniken gade en probeerde het te begrijpen. Hij probeerde te snappen waarvoor ze leefden. Vooral Zefiro hield hij nauwlettend in de gaten.

De monnik en het kind waren geen praters. Hun stugge karakters pasten goed bij elkaar. Zoals er vonken ontstaan wanneer je twee keiharde stenen tegen elkaar slaat, zo groeide er een innige vriendschap tussen hen.

Het is moeilijk te zeggen hoe het kwam dat niemand op Arkudah had zien aankomen wat Vango op een zomerochtend, toen hij dertien jaar was, plechtig aan vader Zefiro meedeelde.

'Padre, ik heb nagedacht...'

'Dat is goed nieuws.'

'Ik ga een belangrijke beslissing nemen.'

Zefiro probeerde een konijn in de ren achter de kapel te vangen.

'Een belangrijke beslissing?'

De padre moest heimelijk lachen. Vango trok wel vaker zo'n ernstig gezicht, alsof hij een oud indianenopperhoofd was. Hij genoot ervan om de jongen te zien opgroeien. Het was een mooi geschenk dat drie jaar geleden in de herfst op zijn eiland was aangespoeld. Zefiro had het gevoel alsof Vango, door hun leven binnen te zeilen, de aarde een kwartslag had gedraaid, naar de zon toe.

'Vertel op,' zei de monnik.

'Niet hier.'

'De konijnen hebben oren,' fluisterde Zefiro op samenzweerderige toon. 'Maar wees niet bang, deze hier zal niks doorvertellen.'

Hij hield het konijn tegen zich aan gedrukt.

'Vertel me wat je hebt besloten.'

'Niet hier. Het is belangrijk.'

'Voor de draad ermee, jongen!'

Vango slikte en verklaarde toen: 'Ik wil monnik worden.'

Vango zag de orkaan niet aankomen.

Zefiro slaakte een keiharde kreet van woede. Hij gooide het konijn tegen het gaas van de ren. Stikkend in de scheldwoorden wilde hij een stapel kistjes omverschoppen, maar hij struikelde en viel op de grond. Toen ontspande hij zijn vuisten en probeerde hij tot bedaren te komen. Hij nam zijn hoofd in zijn handen, bleef roerloos zitten, haalde een paar keer heel diep adem en zei toen: 'Wat weet je ervan?'

'Hoe bedoelt u?'

'Hoe kan je nou weten wat je wil worden? Je weet helemaal van niks.'

'Ik weet...'

'Hou je mond!'

Vango sloeg zijn ogen neer. De konijnen zaten onder een rots te piepen.

'Ik zeg je dat je van niks weet!'

'Ik kom hier al drie jaar,' fluisterde Vango.

'Nou en?'

Hij werd opnieuw boos.

'Nou en? Als je drie jaar in een circus was geweest, zou je clown willen worden! Als je drie jaar in een ren had geleefd, zou je een konijn willen zijn! Je weet niks, Vango! Niks, niks en nog eens niks!'

'Ik ken uw...'

'Maar de wereld! Wat weet je nou van de wereld? Wat heb je van het leven gezien? Eilanden! Twee confettisnippertjes in zee! Een kinderjuffrouw, een paar mannen in een monnikspij, hagedissen... Het leven van de hagedissen, Vango, dát ken je! Je bent een hagedis tussen de hagedissen.'

Vango had zich omgedraaid. Er welden tranen in zijn ogen op. Hij had verwacht dat de padre hem in zijn armen zou sluiten.

Er scheerde een vogeltje langs hem heen om hem te troosten.

Zefiro ging op een steen zitten. Een paar minuten lang bleven ze elk op hun eigen plek. Toen deed Vango een stap in Zefiro's richting. Hij hoorde hem zeggen: 'We moeten afscheid nemen.'

Weer viel er een stilte tussen hen.

'Je gaat hier weg, Vango, en ook van jouw eiland. Je gaat een jaar lang weg vanhier. En over een jaar, als je dat wilt, kom je weer bij me.'

'Waar moet ik dan heen?' vroeg Vango snikkend.

Zefiro voelde zich schuldig.

Hij had de jongen al veel eerder moeten wegsturen.

'Ik zal je een naam geven. Iemand die je namens mij gaat opzoeken.'

'In Palermo?'

'Verder.'

'Woont hij in Napels?' vroeg Vango sniffend.

'Veel verder, Vango.'

'In een ander land?'

Zefiro pakte de jongen bij zijn schouder en drukte hem tegen zich aan.

'De hele aarde is zijn land.'

8
Luchtweerstand

Aan de oever van het Bodenmeer, Duitsland
zes jaar later, april 1934

In de reusachtige hangar was de zeppelin aan de grond vastgebonden, als een draak die gevangen wordt gehouden. De meerkabels piepten. De flanken werden verlicht door slingers van gloeilampen. Het was bijna middernacht. Er klonk jazzmuziek van Duke Ellington uit een radio die ergens tussen de koffers en de postzakken op de grond stond.

'Herr Doktor Eckener!'

De blafstem kwam vanbuiten.

De ballon bewoog een beetje aan zijn touwen. Zijn zilveren silhouet verspreidde nog de zilte geur van zijn laatste reizen. Hij leek te slapen.

'Ga hem zoeken!'

Schreeuwend stapte de man de hangar binnen. Hij werd gevolgd door drie jonge soldaten in uniform die bij het zien van de zeppelin stokstijf bleven staan.

De Graf Zeppelin was een ballon van tweehonderdenveertig meter lang en veertig meter breed, en zo hoog als een gebouw van tien verdiepingen, waarnaast iedereen op een wormpje leek. Maar de nieuwkomer had dit schaalverschil niet nodig om zich belachelijk te maken.

'Doktor Eckener! Ga Doktor Eckener zoeken!'

De man die zojuist de hangar was binnengekomen, leek te zwemmen in een kostuum dat te groot voor hem was. Het was de Kreis-leiter, de nazicommandant van de regio Friedrichshafen. Twee ge-borduurde eikenbladeren op zijn kraag wezen op zijn rang, wat heel praktisch was omdat je anders nog had kunnen denken dat hij een puber met pukkels voor zich had, die door zijn moeder voor een bezoek aan zijn oude tante was aangekleed.

'Ga hem zoeken!'

De soldaten zetten zich weer in beweging, meer onder de indruk van de schitterende luchtballon dan van het misbaar dat hun com-mandant maakte.

Ze liepen bijna op hun tenen om het monster niet wakker te ma-ken.

De drie soldaten waren hooguit twintig jaar oud.

Ze waren in de streek opgegroeid en hadden meegemaakt hoe de-ze ballonnen, die door graaf von Zeppelin nog vóór het begin van de eeuw waren uitgevonden, ook groot waren geworden. Gefascineerd en vol ontzag volgden ze dit dwaze avontuur, dat aan de oevers van hun meer was begonnen en na de dood van de graaf door Hugo Ec-kener, de commandant van het luchtschip, was voortgezet.

Ze hadden vooral de legende gevolgd van dit laatste luchtschip, de Graf Zeppelin, dat nu de hele wereld rondvloog en in elke stad waar het landde enthousiast werd ontvangen.

Toen ze dertien of veertien jaar waren, hadden ze de zeppelin alle drie tijdens zijn doop op de grond mogen bezoeken. Hun vingers hadden getrild toen ze het met blauw en goud gebiesde serviesgoed op de tafels hadden aangeraakt, porselein dat zo licht was dat het bij-na doorschijnend leek. Toen ze de deuren openduwden van de tien luxe slaaphutten met ramen die op de hemel uitkeken, hadden ze er allemaal van gedroomd dat ze de verloofde die ze op een dag zouden krijgen daar aan de hand mee naar binnen zouden nemen.

Later hadden ze net als iedereen vreugdekreten geslaakt toen ze het schip in 1929 boven de dennenbomen in het zonlicht hadden zien opduiken, na een volledige reis om de wereld die het in twintig dagen en een paar uur tijd had voltooid.

Uiteindelijk, toen ze nog maar nauwelijks de leeftijd van de korte broeken achter zich hadden gelaten en als soldaat in de leer waren gegaan, hadden ze onwillekeurig, wanneer ze op de binnenplaats van hun kazerne in de houding stonden, naar boven gegluurd als de zeppelin bij het krieken van de dag over hen heen vloog. Op zo'n moment gingen tweehonderd paar glanzende ogen onder de zware helmen in gedachten terug naar die kinderdroom.

Nu stonden ze daar gegeneerd, omdat ze in het holst van de nacht gewapend aan kwamen zetten terwijl het luchtschip sliep. Hun baas zelf durfde het monster niet recht aan te kijken. Hij keek koortsachtig rond om te zien waar die onverdraaglijke, decadente muziek vandaan kwam, waardoor je zin kreeg om te dansen. Toen hij het grote radiotoestel ontdekte snelde hij erop af en trapte er met zijn laars tegenaan.

Dat was niet genoeg om de muzikanten van de Cotton Club het zwijgen op te leggen. Toen hij er nog eens tegenaan schopte werd de muziek luider en begonnen de jonge soldaten met hun hoofd op de maat mee te bewegen. Na drie of vier trappen begon de piano van Duke Ellington te haperen, maar de laars van de kleine Kreisleiter begon ook te zwabberen en bij de laatste aanval brak hij zijn grote teen. De muziek hield op en maakte plaats voor gekerm.

Na een paar hink-stap-sprongen op z'n Beiers verbeet de kleine Kreisleiter de pijn en spitste zijn oren.

Er klonk weer muziek. Dat kon niet uit de verbrijzelde radio komen. Er was iemand aan het fluiten.

De vier mannen keken tegelijkertijd naar boven.

Aan de staartvin van het monster hing een man aan touwen en katrollen, met een verfpot aan zijn riem. In zijn hand had hij een kwast waarmee hij het doek van de zeppelin heel zorgvuldig schilderde.

'Herr Doktor Hugo Eckener?'

De schilder ging door met zijn werk terwijl hij een jazzdeuntje floot.

'Ik wil Doktor Hugo Eckener spreken!'

'Ja?'

Hij draaide zijn hoofd om.

De man die daarboven hing, vijftien meter boven de grond, was inderdaad Hugo Eckener, zesenzestig jaar oud, de baas van de firma Zeppelin, een van de grootste avonturiers van de eeuw.

'*Heil Hitler!*' zei de kleine Kreisleiter terwijl hij zijn hakken tegen elkaar klapte.

Commandant Eckener beantwoordde deze groet niet. De soldaten konden hun ogen niet geloven. Wat deed die man daar, die door heel Duitsland werd verafgood, die forse, oude leeuw met zijn witte manen, die zich als huisschilder had vermomd?

'Hebt u mij niet gehoord, Herr Doktor?'

'Ik krijg de indruk dat u de muziek niet mooi vindt, Herr Kreisleiter.'

'Het gaat niet om de muziek!' antwoordde de man die er een zeker genoegen aan beleefde om het reeds kapotte toestel onder zijn voet te verbrijzelen.

'Neemt u mij niet kwalijk dat ik niet naar beneden kom, maar ik moet dit klusje afmaken.'

'Hebt u geen personeel om dat te doen?'

Hugo Eckener, die een beetje krap zat in zijn tuig, glimlachte.

'Jawel... maar het is nogal gevaarlijk. Er zijn mensen die dit soort dingen met de dood hebben moeten bekopen. Ach, gooit u die nieuwe kwast even op. Hij ligt vlak voor uw voeten.'

De kleine Kreisleiter aarzelde. Het was een gênante situatie. Hij was daar niet om voor schildersknecht te spelen. Uiteindelijk pakte hij de kwast toch op en gooide hem onhandig in de richting van Eckener omhoog.

'Mis,' zei de schilder.

Drie keer miste de kwast zijn doel. De vierde keer was Eckener zo handig om zijn touwen een beetje te laten vieren, waardoor hij de kwast kon vangen.

'U gaat vooruit, Herr Kreisleiter...' zei commandant Eckener glimlachend.

De Kreisleiter wist dat hij zich zojuist in het bijzijn van zijn soldaten belachelijk had gemaakt.

'Zoals ik al zei,' ging Eckener verder, 'is het een gevaarlijk werkje. Daarom doe ik het maar liever zelf, 's avonds in alle rust, terwijl ik naar muziek luister.'

'Dat is geen muziek!' blafte de ander.

'Zo dacht ik er ook over, maar er is een jonge Amerikaan, die hier sinds een paar dagen werkt, Harold G. Dick. Hij is bevriend geraakt met mijn zoon Knut. En nu begin ik van mening te veranderen over die muziek.'

'Alleen slappelingen veranderen van mening.'

Hugo Eckener barstte in lachen uit. Hij mocht domme mensen wel. In elk geval had hij domme mensen een tijdlang grappig gevonden.

'Doordat we van mening zijn veranderd, hebben we de hemel kunnen veroveren, Herr Kreisleiter. Als ik u een bescheiden advies mag geven van iemand die het kan weten: u zult nooit erg hoog komen als u niet van mening verandert.'

'Ik zal hoger komen dan u, Herr Doktor,' schreeuwde hij.

'Ja, inderdaad, u zult beslist hoog komen... in uw boom... Maar ik had het over de hemel.'

De drie soldaten hielden hun adem in. De kwibus liep rood aan.

'U ziet mij voor een aap aan, Doktor Eckener?'

Commandant Eckener hield op met schilderen, nam de kwast in zijn linkerhand en hief zijn rechterhand op.

'Ik zweer op de nagedachtenis van mijn meester, de goede graaf von Zeppelin, dat ik geen aap in gedachten had.'

Dat was niet gelogen. Eckener had te veel respect voor apen.

Om je de waarheid te zeggen had hij eerder aan een eikel gedacht, misschien vanwege de eikenbladeren op de kraag van de Kreisleiter.

De kleine commandant probeerde zich opnieuw een houding te

geven. Hij wist niet meer wat hij moest zeggen. Hij wendde zich tot zijn soldaten en probeerde zich te herinneren waarom hij ook alweer hierheen gekomen was. Plotseling wist hij het weer. Hij kikkerde meteen op en liep terug naar Eckener.

'Doktor Eckener, u staat onder arrest.'

'O ja?'

Het klonk alsof men hem had gewezen op een veer die in zijn korte witte haren was beland.

'U bent zonder toestemming over Parijs heen gevlogen.'

'Parijs!' zuchtte Eckener. 'Wie kan Parijs weerstaan? Ja, ik ben inderdaad over Parijs gevlogen.'

'Daar is men in Berlijn niet over te spreken, zo heeft men mij laten weten. En men heeft mij opgedragen u te arresteren.'

'*Men* is al te aardig om aan mij te denken, maar *men* kan de wolken die over de Notre-Dame van Parijs heen zweven niet tegenhouden. Dat zou *men* in Berlijn toch moeten weten, of niet?'

Hij hield zijn kwast stil.

'Ik had een vriend in Parijs die ik wilde zien. Ik heb hem net gemist.'

'Doktor Eckener, ik beveel u naar beneden te komen!'

'Ik zou graag een goed glas wijn met u komen drinken, maar ik moet een klusje afmaken. Ik hoop dat *men* het mij in Berlijn niet kwalijk neemt dat ik even op mij laat wachten, als *men* nog een beetje hersens onder de pet heeft.'

Eckener nam risico's. Dat wist hij. De *men* in kwestie droeg een snorretje in de vorm van een postzegel, en heette Adolf Hitler.

Een laatste nog zwarte hoek werd door de kwast met aluminiumkleurige verf bedekt.

'Ziezo. En wilt u me nu met rust laten? Ik heb mijn aandacht nodig bij dit klusje.'

De Kreisleiter liep achteruit.

Hij sperde zijn ogen wijd open.

Nu pas drong het tot hem door wat dat befaamde klusje inhield.

Tijdens het grootste deel van hun gesprek had Hugo Eckener onder zijn ogen het reusachtige hakenkruis op de staartvin van de zeppelin met zilvergrijze verf overgeschilderd. Er was niets meer van te zien.

De kwibus was sprakeloos. Ook de soldaten hadden een paar stappen naar achteren gedaan.

Sinds Hitler het afgelopen jaar met zijn nazipartij aan de macht was gekomen, moesten alle vliegtuigen en zeppelins verplicht een hakenkruis op hun bakboordflank dragen.

Eckener had zich altijd tegen dit teken verzet, dat alles vertegenwoordigde waar hij van walgde. Zes maanden geleden, toen hij voor de wereldtentoonstelling in Chicago was, was hij met de wijzers van de klok mee om de stad heen gevlogen opdat Amerika niet de tatoeage van de schande op de bakboordflank van zijn zeppelin zou zien.

Ja, een hakenkruis wegwerken, dat was in het Duitsland van april 1934 een nogal gevaarlijk klusje. Niemand van zijn personeel had dat kunnen doen zonder tot de strop veroordeeld te worden.

Eckener stopte de kwast terug in de verfpot.

'Ziezo. Zo vind ik het beter. Dit staat mooier.'

De kwibus trok een pistool uit zijn gordel.

'Kom naar beneden! Het is afgelopen voor u!'

Eckener barstte nu echt in lachen uit. Het was een aanstekelijke lach die bij hem paste. Zijn voorhoofd, jukbeenderen en ogen lachten mee. Uiteindelijk konden domme mensen hem nog altijd aan het lachen maken, zelfs in roerige tijden.

De kwibus richtte naar het plafond en schoot in de lucht.

Eckener stopte abrupt met lachen. Zijn gezicht zag er ineens heel anders uit. Hij leek op de god van de storm die op de fonteinen in plantsoenen stond afgebeeld. Hij zag er angstaanjagend uit.

'Doet u dat nooit meer.'

Hij had het heel zacht gezegd. Eckener vond domheid leuk, maar binnen bepaalde grenzen. De laatste tijd had domheid buitensporige, waanzinnige, monsterlijke proporties aangenomen. Er was zoveel domheid dat je er stadions of de hele Potsdamer Platz in Berlijn mee kon vullen. Zelfs zijn naaste vrienden begonnen symptomen te vertonen.

'Doet u dat nooit meer in mijn bijzijn,' zei Eckener.

Hoe kon die man, die met een paar touwen aan de staart van een zeppelin vastgebonden zat, en wiens neus glom van de verf, op zo'n gebiedende toon tegen een hoge functionaris van de nazipartij praten?

'En gaat u nu alstublieft weg.'

De Kreisleiter hief zijn kin op en dreigde: 'Doktor Eckener, ik ga versterking halen.'

Vooralsnog zag die versterking er niet bepaald angstaanjagend uit. De drie soldaten stonden er lijkbleek en met open mond bij, en de jongste krabde met zijn mitrailleur aan zijn knie.

'Wat gaat u die versterking vertellen?'

'Ik ga ze vertellen dat u het hakenkruis hebt geschonden.'

Eckener fronste zijn wenkbrauwen.

'Dat wij het hebben geschonden?'

'Wat?'

'Gaat u vertellen dat wij tweeën het hebben geschonden?'

'Wij tweeën?'

'Tja, die drie jongelieden zullen moeilijk kunnen ontkennen dat u mij een nieuwe kwast heeft aangereikt.'

Hugo Eckener zag het gezicht van zijn bezoeker verstrakken. Hij ging verder:

'Bent u vergeten dat u tot drie keer toe een poging heeft gedaan om hem naar me toe te gooien? Bent u niet degene die mij het wapen van het misdrijf heeft verschaft? U bent kort van memorie, beste man. Hebt u niet twintig minuten, of misschien wel langer, toegekeken hoe ik aan het werk was, zonder iets te doen? Wat hebt u daarop te zeggen, Herr Kreisleiter? Wat hebt u daarop te zeggen?!'

De huiveringwekkende stem galmde door de hangar.

De Kreisleiter van Friedrichshafen voelde zich niet lekker. Hij had plotseling zin om de eikenbladeren op zijn kraag op te eten. Eerst kon hij niets uitbrengen, toen stamelde hij een soort woordenbrij die wilde zeggen: 'Ik krijg je nog wel.'

Hij brulde een paar korte bevelen tegen zijn mannen en zei twee of drie keer 'Heil Hitler' terwijl hij met zijn rechterarm alle kanten op zwaaide. Hij groette zelfs naar een oude stationsklok die ergens in de hangar stond, en struikelde over de radio op een plek waar hij hem zelf naartoe had geschopt. Toen ging hij weg, klappend met zijn hakken als een ezel die over een brug loopt.

De soldaten volgden hem.

Eckener keek ze na.

Even had hij medelijden met die jongens, die als voetveeg gingen dienen voor die hansworst, en daarna als springplank voor een nog oneindig veel gevaarlijker figuur.

Het werd weer stil.

Langzaam liet Hugo Eckener het touw vieren totdat hij weer op de grond stond. Hij zette de pot verf neer en draaide zich om naar zijn werk.

Het was reuze stom. Hij wist dat dit een verloren strijd was en dat hij binnenkort weer precies zo'n kruis op dezelfde plaats zou moeten laten schilderen. Hij wist dat hij de firma en de luchtballon, die zijn levenswerk waren, en de mannen die hem terzijde stonden in gevaar bracht. Maar hij kon niet anders.

Ook al vertoefde hij het merendeel van de tijd in hogere sferen, zijn voeten bleven geworteld in de grond waar hij thuishoorde.

Hij was bang voor zijn land, dat langzaam van kwaad tot erger verviel.

Er moest iets worden gedaan. Kleine dingen. Haast niets. Een klein beetje weerstand, een lichte wrijving om de val af te remmen.

Luchtweerstand noemde hij dat.

Hugo Eckener trok zijn schildersjas uit. Hij liep de loopplank op en ging de verlaten zeppelin binnen. Aan zijn rechterhand stond de deur naar de keuken open. De muts van Otto de kok lag op een stoel.

Hij sloeg linksaf en liep door de mooie eetzaal, waar de gordijnen het licht van de hangar versluierden. Hij deed de deur naar de passagiersgang open. Aan weerskanten van de gang lagen de hutten. Voor een ervan bleef hij even staan, maar uiteindelijk liep hij verder.

Hij ging naar de laatste deur en duwde die open. Dat was de herentoiletruimte. Hij begon zijn handen te wassen. Hij hief zijn gezicht op om zichzelf in de spiegel te bekijken. 'Wat een vreemd gezicht,' dacht hij.

Toen begon hij hardop te praten: 'Heb je alles gehoord? Je ziet dus dat commandant Eckener niet veranderd is.' Hij zei dat op zeer luide toon, alsof men hem in het vertrek ernaast moest horen.

'Altijd de grote pief uithangen, weet je. Ik verander niet. Maar het vervelende is dat de wereld wél verandert. Uiteindelijk zal ik in de problemen komen. Dat zegt mijn vrouw.'

Hij lachte even. Het was een vreemd monoloog. Hij deed de kraan dicht en droogde zijn handen af. 'Ik heb de indruk dat jij in de problemen zit.'

Eckener ging naar buiten, liep terug door de gang, bleef voor dezelfde hut staan en legde zijn hand op de deurknop.

'Ik weet dat je wakker bent, Jonas.'

Hij deed de deur open. Degene die Eckener Jonas had genoemd stond in het halfduister. De commandant van de zeppelin vervolgde: 'Ik was hier daarnet ook, en toen lag je op de bank te slapen. Uit de lucht gevallen! In de tussentijd heb ik even wat schilderwerk gedaan. En toen kreeg ik bezoek, neem me niet kwalijk. Maar nu zijn we onder elkaar. Jonas! Na vijf jaar! Wat is er gebeurd? Kom hier en laat me je omhelzen.'

Vango wierp zich in Eckeners armen en barstte in snikken uit.

9

In de buik van de walvis

Na een paar minuten maakte Eckener zijn armen los en begon te lachen. Hij wendde zich een beetje af en stopte zijn duimen in de zakken van zijn vest.

'Ik herinner me nog toen je hier voor het eerst kwam. Je was er niet veel beter aan toe dan nu. Waar kom je vandaan?'

Hij keek zijn vriend aandachtig aan. Vango zag er uitgeput uit. Hij was net door Frankrijk, Zwitserland en Duitsland gereisd om te ontsnappen aan de politie, die hem zocht.

'En nu ben je er weer. Ja, uit de lucht komen vallen. De laatste keer was minstens vijf jaar geleden, is het niet?' ging Eckener verder. 'En toen ben je een heel jaar bij ons gebleven.'

Eckener sloot zijn ogen om zich alles nog beter voor de geest te halen.

'Het zwarte jaar, 1929, de grote crisis... De wereld stortte in. Waarom blijft dat voor mij een onvergetelijk jaar? Ik was erg op je gesteld, Piccolo. Ik vond het leuk om je steeds maar te blijven vertellen dat ik je niet nodig had aan boord van deze zeppelin... Maar aangezien het mijn oude vriend Zefiro was die je stuurde...'

Ze glimlachten allebei.

'Een jaar bij ons aan boord. Een merkwaardig en fantastisch jaar. En toen ben je weggegaan, van de ene op de andere dag, zonder iets te zeggen.'

'Het spijt me, commandant,' zei Vango.

'Ik had zo vaak gezegd dat ik je niet nodig had... dat het me verbaasde dat ik je zo miste.'

'Het spijt...'

'Stil, Piccolo.'

Vango koesterde iedere seconde van dat eerste jaar dat hij ver van zijn eiland had doorgebracht.

Toen hij, nog maar net veertien jaar oud, door padre Zefiro was weggestuurd, was Vango teruggegaan naar het huisje in Pollara. Hij had goed nagedacht over wat hij ging zeggen en Mademoiselle uitgelegd dat hij een heel jaar op reis moest, maar dat hij zou terugkomen.

Ze hield hem bij zijn schouders vast. Ze probeerde te zeggen: 'Ja, dat is heel goed, wat een mooi avontuur', maar er kwam geen geluid uit haar mond.

Toen hij een paar dagen later in de haven van Napels aan wal stapte, had hij alleen een plunjezak over zijn schouder, en in zijn broekzak een envelop waarop de naam van Doktor Hugo Eckener in Friedrichshafen stond. Het adres was door de padre geschreven.

Die dag had Vango het gevoel dat zijn hart verscheurd werd, in tweeën gespleten door die uitgestrekte zee die hem voortaan van Mademoiselle, zijn eiland en zijn onzichtbare vrienden scheidde. Het afscheid deed hem zo'n pijn dat hij dacht dat hij er nooit overheen zou komen.

Hij wist zeker dat hij het niet zou kunnen uithouden, zo ver van die kleine wereld, die zonder hem door zou draaien.

Op het perron van het grote station droomde Vango er al van dat hij na een paar dagen terug zou zijn, weer op zijn kliffen zou staan en zijn hoofd in zijn nek zou werpen als een aalscholver die eindelijk, naar adem snakkend, weer uit het water zou opduiken.

Hij voelde de kracht van die eerste teug wind die zijn longen vulde, terwijl hij daar zo met gespreide vleugels stond. Als hij eenmaal terug zou zijn op zijn eilanden, zou hij er zijn hele verdere leven blijven, dacht hij.

Maar toen de trein Napels in noordelijke richting verliet, keek hij hangend uit het raampje al naar de gezichten, de zakdoeken die in de rook wapperden, de tranenrijke afscheidstaferelen, de kinderen die schreeuwend achter de trein aan renden.

Hij keek naar de menigte, naar al die levensverhalen op een perron.

En hij voelde hoe er al een klein venstertje in hem openging.

De mensen. Hij ontdekte de mensen.

Hij kende wel een paar personen, bij hem thuis. Mademoiselle en nog wat anderen, die hij van naam kende. Dokter Basilio, Mazzetta, Zefiro en Pippo. Maar de mensen, dat was iets anders. Degenen die je niet kent. Levens die in volle vaart rakelings langs ons schieten, zoals de telegraafpalen achter het treinraampje.

Naast hem in het compartiment zat een jongedame met een piepklein hondje. Toen het station in de stoomwolken verdween en hij terugkwam om weer te gaan zitten, vroeg zij hem: 'Kan jij mijn hondje even vasthouden?'

Vango pakte het hondje aan, dat in de opengesperde palmen van zijn twee handen paste. De dame liep de wagon uit. In een flits begreep hij wat de padre bedoeld had. Hij moest de wereld ontdekken, daar ging het om. Hij voelde dat ontmoetingen zoveel indruk maakten doordat alles zo snel ging. Levens kwamen bij een treffen krachtiger met elkaar in aanraking als ze veel vaart hadden.

Toen de dame terugkwam, rook ze naar bloemen.

'Dank je,' zei ze terwijl ze de hond weer overnam. 'Dat is aardig van je.'

Dat was alles. Bij het volgende station was ze uitgestapt.

De mensen.

Vango had dagen en nachten lang verder gereisd naar Rome, Venetië en München, van de ene trein in de andere. Daarna was hij met een boemeltreintje naar het Bodenmeer gereden.

Vijf jaar later was Vango nog steeds niet naar zijn eilanden teruggekeerd.

'Ik vond het zo fijn in uw zeppelin,' fluisterde Vango.

Hugo Eckener liep naar het raam van de hut en ging op een stoel zitten. 'Toen ik jouw briefje een maand geleden kreeg,' zei de oude man, 'met de tekening van de Notre-Dame van Parijs en een datum in april, dat briefje waarin je aankondigde dat je priester ging worden, was ik niet eens verrast. Ik wist allang dat je op zoek was naar iets.'

Vango had allang het gevoel dat er iets op zoek was naar hem...

Ze zwegen even. Toen zei Eckener: 'Vertel me nu eens wat ik voor je kan doen.'

Vango dacht aan de menigte voor de kathedraal, aan het geschreeuw van de politieagenten, aan het lichaam van vader Jean op zijn bed, aan zijn vlucht naar Duitsland, naar de zeppelin. Alles had zich in minder dan een paar dagen afgespeeld, voor zijn gevoel in een paar uur.

Hij vertelde er niets over, maar zei: 'Laat me hier blijven. Meer niet. Ik zal een paar maanden met u meevliegen. Ik zal werken. Ik heb alleen wat tijd nodig om na te denken. Dat is alles wat ik u vraag.'

Eckener zakte een beetje in elkaar op zijn stoel.

'O... Is het dat...'

Er kwam een waas voor zijn ogen.

'Ik zou het niet hebben gedaan om jou te helpen, Vango. Ik zou het voor mijzelf hebben gedaan...'

Hij zweeg en veegde met zijn hand een onzichtbaar stofje van het tafeltje.

'Maar de zeppelin is niet meer wat hij was... Ik kan mijn bemanning niet meer uitkiezen. Bij elke vlucht wordt alles gecontroleerd. De bemanning is Duits. Uitsluitend Duits.'

Die laatste woorden deden commandant Eckener pijn. Zijn zeppelin maakte deel uit van het Duitse grondgebied. Hij viel onder de wetten van het nieuwe nazibewind. Pas na maandenlange onderhandelingen had hij toestemming gekregen om Dick in dienst te nemen, een Amerikaan uit Akron in de staat Ohio, die de machthebbers al als een spion in de gaten hielden. Het was onmogelijk om nog een buitenlander door de smalle deur van de Graf Zeppelin te laten gaan en aan boord toe te laten.

'Heb je Italiaanse papieren?' vroeg Eckener.

'Franse,' zei Vango. 'Sinds een paar dagen.'

Eckener trok een lelijk gezicht.

'Ik had je liever als Italiaan gehad. Dat zou makkelijker zijn.'

Mussolini, de leider van Italië, probeerde het al met Hitler aan te leggen.

'Ik heb nooit Italiaanse papieren gehad,' zei Vango.

Er gleed een droevige glimlach over het gezicht van de commandant. Hij herinnerde zich weer het levensverhaal van Vango, de kleine schipbreukeling zonder verleden en zonder afkomst.

'Ik was vergeten hoe je als Jonas door de walvis op de kust van Sicilië was geworpen...'

Die naam had hij vroeger voor hem bedacht, als verwijzing naar een episode uit de Bijbel, waarin een kleine profeet in de buik van een walvis belandt om vervolgens weer te worden uitgespuugd. Eckener had veel gezeild voordat hij zijn hart aan de zeppelin had verpand. Hij wist dat de bijnaam Jonas werd gegeven aan matrozen die een schip ongeluk brachten... Juist omdat hij lak had aan dat soort bijgeloof, had hij die bijnaam uitgekozen.

Plotseling schoot de commandant iets te binnen, waardoor de glimlach van zijn gezicht verdween.

'Ik zou... ik zou je graag hebben geholpen.'

Hij stond abrupt op en bleef staan, in verlegenheid gebracht door deze bekentenis.

'Tja, het is niet anders. Vaarwel.'

Vango knikte ongelovig. Hij herkende zijn baas niet.

'Ik begrijp het, Doktor Eckener. Ik ga morgenochtend weg. Het spijt me dat ik u heb lastiggevallen. Ik blijf hier alleen nog even om wat te slapen, als u het...'

'Nee.'

Het antwoord was onverbiddelijk.

'Nee Vango, je kan hier niet slapen. Over een paar uur komt de bemanning. We vertrekken voor dag en dauw naar Zuid-Amerika. Je moet nú weggaan.'

Vango keek Hugo Eckener aan. De commandant van de zeppelin kon hem niet eens meer in de ogen kijken.

'Nu!' herhaalde Eckener.

'Ik begrijp het, ja, ik begrijp het. Nu meteen... Ik ga al.'

Hij deed een stap in de richting van de uitgang.

'Heb je geen bagage?'

'Nee.'

Hij was uitgeput. Hij duwde de deur van de hut open en liep met zijn schouder langs de wand van de gang naar het eind.

'Vaarwel, Jonas,' riep Eckener hem na.

'Vaarwel,' fluisterde Vango, en hij liep met trage passen door de sluimerende eetzaal.

Daar, op dat rode tapijt, had hij in 1929 een heel jaar lang de passagiers bediend.

Loodrecht boven de piramiden, boven de woestijn van Mauritanië en de jungle van Brazilië, in de rookpluimen van New York, zwevend over de evenaar of het Oeralgebergte, had hij de heerlijkste maaltijden geserveerd. En soms stonden de tafelgasten met hun servet in de hand op wanneer er pal onder hen een kudde rendieren over de Siberische steppen rende, of wanneer wilde ganzen die vreemde zilveren vogel achternajoegen.

Vango wist dat het jaar 1929, toen hij veertien was, nog niet al zijn geheimen had prijsgegeven. Daar, in de schaduw van deze ballon, lag een van de antwoorden op de vraag waarom zijn leven plotseling zo'n compleet andere wending had genomen.

Nadat hij Parijs en het lichaam van de vermoorde vader Jean achter zich had gelaten, was hij daarom direct hiernaartoe gegaan.

Hij liep de loopplank van de Graf Zeppelin af. In de verte stonden nog steeds mannen de ingang van de hangar te bewaken. Ze hadden hem niet gezien. Vango wist hoe hij ze moest omzeilen. Hij liep naar de werkplaats.

Hugo Eckener was gaan zitten aan de navigatietafel; zijn gebalde vuisten had hij op het leren tafelblad gelegd. Hij trilde van woede. Hij had zojuist een jongen van twintig jaar, van wie hij hield als van een zoon, de deur gewezen.

Hij was gezwicht voor de terreur.

Rudolf Diels, het jonge en knappe hoofd van de Gestapo, had Hugo Eckener nog in juni, een paar maanden geleden, uitgenodigd voor een lunch. Het gesprek was eerst over koetjes en kalfjes gegaan.

'Ik heb veel bewondering voor u, Doktor Eckener.'

Eckener zat zwijgend zijn soep te lepelen. Hij vroeg zich af wat die man met dat litteken op zijn wang en zijn strak naar achteren gekamde haren van hem wilde. Bij het nagerecht had het hoofd van de politieke politie de kruimels van het tafelkleed geveegd en een dik dossier voor de commandant neergelegd. Op het omslag stond Eckeners naam in hoofdletters geschreven.

Terwijl hij die honderden bladzijden doorbladerde, had commandant Eckener gezegd: 'Maar beste vriend, dit gaat veel verder dan bewondering voor mij. Dit is een liefdesverklaring!'

Het was een griezelig dossier. Ze wisten alles. De politie wist alles van Hugo Eckener en de firma Zeppelin. Elke reis, elk contact, elk telefoontje stond in dit register beschreven. Het was een gevaarlijk middel om hem onder druk te zetten.

Kort na deze lunch had de commandant het hakenkruis op zijn zeppelin moeten schilderen.

En daar was het niet bij gebleven.

Twee maanden later was Eckener op een snikhete dag door rijkskanselier Hitler ontboden in diens villa in Berchtesgaden, midden in de bergen.

De daaropvolgende nachten had hij nachtmerries gehad van die kleine man die in dat fleurige vakantiehuis hoog boven het dal achter zijn bureau had gezeten, terwijl hij met de punt van zijn voet een zwarte hond had geaaid. Toen hij werd uitgelaten door Göring, de minister van Luchtvaart, die net zo'n hekel had aan Eckener als aan zijn zeppelin, had de commandant voor het eerst van zijn leven gevoeld dat zijn beide handen trilden.

Sinds die dag verborg Hugo Eckener achter zijn arrogante en provocerende houding en zijn scherpe opmerkingen, in de plooien van zijn nek, een klein beestje dat zich in zijn huid had vastgebeten: angst.

Iets in hem was geknakt. Iets van zijn trots was verdwenen.

Plotseling stond Hugo Eckener op.

Hij kende het, dat beestje dat ergens zat waar het niet hoorde; hij hoefde alleen zijn hoofd op te richten om het plat te drukken.

Een paar tellen later, toen hij over de lange grasbaan voor de hangar van de zeppelin liep, hoorde Vango achter zich iemand roepen.

Hij draaide zich om.

Hugo Eckener kwam naar hem toe. Hij was buiten adem.

'Ik herinner me een verstekeling die zich op een keer in de zeppelin verstopt had. Dat zijn van die dingen die soms gebeuren. Als de ballon eenmaal is opgestegen, is er niets meer aan te doen. Je kan zo'n verstekeling moeilijk overboord zetten...'

Vango wachtte op het vervolg.

'Dat is alles,' hijgde Eckener. 'Dat wilde ik je nog zeggen. Nu ga ik naar huis om wat te slapen. Mijn vrouw zit op mij te wachten.'

Eckener knoopte de kraag van zijn jas dicht en keerde Vango de rug toe. Die had zich niet verroerd. Na een paar passen draaide Eckener zich weer om.

'Nog één ding, Jonas: ik heb je vanavond niet gezien. Ik heb je al vijf jaar niet meer gezien. Ik kan me je nauwelijks meer herinneren. Afgesproken?'

Vango knikte.

Eckener liep weg in de schemering. Kaarsrecht. Het lichtschijnsel van de hangar streek over zijn witte haren.

Om drie uur 's nachts, het was nog pikkedonker, begon de zeppelin als een bijenkorf te gonzen.

Op de grond zwermden de technici in het rond. De bemanning druppelde binnen. Piloten, officieren, boordwerktuigkundigen, iedereen kwam aangelopen, gehuld in zwarte leren jassen, geconcentreerd op de taak die voor hen lag.

Hoewel ze al een aantal jaren geregeld vluchten hadden gemaakt, waren ze er geen van allen aan gewend geraakt; ze bleven het een onwezenlijk avontuur vinden. Ze bereidden zich erop voor alsof ze een afspraakje hadden: ze roken naar eau de cologne en lekkere zeep. Voordat ze hun helm opzetten, hadden ze brillantine hun haar gedaan, en hun schoenen waren glimmend gepoetst.

In een van de werkplaatsen werd koffie geschonken, op gepaste afstand om geen kooktoestel aan te steken in de buurt van het ontvlambare gas waarmee de zeppelin werd opgeblazen. Maar zelfs voor het opdrinken van die koffie liepen de mannen onwillekeurig terug naar de hangar, met de dampende beker in beide handen, om die slapende reus die ze wakker moesten maken met hun ogen te verslinden. Ze glimlachten terwijl ze hem bekeken, en ze waren trots dat ze hoorden bij dat handjevol mannen dat in minder dan tien jaar tijd het onmogelijke had weten te bereiken: rondreizen met een passagiersluchtschip dat in drie dagen en twee nachten van Europa naar Brazilië of willekeurig welke bestemming vloog, met alle comfort en het grootste gemak.

Die nacht was er een dikke man die deze vreugde niet deelde.

Otto Manz was zijn naam. Hij was de kok van het luchtschip.

Hij zat op de eerste tree van de houten trap die naar de zeppelin leidde. Een leger dragers, die met kisten en zakken voor hem stonden, wachtte op zijn orders.

'Jullie kunnen wachten tot je een ons weegt! De Graf Zeppelin heeft geen kok meer.'

'Geen kok meer?' herhaalde een van de mannen, die drie zware kisten met wortelen en kool in zijn armen hield.

'Ik neem ontslag.'

Otto Manz nam voor elke vlucht ontslag, en een uur later stond hij boven de bergen al zoete broodjes voor het ontbijt van de passagiers te bakken. Maar die ochtend leek de toestand zorgwekkender dan anders.

'Ik ga niet weg zonder mijn hulpkok.'

Zijn hulpkok heette Ernst Fischbach. Hij was zojuist benoemd tot navigator op het luchtschip. Dat was al heel lang zijn droom, al sinds hij op veertienjarige leeftijd als scheepmaatje was aangenomen.

Otto zat dus zonder koksmaat.

'Chef, wat doen we met de groente?'

'Ik ben niemands chef. Ga het maar aan kapitein Lehmann vragen.'

Ze gingen de kapitein zoeken, die de proviand liet opslaan in de kiel van de luchtballon, waar zich de provisiekasten en de koelkasten bevonden. Lehmann was een van Eckeners beste mannen. Tijdens de vluchten had hij altijd zijn accordeon bij zich.

Lehmann was niet alleen een goede navigator, hij was ook heel diplomatiek. Hij zette zich naast Otto neer. Ondanks de drukte in de hangar bleef hij zo een poosje zwijgend zitten.

'Ze zal teleurgesteld zijn,' zuchtte de kapitein.

'Pardon?'

Otto keek hem aan.

'Ik denk dat ze teleurgesteld zal zijn,' zei Lehmann.

'Wie?'

De kapitein deed zijn vlieghelm af.

'Ze was dol op jouw knolletjes in roomsaus.'

'Over wie hebt u het in hemelsnaam?'

'Weet je het dan niet?'

'Wat weet ik dan niet, kapitein?'

'Lady Drummond Hay is gisterenavond in hotel Kurgarten aangekomen.'

De kok stond op, stak zijn borst vooruit en trok de kreukels in zijn schort glad.

'Lady?'

'Ze staat op de passagierslijst.'

'Lady!'

Otto zei het alsof Lady een voornaam was.

'Lady...'

De lady in kwestie was een Engelse aristocrate, een beroemde journaliste die als correspondente voor de belangrijkste Amerikaanse kranten werkte, en die op eenendertigjarige leeftijd weduwe was geworden, een avonturierster met fluwelen ogen en bontmantels. Ze was op een aantal beroemde reizen van de zeppelin meegegaan.

'Lady, mijn God,' herhaalde Otto.

Hij was stapelverliefd op haar. Ze liet zich die liefde een beetje aanleunen en kwam wel eens in de keuken koekjes eten. Otto vatte dat op als een bewijs dat zijn liefde beantwoord werd. Hij had al trouwplannen.

De arme stakker wist niets van het leven van deze vrouw buiten de luchtballon, van haar honderden aanbidders, van haar vrienden in Hollywood, Buenos Aires, Madrid of Parijs. Hij wist alleen dat hij een keer, boven Tokio, haar hand had vastgehouden om haar te leren hoe ze een bearnaisesaus moest kloppen. En die kleine, blanke hand in de zijne die met een garde de geur van dragon en kervel deed opstijgen, was zijn mooiste herinnering.

'Mijn God, Lady!' zei Otto nog een keer, en hij verdween toen in de zeppelin.

Hugo Eckener arriveerde kort na vijf uur 's morgens. De kapitein verwelkomde hem zodra hij binnen was.

'Commandant, we hebben een vervanger nodig voor Ernst Fischbach, de keukenhulp.'

'Die vinden we wel.'

'Ik vrees dat we hem niet in de wolken zullen vinden, commandant.'

'Hoe kunt u dat weten, kapitein?'

'Hebt u een idee?'

'Misschien.'

Lehmann drong niet verder aan. Eckener leek zeker te zijn van zichzelf.

'De stuurboordmotor voor is gerepareerd,' ging de kapitein verder.

'Uitstekend. Nog iets?'

'Ja... Ik ben zo vrij geweest om een paar zeer spoedeisende werkzaamheden aan de achtersteven te laten uitvoeren.'

'Dat laat ik geheel aan u over. Het weer?'

'De marconist heeft het weerbericht uit Hamburg ontvangen. We krijgen wind mee en boven het Rhônedal is het onbewolkt.'

'Goed. Kapitein, wees zo goed om de passagiers samen met de hofmeester voor de hangar op te wachten en mij bij hen te verontschuldigen. Zegt u maar dat ik hen aan boord zal begroeten.'

Lehmann deed wat hem gevraagd was. Roerloos stond Eckener een poosje naar de zeppelin te kijken. Toen liep hij naar de trap. Hij wilde binnen iets controleren. De boordwerktuigkundigen, bemanningslieden en officieren bleven allemaal even staan en knikten naar hem toen hij langsliep, maar hij was er met zijn gedachten niet bij en beantwoordde hun groet niet.

Toen hij de gondel van de luchtballon binnenstapte, hoorde Eckener dat hij geroepen werd.

'Commandant!'

Het was Kubis, de hofmeester. Hij keek bezorgd.

'De douane en de politie zijn er, commandant. Lehmann vraagt hun om buiten te blijven wachten.'

'Heel goed. De douane kan de passagiers wel wat later controleren. Als de politieagent de bemanningslijst wil zien, kan hij die krijgen.'

'De politieagent is niet in zijn eentje, als ik goed heb geteld.'

'Zijn ze met z'n tweeën?' vroeg Eckener, die allang niet meer opkeek van zo'n overmacht aan politie.

'Nee, commandant. Het zijn er vijfendertig. Ik geloof dat we een probleem hebben.'

10

De heren van de Gestapo

Voor de deur hadden zich inderdaad alle uniformen verzameld die er in een straal van tien kilometer te vinden waren. Maar zodra Eckener naar buiten kwam had hij alleen oog voor de twee regenjassen van de Gestapo. Kapitein Lehmann, die met hen stond te praten terwijl het zweet van zijn gezicht droop, was opgelucht toen hij de commandant eraan zag komen.

'Heren, hier is commandant Eckener. Hij zal u antwoord kunnen geven.'

Eckener glimlachte breed. Wijzend op het leger politieagenten zei hij met luide stem:

'Ik had de passagierslijst nog niet gezien. Met zo'n vliegende kazerne hoeven we nergens bang voor te zijn! Ik vind het alleen spijtig dat we te laat in Rio zullen zijn voor het grote carnaval.'

Een van de mannen van de Gestapo glimlachte fijntjes.

'U hebt veel gevoel voor humor, commandant, en dat al 's morgens vroeg. Ik word pas grappig als het donker is. Misschien dat ik tijdens een van de komende avonden de gelegenheid zal krijgen om u aan het lachen te maken.'

'Daar verheug ik me op, meneer...'

'Max Gründ. Ik ben het hoofd van de Geheime Staatspolizei voor het district Bodensee.'

De commandant merkte op dat hij de hele naam van de Gestapo had gebruikt, alsof die verkorte naam een jaar na de oprichting van deze geheime dienst al zo bloedstollend was geworden dat je hem maar beter kon aanlengen om het bloed weer te laten stromen.

De man was ijzingwekkend beleefd. Hij stelde zijn collega Franz Heiner voor, die Eckener nog nooit had gezien.

'We zien de laatste tijd voortdurend nieuwe gezichten bij de politie,' merkte de commandant op.

'Met oud gereedschap kan je niets klaarspelen,' zei Gründ.

Als degelijke handwerksman dacht Eckener daar heel anders over. Een goed stuk gereedschap wordt juist na verloop van tijd steeds beter. Maar hij deed er het zwijgen toe.

'Ik wil u niet ophouden,' zei Gründ, 'maar er zijn geruchten die we beter de wereld uit kunnen helpen. Men heeft mij willen wijsmaken dat er hier onlangs schilderwerkzaamheden zouden zijn verricht.'

'Geruchten?' herhaalde Eckener.

Max Gründ snoof de lucht op. Er hing een doordringende terpentijngeur.

'Ja. Schilderwerkzaamheden die de eer van ons land zouden aantasten.'

Eckener glimlachte.

'Als die eer door een pot verf in gevaar kan worden gebracht, stelt ze niet veel voor.'

'Staat u mij toe om dat met mijn eigen ogen te gaan bekijken.'

Eckener verroerde zich niet, waardoor hij de weg versperde.

'Pardon.'

De man liep samen met politieagent Heiner om hem heen.

Ze gingen de hangar binnen en deden een paar passen in de richting van de zeppelin.

Commandant Eckener volgde hen op afstand. De bezoekers keken naar de staartvin van de luchtballon.

'Ik denk dat het gerucht niet gelogen was, commandant.'

Het duurde even voordat Eckener antwoordde.

'Vertelt u het gerucht in elk geval maar dat het zijn hoofddeksel is vergeten.'

Hij pakte de pet op die de Kreisleiter tijdens zijn overhaaste vertrek had laten vallen, en overhandigde hem aan Max Gründ. Die sloeg hem met de rug van zijn hand weg.

'Gaat u maar met ons mee, mijnheer Eckener.'

'Het spijt me, maar ik heb een ballon van driehonderd ton die over dertig minuten gaat opstijgen. Ik kan u helaas geen moment langer te woord staan.'

De twee mannen van de Gestapo keken elkaar grinnikend aan.

'U begrijpt het niet helemaal, commandant. De tijden veranderen. U bent iemand uit een andere tijd. Het is aandoenlijk... maar het is afgelopen. U gaat met ons mee.'

Eckener wierp een blik op de ballon. Voor het eerst had hij inderdaad de indruk dat het was afgelopen. Hier hield het avontuur op. Hij merkte niet eens dat kapitein Lehmann eraan kwam.

'Is er iets, commandant?'

De commandant hoorde niets meer.

'Is er iets?'

Max Gründ wees Lehmann op de zilvergrijs geschilderde staartvin.

Lehmann deed alsof hij het niet begreep.

'Ziet u niet dat er iets ontbreekt?' vroeg de politieagent.

'Nee.'

'Echt niet?'

'Echt niet.'

'U moet oppassen, kapitein.'

'Ik verzeker u dat...'

Zijn gezicht klaarde op. Lehmann keek de agenten van de Gestapo aan.

'Heren, ik denk dat ik weet wat u zoekt! U zoekt het...'

Hij tekende een hakenkruis in de lucht.

'Het ... van ...'

Hij deed de nazigroet na door zijn arm op te heffen.

'Is dat inderdaad wat u zoekt?'

De twee mannen voelden de woede in zich opkomen. Maar Lehmann ging verder: 'Als ik het goed begrijp, bent u nog maar net op uw post benoemd, heren. U maakt een domme maar volstrekt vergeeflijke fout. Het... van...'

Hij gebaarde weer zijn arm.

'Het... van... zit precies...'

Hij stopte even. Eckener was weer tot zichzelf gekomen en luisterde ongerust toe.

'...aan de andere kant.'

'Pardon?'

Gründ dacht dat hij het verkeerd had verstaan.

'Nogmaals, het is erg amusant, maar ook volkomen begrijpelijk dat u het niet weet, maar het wordt uitdrukkelijk voorgeschreven door het reglement van het ministerie van Luchtvaart: het grote, hoekige symbool dat u zoekt, moet op de bakboordzijde van de staartvin worden geschilderd.'

Eckener wilde kapitein Lehmann een teken geven. Het was onnodig om de situatie voor hen beiden nog erger te maken. Lehmann wist duidelijk niet wat zijn commandant de vorige avond met een vuistdikke kwast had gedaan.

'Komt u maar met mij mee, heren,' zei de kapitein, die de wanhopige gebaren van Hugo negeerde. 'Komt u maar mee, u zult verbaasd zijn.'

Eckener keek ze na. 'Ik weet helaas niet zeker wie van de drie het meest verbaasd zal zijn...' dacht hij. Ze liepen naar de andere kant, keken omhoog en bestudeerden de bakboordzijde van het luchtschip.

Eckener wendde zijn gezicht af. Hij hoorde haastige passen zijn kant op komen.

'Herr Doktor Eckener.'

'Ja?'

Agent Max Gründ stond voor hem, volkomen ontdaan. Hij kon geen woord uitbrengen en wenkte zijn collega.

'*Heil Hitler,*' zeiden ze gelijktijdig, met hun arm voor zich uitgestrekt.

Het had geen zin om zich te verzetten. Eckener deed een stap naar voren.

'Ik ga met u mee, heren.'

'Bespaar ons uw ironie, commandant. U kunt er verzekerd van zijn dat onze informant zal worden opgehangen.'

Eckener schrok op.

'Tot ziens, commandant,' zei Günd.

'Tot ziens.'

Ze liepen de hangar uit. Hugo Eckener, die volstrekt niet begreep wat er zojuist gebeurd was, wendde zich tot Lehmann.

'Kapitein?'

De gegeneerde glimlach van de kapitein was al een antwoord. Hugo Eckener keek hem aandachtig aan. Hij begon het te snappen. Met verontschuldigende grijns zei kapitein Lehmann:

'Ik zei u vanmorgen toch dat ik nog wat herstelwerkzaamheden aan de achtersteven had laten uitvoeren voordat u kwam.'

Eckener sloeg langzaam zijn ogen neer, en toen keek hij de kapitein strak aan.

'Ja. Dat is waar. Dat was ik vergeten. Dank u, kapitein. U kunt weer naar de passagiers gaan. De autobus van hotel Kurgarten zal inmiddels wel gearriveerd zijn.'

De kapitein knikte en liep weg.

'Kapitein Lehmann!'

'Ja?'

'Hoe laat is het?'

'Vijf voor half zes.'

'Vijf voor half?'

'Ja, commandant.'

'Kapitein...'

'Ja.'

'Het is niet nodig om iedereen te vertellen wat er is gebeurd.'

Lehmann fronste zijn wenkbrauwen.

'Wat er is gebeurd? Hoe bedoelt u... Wat is dan er gebeurd, commandant?'

Eckener kreeg een brok in zijn keel. Dat was nog eens een man naar zijn hart.

Wat je zag bij het inschepen voor een vlucht aan boord van de Graf Zeppelin leek zo weggelopen van de societypagina's van een grote Berlijnse, Parijse of New Yorkse krant. In enkele ogenblikken zag je een uitzonderlijke stoet beroemdheden de trap op lopen, die stuk voor stuk stof hadden kunnen opleveren voor een paar pakkende regels over hoe belangrijk hij of zij was, of hoe hij of zij deed alsof.

De vilten hoeden waren van Christy's of London, de jurken een ontwerp van Jean Patou uit Parijs, de hutkoffers kwamen van Oshkosh in Wisconsin, en de glimlachende gezichten uit de films van Pathé Cinema.

Diplomaten, industriebaronnen, schrijvers, excentriekelingen, politici, geleerden, geldmagnaten of tweederangsactrices – allemaal hadden ze met elkaar gemeen dat ze deel wilden uitmaken van de droom, of van Geschiedenis. Die ochtend waren het er achttien. Iedereen werd met bagage en al gewogen om te controleren of het toegestane gewicht niet werd overschreden. Het was een soort vrolijke veemarkt, die rook naar pioenrozen en glimmend leer.

Een weldoorvoede Duitse zakenman had alleen maar een kleine canvas reistas bij zich en ging op zijn tenen staan alsof hij daardoor op de weegschaal minder zou wegen. Hij praatte aan één stuk door, zei dat hij in Parijs woonde, dat hij op de luchthaven van Le Bourget het vliegtuig had genomen en daarna met een driemotorig vliegtuig van de Lufthansa van Saarbrücken naar Friedrichshafen was gereisd. Hij was doodsbang dat hij te zwaar zou zijn en vertelde uitgebreid welke kleine gerechten hem tijdens die lange vliegreis naar de zeppelin waren aangeboden: 'Gevulde koolrolletjes, gepaneerde kaasjes, petitfours, pasteitjes, alles heb ik afgeslagen. Alles.'

Hij kreeg bijna de tranen in zijn ogen van zijn eigen opsomming.

De douanebeambten lachten en lieten hem aan boord gaan.

Hij was nog niet binnen of hij viel Otto de kok om de hals en smeekte hem om een hele lamsbout voor hem te braden bij wijze van ontbijt. Om van hem af te komen beloofde Otto van alles en nog wat, maar hij was met zijn gedachten elders: hij zette zijn koksmuts op en ging op weg naar de salon.

Lady Drummond Hay had al aan een van de tafels plaatsgenomen.

Ontroerd kwam Otto van achteren naderbij terwijl hij de laatste knoop van zijn koksjasje probeerde dicht te knopen. Het moment van het weerzien was aangebroken.

De jonge vrouw zat te schrijven in een notitieboekje. Ze was net begonnen aan een reisverslag dat ze voor haar krant in Chicago moest schrijven.

'Lady?'

Ze draaide zich een beetje om op haar stoel en zag de kok staan.

'Dank u. Ik heb niets nodig. Ik heb in het hotel koffiegedronken.'

'Lady...'

'Heus. Het is erg vriendelijk van u, meneer, maar ik heb echt niets nodig.'

Otto wilde nog iets zeggen, maar de zeppelin begon te bewegen; hij werd aan een lier de hangar uit getrokken. Grace Drummond Hay stond op om uit het raam te kijken. Honderden mensen leidden het luchtschip, dat ze aan touwen vasthielden, naar buiten.

Otto was niet in staat om een stap in de richting van de keuken te zetten.

Ze had hem niet herkend.

De passagiers hadden hun hutten verlaten en kwamen allemaal naar de salon toe. Ze haastten zich naar de ramen, zonder oog te hebben voor de kok die als een zoutpilaar tussen de tafels bleef staan.

Voor in de gondel van de zeppelin vouwde Eckener het bericht open dat de marconist zojuist had ontvangen.

Voor D-LZ 127 Graf Zeppelin
Tot nader order is het verboden
om over Frankrijk te vliegen.

Eckener werd geroepen door een van de piloten, die het stuurwiel met beide handen vasthield. De zeppelin was nu helemaal uit zijn schuilplaats tevoorschijn gekomen.

'Ik laat het touw van de lier vieren, commandant. Over twee minuten stijgen we op.'

'Ga je gang.'

Eckener gaf Lehmann een teken.

'Kapitein, komt u even mee.'

Ze gingen de kaartenkamer binnen. Er zaten twee officieren aan tafel te werken.

'Mijne heren,' zei de commandant, 'het schema is zojuist gewijzigd. We mogen niet over Frankrijk vliegen.'

'Ik zal de startmanoeuvre laten stoppen,' zei Ernst Lehmann kalm.

'Nee. Niemand heeft gezegd dat onze vlucht niet mag doorgaan, dus we gaan vliegen. Stippel een nieuwe route uit via Zwitserland en Italië. Zoek maar in het archief: dezelfde vlucht als drie jaar geleden naar Cairo. April 1931. Ter hoogte van Sardinië vliegen we dan naar het westen om onze koers naar Brazilië weer op te pakken.'

'We weten het weerbericht voor de Alpen niet.'

'Vraag het op. En waarschuw het grondpersoneel dat we toch vertrekken.'

Vijfentwintig meter boven hen, tussen een woud van balken, lag Vango op een stalen balk te wachten.

Het duurde lang voordat de zeppelin vertrok. Vango was van plan om zich pas te laten zien als de zeppelin al een paar uur aan het vliegen was. Een groot deel van de bemanning had hem vijf jaar geleden leren kennen. Hugo Eckener hoefde alleen maar te doen alsof hij hem een uitbrander gaf en dan te zorgen dat hij aan boord iets te doen kreeg. De passagiers zouden niet eens merken dat er een extra bemanningslid bij was gekomen.

Vango wist nog van deze schuilplaats bij de wijnrekken, vlak onder het stoffen dak van de zeppelin. Hier liep hij niet het gevaar dat iemand een kijkje zou komen nemen. Voor geen enkele manoeuvre was het nodig om helemaal hierheen te klimmen via een doolhof van ladders en loopbruggen. Elk geluid, iedere geur deed hem denken aan dat heerlijke jaar aan boord, aan het gezicht van de kleine Ethel, die hij voor het eerst had gezien in de lucht boven Manhattan.

De herinneringen bezorgden hem buikpijn.

De laatste reis had niet meer dan drie weken geduurd, maar toen was het allemaal begonnen. Zowel het geluk als de angst. Ze hadden elkaar beloften gedaan, de enige beloften in zijn hele leven die Vango niet was nagekomen. Daar had hij een schrijnende wond aan overgehouden.

Nu leek die tijd net zo ver weg als de herinnering aan zijn eiland. Hij was een misdadiger die in zijn land gezocht werd en die zijn toevlucht had gezocht in de buik van deze walvis, waar niemand hem uit zou komen halen. Vango schaamde zich dat hij Eckener niet had verteld waarom hij was gevlucht. Door de oorzaak van zijn komst te verzwijgen had hij het gevoel dat hij die man bedroog en dat hij misbruik maakte van zijn vertrouwen.

Maar hij wist dat niemand hem ooit aan boord zou hebben gelaten, zelfs niet als verstekeling, als men zou weten van welke misdaad hij beschuldigd werd.

Eckener bevond zich op zijn gebruikelijke post: achter het raam aan stuurboordzijde in de grote stuurhut.

Hij keek in de verte naar het uitgestrekte, verlaten terrein en zag een stuk of tien koplampen van auto's die in het donker kwamen aanrijden. De stuurman had nog een paar minuten respijt gevraagd om een probleem met de ballast te verhelpen. Eckener had hem die tijd gegund omdat hij het een leuke gedachte vond dat die paar auto's met laatkomers toch nog konden zien hoe de zeppelin zou opstijgen. Commandant Eckener was zeer dankbaar voor dit enthousiasme dat honderden mensen voor dag en dauw op de been bracht, alleen maar in de hoop dat ze de Graf Zeppelin konden zien vertrekken.

Hij ging in zijn houten leunstoeltje zitten, met zijn elleboog leunend uit het open venster, haalde onopvallend een verfrommeld vel papier uit zijn zak en bekeek het nog eens. Het was een artikel dat uit een Franse krant was geknipt. Hij had het bij toeval gelezen, omdat een reiziger de krant op een tafel in hotel Kurgarten had laten liggen. Het artikel ging over een schandelijke gebeurtenis die zich in Parijs had afgespeeld. Een moord. Drie kolommen tekst met een foto van Vango ernaast.

Eckener was niet van plan om zijn jonge passagier lang aan boord te houden. Zodra hij hem had ontdekt, als een engeltje slapend op de bank in de hut, wist hij het zeker: dat kind was niet schuldig. Hij was overtuigd van zijn onschuld, maar had niet veel vertrouwen in de rechterlijke macht. Vango was geen jongen zoals alle andere. Zijn hele leven was een raadsel. Juist het soort schaduwzones waar de rechters niets van moeten hebben, zouden ze bij hem aantreffen.

Het kon hem de kop kosten.

Daarom was Eckener van plan om hem aan het eind van de reis in Zuid-Amerika af te zetten, zodat hij daar een nieuw leven zou kunnen beginnen. Het was een enkele reis naar het onbekende. Een vreemd lot... dacht hij. Er zijn mensen op deze aarde van wie we nooit zullen weten waar ze vandaan komen, noch waar ze heen gaan.

De auto's waren nog maar tweehonderd meter van hen verwijderd. Je hoorde ze toeteren. De commandant vouwde het krantenartikel dicht, stond op en zei tegen de kapitein dat hij het vertreksein moest geven.

'Ik ga liever vóór tien uur 's morgens de bergen over. Daarna weet je niet wat je kan overkomen. Ik heb geen zin om met de Graf Zeppelin edelweiss te gaan plukken.'

'Tot uw orders, commandant. De stuurman zal het ballastprobleem wel na het opstijgen afhandelen. We zijn er klaar voor.'

Vanuit de stuurhut konden de boordwerktuigkundigen die de vijf motoren bedienden, met behulp van hendeltjes worden gewaarschuwd.

Achterin, bij de passagiers, was geen raam meer vrij.

Op de grond werd de zeppelin omringd door een menigte mensen.

Men begon de waterzakken te legen om de ballon lichter te maken. De touwen trokken aan de armen die het luchtschip op de grond hielden. Het water dat overboord werd gegooid, kwam terecht op de omstanders, die luide kreten van verrassing slaakten. Hugo Eckener ging op zijn post staan om het beroemde 'Hoch!' te schreeuwen, ten teken dat alles moest worden losgelaten en dat het uur U was aangebroken.

Op dat moment remden de vier auto's tegelijkertijd. Er stapten vijftien gewapende mannen uit. De portieren werden dichtgeslagen en door een megafoon klonk het volgende bevel: 'Stop! Commandant Eckener, u moet aan de grond blijven. Orders van het ministerie van Binnenlandse Zaken. Blijf waar u bent.'

Eckener klemde zijn tanden op elkaar.

Hij had geen megafoon nodig om door het raam te schreeuwen: 'Ik heb alle vereiste vergunningen! Zwitserland en Italië hebben ons zojuist via de radio toestemming gegeven!'

'De vlucht gaat door,' stelde de nasale stem hem gerust, 'maar er worden twee plaatsen gevorderd voor een controle- en veiligheidsmissie. Doe de deur open! Dit is een bevel!'

Commandant Eckener slaakte een paar vloeken die hier maar beter niet kunnen worden herhaald, haalde toen een paar keer diep adem en zei: 'Doe de deur voor hen open. Ze krijgen een slaapplaats in het riool.'

Hij liet een ladder uit de hangar halen.

Toen de twee agenten naar boven klommen, herkende Eckener

politieagent Max Gründ en zijn handlanger Heiner. Nadat ze aan boord waren geklommen, ging de deur dicht.

'Trossen los!' beval de commandant.

En onder luid hoerageroep steeg het luchtschip op. De motoren gingen een voor een aan, hun geluid werd gedempt door de massa van de zeppelin. Alleen de ramen voor in de gondel waren verlicht. De rest van de ballon zag eruit als een paarse wolk in de nacht.

Op dat moment schreef Lady Drummond Hay met haar mooie handschrift in haar notitieboekje: 'Alles wordt klein. De droom begint. Het Bodenmeer lijkt niet meer dan een spiegel in een donkere kamer. We vertrekken.'

Otto de kok zat met zijn gezicht tegen het keukenraam te huilen.

Kapitein Lehmann keek bezorgd hoe de politieauto's wegreden, als kleine lichtpuntjes in de nacht.

De dikke zakenman zong uit volle borst operaliederen in de gang, vlak bij de keuken, en snoof de geur van de verse broodjes in de oven op.

'*Waai nog harder, beste wind. Mijn liefje verwacht mij gezwind...*'

Opeens hield hij op met zingen. Achter zich hoorde hij commandant Eckener, die voor de twee politieagenten uit liep.

'U wilde mij spreken, heren.'

'Ja, commandant. We zijn hier niet alleen om toezicht te houden op uw vlucht. We hebben vertrouwelijke informatie ontvangen.'

Eckener verroerde zich niet. Max Gründ keek hem dreigend aan.

'Commandant Eckener, er bevindt zich een verstekeling aan boord van deze zeppelin.'

11

Een verstekeling

'Eentje maar! Ik zie er wel twee, heren!' zei commandant Eckener terwijl hij hen om beurten strak aankeek. 'De heer Kubis zal u wijzen waar u slaapt. Het is de enige plek die we nog overhebben. Neemt u ons de stank niet kwalijk, we bewaren het afval en het vuile water in zakken om geen gewicht te verliezen... We gooien niets weg. Dat is mijn enige reden om u aan boord te houden!'

De flauwe opmerkingen van Hugo Eckener klonken geforceerd. Het grappen maken ging hem niet goed af. Hij praatte te veel, en dat wist hij.

Wie kon het weten van Vango? Hoe was dat mogelijk? Eckener begreep er niets meer van. Max Gründ keek hem heel aandachtig aan, alsof hij zijn gedachten kon lezen.

'Mijnheer Eckener...'

De politieagent maakte zijn zin niet af. De joviale zakenman liep vlak langs hen, terwijl hij opnieuw *De Vliegende Hollander* van Wagner neuriede. 'Papam papaaaaaam!'

De zanger stopte. 'Hebt u geen honger?'

Hij vroeg het aan politieagent Heiner, die hem kortaf te kennen gaf dat hij naar de salon moest gaan.

'Gaan we geheimzinnig doen?' vroeg de man knipogend, en bulderend van het lachen duwde hij de deur open.

Met op elkaar geklemde tanden wendde Gründ zich tot de commandant: 'Ik eis dat we volledig vrij worden gelaten om de zeppelin te doorzoeken. U geeft ons een van uw bemanningsleden mee om ons wegwijs te maken.'

'Waarom hebben we dan toestemming gekregen om op te stijgen?' vroeg Hugo Eckener.

'Het is minder gemakkelijk om op driehonderdvijftig meter hoogte te ontsnappen, commandant. En we hebben de tijd, geloof ik...'

Gründ keek op zijn horloge.

'Pas over tweeënzeventig uur landen we op de Braziliaanse kust.'

Op dat moment meldde hofmeester Kubis zich.

'Laat deze mensen hun hut zien,' zei Eckener.

Hij wees hem de ruimte die hij in gedachten had.

Kubis keek verbaasd.

'Heus?'

Toen Eckener knikte, haalde Kubis een wasknijper uit zijn vestzak en deed die op zijn neus.

'Ik zal u voorgaan, heren,' zei hij met een brede glimlach.

De opdracht van Gründ en Heiner was ingewikkelder dan je zou denken.

Het grootste probleem was dat er zeventien passagiers en negenendertig bemanningsleden aan boord waren. Hoe moest je tussen die tientallen mensen die je overal in de luchtballon tegenkwam een verstekeling herkennen? Maar Gründ had een zeer scherp verstand en een feilloos geheugen. Binnen een paar uur kende hij de gezichten van alle zesenvijftig personen die zich hadden ingescheept.

Hij gaf ze een nummer, zodat hij zich niet om de namen hoefde te bekommeren. Nummer 1 was Eckener en Lady Drummond Hay was nummer 56. Die nummermanie zou Max Gründ houden gedurende de tien jaren die hem naar de toppen van de macht en de krochten van de terreur zouden voeren.

Alles wordt eenvoudiger als je de namen achterwege laat. Dan krijg je geen last van gevoelens.

Het indrukwekkendste was dat Gründ zijn speurtocht in alle rust wist te organiseren, zonder de passagiers te storen. Hij had hun beleefd uitgelegd dat hij de opdracht had om onderzoek te doen naar de veiligheidsnormen voor de grote zeppelin van de toekomst, de LZ 129, die in Friedrichshafen werd gebouwd.

Maar de bemanningsleden wisten wel waar het hem om te doen was.

Hen keek de inspecteur van de Gestapo met de nek aan.

Een van de boordwerktuigkundigen had de anderen erop gewezen dat Gründ en Heiner zichzelf geen nummer hadden gegeven. Daarom noemden ze hen stiekem Nul en Nul-Nul.

Eerst doorzochten ze alle hutten en commandoposten voor in de gondel, en daarna werden ze naar de kiel gebracht.

De gondel waar de passagiers en de piloten verbleven was maar een klein onderdeel van de zeppelin. In de ballon zelf, in het binnenste van de zeppelin, kon je honderden meters wandelen over loopbruggen. Daar, in die immense ruimte, bevonden zich de tenten van de rest van de bemanning, vijfhonderdduizend liter reservewater en negentien luchtzakken van koeiendarmen, die de waterstof bevatten waardoor de zeppelin kon vliegen.

Max Gründ beschikte over een plattegrond van het luchtschip. Hij organiseerde zijn zoektocht zorgvuldig en begreep onmiddellijk hoe de zeppelin in elkaar zat en waar de mogelijke schuilplaatsen waren.

De twee politieagenten werden begeleid door Ernst Fischbach, de leerling-stuurman en de voormalige koksmaat van Otto. Ernst was als hutbediende op de Graf Zeppelin begonnen. Hij was slechts één jaar weg geweest om in het Engelse graafschap Middlesex Engels te leren bij een zekere Master of Sempill, een luchtvaartpiloot die af en toe als passagier met de zeppelin meevloog.

'Als hij inderdaad aan boord is, zult u hem vinden, die verstekeling van u,' zei Ernst met enige spijt. Hij had niets tegen verstekelingen. Hij wist dat ook hij zich stiekem aan boord zou hebben verstopt als hij geen baan op dit luchtschip had weten te krijgen. Het verlangen om te vliegen was te groot, de zeppelin te mooi.

'En onder luid hoerageroep steeg het luchtschip op.'

'Wat heeft hij eigenlijk misdaan?'

'Wie?' vroeg Heiner.

'De verstekeling.'

'Dat gaat je niks aan,' zei Gründ.

De politieagenten kwamen bij de motoren. Die waren in aparte gondels aan de buitenkant van het luchtschip bevestigd. Je moest heel voorzichtig langs een ladder klimmen om erbij te komen, balancerend boven de diepte. En in die ijskoude, vroege ochtend boven de Zwitserse Alpen bestond die diepte uit steile pieken en gletsjers die aan een fakirbed deden denken.

Gründ kwam op het goede idee om Nul-Nul eropaf te sturen.

'Weet u het zeker?' vroeg agent Heiner. Hij slikte.

'Hou je mond,' zei Gründ.

Heiner deed het luik open en begon in de volle wind langs de ladder af te dalen. Gründ en Ernst sloegen hem gade. Hij was nog niet bij de motor of hij keek eronder en klom toen haastig weer naar boven.

'Er zit iemand!' schreeuwde hij.

Triomfantelijk keek Max Gründ de jonge Ernst aan.

'We hebben onze tijd niet verspild!'

Van zo dichtbij maakte de motor erg veel kabaal.

'Ik versta niet goed wat u zegt,' schreeuwde Ernst.

'Hij heeft iemand gezien!'

'Ja, natuurlijk.'

'Ik zeg dat iemand zich in de motor heeft verstopt!'

'En ik antwoord u: natuurlijk!'

'Pardon?'

'Gelukkig dat er iemand zit. U wilt de motoren toch niet helemaal vanzelf laten draaien!'

Het gezicht van Max Gründ veranderde van uitdrukking. Ernst legde uit: 'In de gondel van alle vijf de motoren zitten twee boordwerktuigkundigen die elkaar dag en nacht aflossen. We hebben er dus tien aan boord die dat werk doen. Dat zijn een heleboel verstekelingen. Uw superieuren zullen tevreden zijn!'

Woedend brulde Nul naar Nul-Nul: 'Doorzoek de motor en zeg tegen de man dat hij zich moet laten zien!'

Nul-Nul klom weer naar beneden, ging de gondel in en even later zag de politiecommandant het glimlachende hoofd opduiken van nummer 47, Eugen Bentele, die vroeger in dienst was geweest van Maybach en die sinds 1931 als mecanicien aan boord van de zeppelin werkte. Verder werd er niets in de motor gevonden, noch in de vier andere, maar door al dat lawaai hoorde agent Heiner als beloning voor zijn inspanningen een paar uur lang niets anders dan het geluid van gonzende motortjes in zijn oren.

In de passagierssalon heerste een rustige en gedempte sfeer. Sommige mensen lazen, velen keken uit het raam, anderen deden een kaartspelletje. De dikke zanger lag in een leunstoel te snurken. Het was er behaaglijk warm. De dames hoefden alleen een reissjaal om te slaan. Een halfdove Fransman klaagde dat zijn medespelers om de haverklap opstonden om het uitzicht te bewonderen.

'Stelletje toeristen,' bromde hij.

Nu moet worden gezegd dat het uitzicht inderdaad adembenemend was. Links van het luchtschip was een berijpte zon opgekomen. Boven de besneeuwde bergen hing een roze waas. De zeppelin deed kalmpjes haasje-over boven de toppen en de passen. In de verte was de Mont Blanc te zien, die over dit ongerepte landschap waakte.

'Lieve hemel,' zei een oude heer met een sikje, die met zijn ellebogen op de vensterbank leunde. 'Ik kan mijn ogen niet geloven.'

Achter hem deed de zanger juist de zijne open en geeuwde. Hij stond op en keek op zijn beurt uit het raam, maar zijn ogen waren gericht op de achtersteven van het luchtschip, op het land dat de zeppelin achter zich had gelaten.

Toen de oude man even later zijn blik kruiste, dacht hij dat de zakenman huilde.

'Hebt u... Hebt u iets nodig?'

'Ik?'

'U hebt tranen in uw ogen.'

De zanger barstte in lachen uit.

'Ik heb geslapen als een zeeleeuw! Dat is alles! Ik moet gewoon even wakker worden!'

Hij bette zijn ogen en zei: 'Over zeeleeuwen gesproken... wist u dat in de dierentuin in Berlijn...'

De dikke zanger ging verder met een stompzinnig verhaal over een pinguïn en een zeeleeuw, dat hij luidkeels vertelde om iedereen aan het lachen te maken, tot aan de dove bridgespeler toe, maar hij ontlokte slechts zuchten van vermoeidheid.

Rond het middaguur vloog het luchtschip al boven Florence.

Eckener kwam de salon binnen.

Kubis was de tafel voor de lunch aan het dekken. Onder hen scheen de Toscaanse zon op de daken. De hofmeester had de ramen opengezet en de plaat van een lieflijke wals op de grammofoon gelegd. Bijna alle passagiers waren in hun hut.

Sinds de zeppelin de bergen achter zich had gelaten, vloog hij op een kruishoogte van driehonderd meter. Dat was laag genoeg om het geschreeuw van de kinderen op de pleintjes of de klokslagen te horen, om de Florentijnen te zien die de binnenplaatsen op liepen om naar de overvliegende zeppelin te kijken.

Dit schouwspel mengde zich met de muziekklanken van de grammofoon.

Eckener stond bij de deur van de salon. Hij werd getroffen door het contrast tussen dit prachtige moment en de angst die hem sinds die ochtend kwelde. Hij was er zeker van dat ze Vango zouden vinden. En hij had geen enkele mogelijkheid om de verstekeling te laten weten wat hem te wachten stond.

'Kubis.'

'Ja, commandant.'

De binnenkant van de Graf Zeppelin

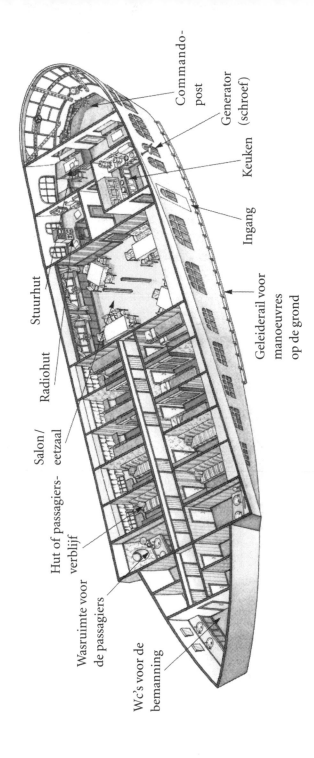

Commando-post

Generator (schroef)

Keuken

Ingang

Geleiderail voor manoeuvres op de grond

Stuurhut

Radiohut

Salon / eetzaal

Hut of passagiers-verblijf

Wasruimte voor de passagiers

Wc's voor de bemanning

'*Max Gründ beschikte over een plattegrond van het luchtschip.*'

'Zeg tegen de twee politiemannen dat ze met de passagiers kunnen lunchen.'

De hofmeester knikte.

Eckener wilde tijd winnen. Hij had Vango zelf op het idee gebracht om zich aan boord van de zeppelin te verstoppen. Nu dreigde dat idee de jongen fataal te worden. Zodra hij ontdekt werd, zou hij aan de Franse politie worden uitgeleverd, die hem meteen zou herkennen.

Wie had de Duitse autoriteiten kunnen waarschuwen? Dat bleef een raadsel.

Het leek alsof de duivel zelf dat kind achtervolgde.

Twee uur later zaten de passagiers nog aan tafel; ze waren bijna klaar met eten. Er was eend geserveerd, en witte wijn uit de Jura. Max Gründ zat zwijgend in zijn eentje aan een tafel. Hij had zijn medewerker verboden mee te eten zodat hij alles in de gondel in de gaten kon houden.

Eckener had tijdens de lunch een poging willen wagen om naar Vango toe te gaan, maar toen hij ontdekte dat Gründ alleen aan tafel zat, had hij dat plan moeten opgeven. De commandant was toen maar met een kopje koffie in een hoek van de eetzaal gaan zitten, en hij gaf welwillend antwoord op de vragen van de passagiers.

Hij vertelde bijvoorbeeld hoe een militaire zeppelin in 1915 tijdens de oorlog in Gent was neergeschoten boven een weeshuis dat door nonnen werd bestierd. Daarbij was een soldaat, genaamd Alfred Mueller, door het dak gevallen en in het bed van een jonge non beland.

'Lieve hemel!' riep Lady Drummond lachend uit.

'De non was net daarvoor uit bed gestapt, maar soldaat Mueller zwoer dat de lakens nog warm waren.'

Max Gründ was de enige die niet lachte.

'Daarom hebben we geen parachutes aan boord,' besloot de commandant. 'Ik heb meer vertrouwen in de Voorzienigheid.'

'En als je geluk hebt, val je met je neus in de boter,' voegde de operazanger er met een vette knipoog aan toe.

Lady Drummond sloeg haar ogen ten hemel. Ze kon de platvloerse opmerkingen van die man niet uitstaan. Al vanaf het begin van de vlucht meden alle passagiers zijn gezelschap.

Alleen de oude heer met het sikje, die er zeker van was dat hij hem had zien huilen, hield hem voortdurend in de gaten en probeerde door zijn clownsmasker heen te prikken.

Kubis wilde net nog een keer koffie inschenken toen er voor in de gondel geroepen werd.

Gründ stond op.

Het volgende ogenblik werd de deur van de salon woest opengegooid.

Het was luitenant Nul-Nul. Zijn kleren waren gescheurd en hij bloedde aan zijn rechteroor. Hij had niet in de gaten hoe hij eruitzag en probeerde zo ontspannen en gewoon mogelijk over te komen. Hij glimlachte schaapachtig, met een hand in zijn zak, en met de andere gebaarde hij dat de passagiers niet op hem moesten letten.

Hinkend begaf hij zich naar zijn baas en zei iets tegen hem dat niemand kon horen. Max Gründ duwde hem zachtjes naar de deur en ging met hem naar buiten. Eckener excuseerde zich bij zijn tafelgenoten en liep onmiddellijk achter hen aan de gang in.

'Wat is er aan de hand?' vroeg de commandant.

'We hebben hem. Agent Heiner heeft hem gevonden.'

'Ik zag iemand die in het donker op een ladder klom. Ik heb hem een paar keer geroepen, maar hij reageerde niet. Hij probeerde via een luik bovenin te ontsnappen.'

'Is er bovenin een uitgang?' vroeg Max Gründ.

'Ja,' zei Eckener ernstig. 'Daardoor kan je naar buiten om het doek van de zeppelin aan de buitenkant te repareren.'

'Dat luik staat niet op mijn plattegrond.'

'Die plattegrond van u kan me gestolen worden. Ik bestuur een luchtschip. Geen stuk papier.'

Eckener wendde zich tot Heiner.

'Waar is hij nu?'

'Ik heb hem neergeslagen; hij ligt op een overloop, vlak bij de wijnrekken.'

'Heeft hij zich verweerd?'

'Ik heb hem bij zijn voeten vastgepakt toen hij naar buiten wilde gaan. Hij zei dat hij liever doodging. We hebben gevochten.'

Arme jongen, dacht de commandant.

'Ik wil hem zien,' zei hij hardop.

'U zult hem zien wanneer ík dat goedvind,' viel Gründ hem in de rede.

'Dan zet ik u onmiddellijk overboord.'

'Ik ben de vertegenwoordiger van de politie van het Reich.'

'We zijn hier in Italië, meneer. Zo groot is dat Reich van u nou ook weer niet. Vooralsnog.'

Max Gründ voelde dat hij moest oppassen voor die ouwe gek, die in staat was om de daad bij het woord te voegen. Hij aarzelde even.

'U lijkt erg begaan te zijn met deze man,' zei hij ten slotte. 'Ik hoop dat hij niet door uw bemoeienis in deze luchtballon terecht is gekomen. Vooruit, Heiner. We volgen je.'

Even later kwamen ze via een smalle doorgang op de overloop. In het donker kon je duidelijk een lichaam op de grond zien liggen, met het gezicht naar de grond. Eckener verscheen als laatste boven aan de ladder.

'Kent u hem?' vroeg Gründ.

Ja, zelfs zonder licht herkende commandant Eckener die gestalte.

'Kent u deze man?' blafte Gründ.

'Ja,' bekende Eckener. 'Ik ken hem.'

'Wie is het?'

De commandant wiste zijn voorhoofd met een zakdoek af.

'Het is mijn kok. Otto Manz. U hebt mijn kok neergeslagen.'

Max Gründ draaide het lichaam om.

Het was inderdaad nummer 39, de kok van de zeppelin.

Commandant Eckener greep Franz Heiner bij zijn kraag.

'Maak dat je wegkomt! Haal dokter Andersen en vier mannen om hem te dragen.'

Nul-Nul gehoorzaamde zonder zelfs de goedkeuring van zijn baas af te wachten.

'En u,' zei de commandant terwijl hij Gründ aankeek, 'u gaat van nu af aan precies doen wat ik u zeg. U bevindt zich in míjn zeppelin!'

Max Gründ antwoordde zachtjes: 'De Graf Zeppelin is het eigendom van de Führer en van het Derde Rijk. U bezit helemaal niets. Ik kan u als een oude hond op straat doodtrappen.'

Eckener was volledig uit het veld geslagen door die brute opmerking. Voortaan waren beschaafde mensen, net als dieren langs de kant van de weg, hun leven niet meer zeker.

'U...'

De commandant wist niet wat hij moest antwoorden.

'U...'

Hij was weerloos. Die taal sprak hij niet. Voor de eerste keer zag hij Max Gründ lachen, terwijl de man naar hem toe liep en hem een tikje op zijn wang gaf.

'Ziezo. Ik geloof dat we elkaar begrijpen.'

De politiechef keerde hem zijn rug toe en klom naar beneden om terug te gaan naar de passagiersgondel.

Langzaam maar zeker kwam Otto Manz weer bij kennis.

Eckener haalde diep adem en boog zich naar hem toe.

'Het zal wel weer gaan, Otto. We zullen je naar beneden brengen, naar de officiersruimte. Maar wat deed je daar eigenlijk?'

'Lady...'

Eckener spitste zijn oren.

'Ik wilde sterven. Boven op de zeppelin klimmen en naar beneden springen.'

'Het is voorbij, kerel,' zei de commandant.

'Lady,' herhaalde Otto. 'Ze heeft me niet herkend.'

Eckener glimlachte en wreef over zijn wang.

'Dus daarom...'

'Lady...'

'Voel je je niet goed?'

Aangezien Otto niet antwoordde, ging hij verder: 'Je werkt te veel. Ik had gedacht aan iemand, een jongen, die je in de keuken zou kunnen helpen. Maar ik geloof dat dat uiteindelijk toch niet zal gaan...'

Er klonk een zacht gekreun en Otto zei: 'Ze heeft me niet herkend.'

De commandant zuchtte.

'Ach weet je, kerel... vrouwen...'

Opeens ontstond er zomaar een moment van rust. Twee mannen, beiden gekwetst en gevloerd, kletsten met elkaar als twee vrienden die kamperen onder de sterren en een doodgewoon gesprek voeren. Het alledaagse doet een mens soms goed.

'Vrouwen...'

Eckener was naast zijn kok op de grond gaan liggen, met zijn handen onder zijn hoofd.

'Ik heb mijn vrouw op het vasteland ontmoet,' zei hij. 'Dat is beter. In de lucht is niets echt. Het zijn allemaal maar verhalen: onze ballon, Afrika, het Amazonegebied, de zwermen vogels boven het Zwarte Woud. Geloof jij erin?'

Otto luisterde met gesloten ogen.

'Het zijn mooie verhalen, kerel. Je zegt dat je vliegt, dat je de wereld rond reist. Dat zeg je. Daar geniet je van. Maar op een dag is het allemaal afgelopen. Dan is het verhaal uit. Dan doe je je ogen open en blijkt het kampvuur een herinnering. Je moet beneden trouwen, Otto. Zoek een echte vrouw, die met beide benen stevig op de grond staat. Zoek iemand die bij je past.'

Otto glimlachte in het donker.

'Zoek iemand die bij je past,' herhaalde Hugo Eckener. 'Iemand die blijft, ook als de verhalen afgelopen zijn, en die niet wegvliegt als je hard blaast. Nietwaar, kerel? Zal je onthouden wat ik je gezegd heb?'

'Ik zal het onthouden, commandant.'

Otto probeerde zich op zijn zij te draaien om iets tegen zijn commandant te zeggen. 'Commandant,' zei hij. 'Ik wilde u zeggen... Ik hoorde hoe die politieman tegen u sprak. U mag niet met u laten sollen.'

Eckener hief zijn hoofd op. Hij had gemerkt dat er iemand was, opzij van hem. Hij tuurde met zijn ogen in het halfduister en liet een paar tellen voorbijgaan, maar toen hoorden ze de mannen al naar boven komen. Hij fluisterde: 'En jij, blijf zitten waar je zit. Verroer je niet totdat ik het je zeg.'

Hij had het op een vriendelijke maar zeer besliste toon gezegd.

'Hebt u het tegen mij, commandant?' vroeg Otto.

'Nee... ik... ik praat... ik praat tegen mezelf.'

'Hoe bedoelt u?'

'Vanwege die politieman die jij hoorde praten... Ik praat tegen... tegen mijn trots, mijn eigenwaarde... Die vertel ik dat ze zich koest moeten houden. Hun tijd zal nog wel komen.'

In het donker wist Vango dat die boodschap voor hem bedoeld was.

12

Helden van weleer

Het regende.

Drie paarden galoppeerden tussen de berkenbomen. Op het eerste paard zat een man, die de twee andere paarden aan een touw vasthield.

Ze bleven vlak bij elkaar. Bij elke bocht leek het alsof ze met hun hoeven over elkaar zouden struikelen, of dat het leidsel aan de takken zou blijven haken.

Maar de man loodste het span moeiteloos door het bos heen. De paarden deden precies wat hij wilde, zonder dat hij iets hoefde te zeggen. Ze vonden het prettig om de papierachtige schors langs hun flanken te voelen strijken. Van de regen hadden ze amper last. Alleen de haren van de man waren doorweekt, en soms knipperde hij met zijn ogen om de regendruppels die hem verblindden weg te halen.

Het groepje galoppeerde door een beek en sprong hoog over omgevallen bomen heen. Achter het berkenbos lag een rossige heidevlakte die als tegen de grijze hemel aangeplakt leek. Tussen de heidestruiken galoppeerden de paarden nog sneller, totdat ze boven aan de helling kwamen, en daar trapten ze alle drie tegelijkertijd achteruit toen ze in de verte de glimmende daken van hun thuishaven ontdekten, een zwart en schimmig kasteel, dat er als een prent verloren in de regen bij lag.

De ruiter liet de beesten even halt houden. Het liefst waren ze meteen verder gerend. Hij had een wit streepje voor een van de torens opgemerkt. Er was iets veranderd sinds hij het kasteel 's morgens vroeg had verlaten om twee paarden aan de andere kant van Loch Ness te gaan halen.

Een wit streepje in een heidelandschap, en dat in een jaargetijde waarin wit niet voorkwam.

De paarden trappelden. Hij vierde de teugel van zijn merrie en het span ging in rengalop verder.

Twee palfreniers waren het bordes af gelopen toen ze de ruiter tussen de lage stenen muurtjes zagen aankomen. Hij reed niet naar hen toe, maar nam de paarden in volle vaart mee naar de toren waarvoor de ongewone vorm zich aftekende.

Zonder vaart te minderen liet hij de andere twee paarden los en reed alleen door.

Hij naderde iets wat op een wit doodskleed leek. En toen hij er met zijn merrie vlakbij was, trok hij met één ruk aan het laken, waaronder de glanzende kleine Railton tevoorschijn kwam.

'Ethel!' riep hij en hij snelde naar het bordes.

Ze was terug.

'Ethel!'

Hij sprong van zijn paard en duwde het groepje bedienden opzij, die zich rond hem verdrongen. Als bij toverslag ging de deur van het kasteel open. Hij liet een spoor van modderige kluiten aarde en grassprieten op de stenen vloer van de hal achter.

'Wil meneer mij misschien zijn mantel geven?' vroeg de portier tevergeefs.

'Waar is ze?' vroeg hij terwijl hij de trap op liep.

'In de slaapkamer van Meneer en Mevrouw,' antwoordde de man, die al bukte om de kluiten aarde als kostbare voorwerpen van de grond op te rapen.

De jonge ruiter sloeg een laatste gang in en duwde een deur open.

Daar stond ze, met haar rug naar hem toegekeerd, in een grote herenbroek die ze aan het dichtknopen was. Ze droeg een geel gestreepte blouse. Haar haren waren nat.

'Ethel?'

Ze zag hem in de spiegel, rende op hem af en vloog hem om zijn hals.

'Paul.'

Hij bleef kaarsrecht staan, met zijn armen langs zijn lichaam en een strak gezicht.

'Ik ben twee uur geleden aangekomen,' zei Ethel met haar gezicht tegen zijn hals gedrukt, 'ik zat op je te wachten.'

Paul was bijna een beetje teruggedeinsd. Hij stond er met een gereserveerd gezicht en opgeheven kin bij, alsof een kind dat onder de jam zat in zijn armen was gesprongen.

'Ik zat op je te wachten,' zei ze nogmaals.

'Zat je op me te wachten?'

'Ja. Het duurde lang.'

'Zat je op me te wachten?' vroeg Paul, die zijn oren niet kon geloven.

Ze trok een gezicht, maar dat zag hij niet.

Ethel was vlak voordat het begon te regenen aangekomen, maar ze wist dat ze niet aan Pauls woedende bui kon ontsnappen.

'Zat je op me te wachten? Je beweert dat je op me zat te wachten terwijl je zelf zeventien dagen geleden, zonder iets te zeggen, bent weggegaan?'

Hij maakte zorgvuldig de handen om zijn hals los en duwde ze van zich af.

'Besef je wel wat je doet, Ethel? Zeventien dagen!'

Ze deed alsof dit aantal haar verbaasde en telde het vluchtig op haar vingers na.

'En zeventien dagen lang moet ik vanuit het raam de horizon afturen, het bos doorzoeken, me laten troosten door Scott, Mary en het keukenpersoneel. In mijn eentje beneden eten zonder te weten of je zal terugkomen.'

'Ik kom terug. Je ziet toch dat ik altijd terugkom.'

Hij stampte met zijn hak op het parket en draaide zich om.

Ze deed een stap in zijn richting. Ze hield van Paul. Ze nam het zichzelf kwalijk als hij verdriet had.

'Paul...'

'Gisteravond waren Thomas Cameron en zijn vader hier. Je had ze een maand geleden uitgenodigd, geloof ik. Je had hun beloofd dat ze gisteren een autotochtje met je mochten maken.'

Weer een gegeneerde grimas van Ethel. Dat deed haar inderdaad aan iets denken.

'Ze hadden zich aan het eind van de weg laten afzetten,' zei Paul. 'Ik wist niet wat ik tegen hen moest zeggen toen ze kwamen aanlopen.'

'De Camerons? Ik had toch "misschien" gezegd,' mompelde Ethel.

'Bij jou is alles "misschien", Ethel. Jij kan jezelf beter "misschien" noemen.'

'Het spijt me, Paul.'

'Ik heb hun twee paarden geleend zodat ze weer thuis konden komen. Ze begrepen niet waar je bleef.'

'Het kan me niets schelen wat de Camerons denken,' zei ze.

'Maar ík schaamde me. Ik wist domweg niet of je aan het dansen was in de kelders van Edinburgh, Londen, of ergens anders, of dat je misschien halfdood in een greppel achter de heuvel lag.'

'Dit keer was ik niet aan het dansen.'

'Ach zo?'

Haar natte haren krulden om haar ogen heen.

'Ik was in Parijs.'

'Dat weet ik.'

'Hoezo?' schrok Ethel.

'Omdat er vannacht een Fransman voor jou heeft opgebeld. En er is vanmorgen ook een telegram van hem gekomen.'

Nu keek hij haar nauwlettend aan.

'Weet je hoe hij heet?' vroeg Ethel opgewonden.

Paul antwoordde niet.

'Waar is het telegram?'

'In mijn zak,' zei hij.

'Heb je het opengemaakt?'

Stilte.

'Ik heb mezelf voorgenomen dat ik het vanavond zou openmaken als je nog niet terug zou zijn.'

'Geef het aan mij.'

Langzaam gaf hij gehoor aan haar verzoek.

Ze pakte het telegram met een witte, trillende hand aan en liep met het papier in haar handpalmen geklemd naar het raam. Ze keerde zich met haar rug naar Paul toe, maar aan de beweging van haar schouders zag hij dat ze diep ademhaalde.

Vango, Vango, Vango.

Ze herhaalde die naam in de hoop dat die zich in blauwe letters onder aan het opgevouwen papier in haar handen zou vertonen. Herinnerde hij zich haar nog?

Ze maakte het telegram open en las het. Paul zag hoe ze haar schouders plotseling liet zakken.

'Hij is toch wel knap?' vroeg hij.

Ze draaide zich om en schonk hem een ontwapenende, teleurgestelde glimlach. Eindelijk stond hij haar toe om zijn twee handen vast te pakken.

'Het is een oude meneer met een kop als een Schotse terriër,' antwoordde ze. 'Hij heet *commissaire Boulard*. Hij laat me weten dat hij morgen hier komt.'

Paul keek haar aan. Hij verbaasde zich nergens meer over. Zijn ogen gleden over het bed en de rest van de kamer.

De regende sijpelde langs de ramen.

Er gingen een paar minuten voorbij.

De vieze kleren van Ethel lagen in een leren leunstoel. Drie of vier portretten van voorouders bespiedden hen discreet, met een traan in het oog.

'Er is hier niets veranderd.'

'Nee,' zei Paul. 'Mary zet elke dag verse bloemen neer.'

'Ze doet zelfs nieuwe lakens op het bed.'

'Ze zegt: "Ik heb de kamer van Meneer en Mevrouw opgeruimd."
Ik zou niet weten wat er op te ruimen valt!'

Ze moesten tegelijkertijd lachen.

'Ja,' zei Ethel.

'En Meneer en Mevrouw zijn er al tien jaar niet meer. Niemand
komt in deze kamer.'

Hij bekeek Ethel van top tot teen en voegde eraan toe:

'Behalve jij, die altijd spullen uit papa's klerenkast aantrekt.'

Samen keken ze in de spiegel.

En opeens hadden ze helemaal geen zin meer om te lachen. Ze zagen zichzelf op vier- en twaalfjarige leeftijd, als ze voor dag en dauw
de slaapkamer van hun ouders binnenkwamen en het bed als een
stelletje struikrovers besprongen. Met zijn ogen nog half dicht riep
hun vader naar een denkbeeldige koetsier dat hij sneller moest rijden, en met een zwaard verdedigde hij zijn vrouw, die zich onder het
kussen verstopte. De kleine boeven rolden op het tapijt.

En als Mary, het kamermeisje, op dat moment binnenkwam om
de gordijnen wijd open te doen, zag ze dat dwaze gezin uitgeteld op
de grond en in bed liggen, en onder de ladekast een klein meisje dat
de grote laarzen van haar vader had aangetrokken.

'Ze zijn stapelgek. Mijn God, ze zijn stapelgek,' zei Mary dan.

Maar 's nachts in bed bad ze dat ze dat nog lang mochten blijven.

Zachtjes deden Ethel en Paul de deur van de ouderlijke slaapkamer
achter zich dicht. Beneden stond het avondeten voor hen klaar. In
elk vertrek brandde een haardvuur. Ze gingen allebei zitten, naast
elkaar, niet ver van de schouw, aan de hoek van de reusachtige tafel,
waarvan het andere uiteinde in de Schotse nevel verdween.

Er waren drie personen om hen heen bezig hen te bedienen, en bij
de deuren stonden twee lakeien.

Het schijnsel van het vuur werd voortgezet door de vlammen van
de kandelaars.

'Ik weet wie je in Parijs wilde zien,' zei Paul.

Ze sloeg haar ogen neer.

In zijn bord had haar broer met zijn mes een V getekend.

Diezelfde avond, boven de Middellandse Zee

Rond tien uur legde iemand aan boord van de zeppelin een opgerold touw in het donker naast Vango neer. Die wilde net opspringen toen hij de stem van commandant Eckener buiten adem hoorde fluisteren: 'Ze zoeken je. Als ik je een teken geef, klim je op het dak van de zeppelin en laat je je aan het touw op de grond zakken. We zullen heel laag vliegen. Sterkte, Jonas.'

'Welk teken? Welke grond?' wilde Vango vragen, maar op dat moment klonk dichtbij, op de ladder, een andere stem. De stem van Max Gründ.

'Commandant? Zoekt u iets?'

Er werd een lichtbundel op het gezicht van de commandant gericht. De lantaarn bestond uit een elektrisch peertje, bevestigd op een vierkante accu van het formaat van een koekjestrommel.

'U houdt zich 's avonds wel in vreemde uithoeken op...'

Na het incident met Otto de kok hadden de twee mannen van de Gestapo hun zoektocht gestaakt. Ze waren van plan om de volgende morgen weer verder te gaan met hulp van tien bemanningsleden die ze zouden dwingen om mee te zoeken. Ze waren er zeker van dat ze hun verstekeling dan binnen een paar uur zouden vinden.

'Kan ik u helpen?' vroeg Gründ.

Hugo Eckener hield zijn hand voor zijn gezicht om het licht af te schermen.

'Ik geloof niet dat u iets voor mij kunt doen.'

'Is er misschien iets aan de hand?'

'Ja.'

'Iedereen heeft wel een paar min of meer geoorloofde geheimpjes, commandant. Zelfs helden.'

'Ik ben geen held,' zei Eckener.

'In elk geval heb ik de indruk dat u dat in de ogen van het volk niet lang meer zult blijven...'

Gründ had van meet af aan in de gaten dat commandant Eckener zich zorgen maakte om dat gedoe met de verstekeling. De politie-agent had zich voorgenomen om twee vliegen in één klap te slaan door tegelijkertijd Eckener en diens beschermeling te ontmaskeren.

'Kom aan, laat u mij eens zien wat u te verbergen heeft, commandant.'

'Ik ben geen held,' stamelde Eckener.

Zijn stem trilde.

Er klonk een geluid van gebroken glas bij zijn voeten.

Er was een fles kapotgegaan. Er stroomde wijn over de grond en de zolen van Eckener, die een andere fles bij de hals vasthield, werden doordrenkt. Hij leek moeite te hebben om overeind te blijven. De geur van wijn begon zich te verspreiden.

Gründ kreeg een uitdrukking van afkeer op zijn gezicht.

'Het is me wat fraais met die helden van weleer...'

'Ik ben geen...'

'Dus dát is uw geheim. Gelukkig dat er een nieuw Duitsland in opkomst is, waarvan de idolen geen oude dronkenlappen zijn die zich verstoppen om te drinken!'

Hij scheen met zijn lamp langs de wijnrekken. Vango stond erachter en was niet te zien. Gründ spuugde op de grond en draaide zich om.

Hij klom de ladder weer af, teleurgesteld omdat hij zijn prooi niet te pakken had, maar voldaan over zijn ontdekking. Het dossier-Eckener werd met de dag dikker.

'Ik ben geen held,' zei de commandant, die hem struikelend volgde.

Hugo Eckener had Vango's vrijheid met zijn eer moeten kopen.

Twee uur later zat de verstekeling daar nog steeds, wachtend op het raadselachtige teken. Hij had het touw om zich heen geslagen. Het was stil in de zeppelin.

Vango had zijn schuilplaats niet verlaten. Je hoorde de motoren niet eens. De luchtzakken met waterstof duwden zachtjes tegen het doek van de zeppelin, waardoor de naden kraakten. Het was waarschijnlijk middernacht.

Nadat Eckener zich een poos had teruggetrokken, was hij nu weer beneden in de salon, waar een paar passagiers ondanks het late uur nog op waren. Kapitein Lehmann stond naast hem.

'Commandant, we hebben veel tijd verloren doordat we om Frankrijk heen moesten vliegen. Ik begrijp niet waarom we nu weer een omweg maken.'

'Ik heb u al gezegd, kapitein, dat ik deze omweg maak om dokter Andersen te bedanken, die het leven van onze kok heeft gered.'

'Het spijt me,' zei Andersen, 'ik wilde niet...'

Dokter Andersen was de oude heer met het sikje wiens heldere ogen alles zeer aandachtig gadesloegen.

'U droomt ervan om de Stromboli te zien. Dan krijgt u hem ook te zien!'

'Ik...'

'Dokter, droomt u er niet van om de Stromboli te zien?'

'Jawel commandant, maar...'

'U hoort het, kapitein, hij droomt ervan.'

Eigenlijk droomde dokter Andersen van alle mogelijke dingen en had hij een grenzeloze nieuwsgierigheid: een mensenleven zou niet genoeg zijn om aan al zijn wensen te voldoen. Als je hem had voorgesteld om die nacht nog te gaan kijken of de Noordpool en de Zuidpool werkelijk plat waren, had hij ja gezegd.

Kapitein Lehmann begreep zijn baas niet meer.

Om tien uur 's avonds, toen het luchtschip recht boven Sardinië pal westwaarts had moeten draaien, had Hugo Eckener besloten om naar het zuiden te blijven koersen, op weg naar de vulkaan Stromboli. Dat soort grillen was zo ongewoon voor Doktor Eckener dat Lehmann zich begon af te vragen wat er aan de hand was. Hij had hem kort daarvoor betrapt toen hij de zolen van zijn schoenen aan het afspoelen was. En nadat Eckener de wasgelegenheid van de bemanning had verlaten, hing er nog steeds een verontrustende wijngeur om hem heen.

'We zullen met acht uur vertraging in Brazilië aankomen!' smeekte de kapitein.

'Lehmann, doe gewoon wat ik zeg, dat is alles wat ik u vraag.'

De zeppelin volgde al een poosje deze nieuwe koers, toen een van de piloten de salon binnenkwam.

'De Stromboli, commandant.'

De passagiers die nog wakker waren mochten in de commandopost komen staan om het verschijnsel beter te kunnen zien.

De Stromboli werd 'de vuurtoren van de Middellandse Zee' genoemd. Al duizenden jaren lichtte hij een of twee keer per uur op. De rode gloed van de bijna duizend meter hoge vulkaan was 's nachts in de verre omtrek te zien.

Vier jaar eerder was er een reusachtige uitbarsting geweest, met verwoestende gevolgen, maar inmiddels had de Stromboli zijn onschuldige ritme hervat. Het was een vulkaaneiland midden op zee, met een paar dappere vissershuisjes op de hellingen.

'Schitterend!' zei dokter Andersen toen de oranjerode gloed uitdoofde.

'Als u wilt...' antwoordde Eckener.

'Pardon?'

'Als u wilt, kan dat.'

'Als ik wat wil, commandant?'

'De dokter wil de vulkaan van nog dichterbij zien,' zei Eckener tegen de piloot.

Andersen leek naar adem te happen.

Kapitein Lehmann mengde zich in het gesprek.

'Commandant, nu is het écht tijd om naar stuurboord te draaien.'

'Nog niet,' zei Eckener.

'We moeten niet dichter bij de vulkaan komen, met onze enorme hoeveelheden ontplofbaar gas aan boord.'

'Ik weet beter dan u wat we allemaal aan boord hebben. Ga slapen, kapitein.'

Twintig minuten later gaf Eckener het bevel om de motoren stop te zetten.

Hij liet de hoorn van het luchtschip drie keer afgaan.

Vango sprong overeind.

Dat was het teken.

De passagiers kwamen in kamerjas uit hun hutten. De bemanningsleden kwamen uit de slaapzalen. Ze kwamen elkaar allemaal op de gangen tegen en vroegen zich af wat er aan de hand was. Het opgewekte gezicht van commandant Eckener stelde hen algauw gerust. Hij gedroeg zich als de spreekstalmeester van een circus, klapte in zijn handen en riep: 'Iedereen naar de ramen aan bakboordzijde. Opschieten! De show gaat beginnen!'

Lady Drummond Hay, die haar zijden kousen niet had kunnen vinden, zat met blote voeten op haar knieën op een stoel voor het grote raam.

'Naar bakboordzijde! De show gaat beginnen!'

Iedereen tuurde in het donker, waar geen enkel lichtschijnsel te bespeuren was.

De zakenman neuriede een circusdeuntje.

Naast hem stond dokter Andersen, volkomen beduusd dat hij al dat tumult in het schip teweeg had gebracht.

'Maar ik had niets gevraagd,' zei hij alsmaar, met wijd opengesperde ogen door zijn bril blikkend.

Otto de kok, die nog blauwe plekken op zijn gezicht had, wandelde rond met een mand warme broodjes, die hij de passagiers aanbood.

Zelfs als hij in de loopgraven van 1916 had liggen creperen, zou

Otto nog kadetjes en apfelstrudel hebben gebakken.

Toen hij bij Lady Drummond in de buurt kwam, wilde hij haar niet aankijken. Hij sloeg zijn ogen neer op het moment dat hij haar het mandje aanreikte. Toen zag hij twee blote voetjes, hij voelde dat zijn hart oversloeg en begreep dat hij nog niet genezen was.

'Dit zult u mooi vinden,' zei Eckener terwijl hij langs Max Gründ liep, die zijn zwarte regenjas nog niet één keer had uitgetrokken sinds het luchtschip was vertrokken.

Gründ gaf geen antwoord. Hij was uit zijn humeur. Doordat het zo stonk in de ruimte waar hij was ondergebracht, had hij heel slecht geslapen.

Kapitein Lehmann was weer een beetje gerustgesteld. Uiteindelijk had Eckener het luchtschip laten stoppen op een redelijke afstand van de vulkaan, waardoor er niet onmiddellijk gevaar dreigde.

Nu de motoren en de lichten uit waren, was het doodstil in de zeppelin. Iedereen wachtte af wat er ging gebeuren. Zo verstreken er een paar minuten in de duisternis. De stilte werd alleen onderbroken door de flauwe grapjes van de dikke zanger.

Toen de vulkaan eindelijk opvlamde en er een luid 'Ooooh' in het hele luchtschip weerklonk, had men helemaal boven op de zeppelin, met de sterrenhemel boven hem, het silhouet van Vango in een rode weerschijn kunnen zien staan.

Roodgloeiende zwaluwen vlogen als vonken om hem heen.

De lucht was zoel.

Vango had net ontdekt waar hij was.

Hij had het uiteinde van het touw aan een musketonhaak aan de bovenkant van de luchtballon vastgemaakt. Hij liet het touw afrollen en gleed langs het strakgespannen zeildoek naar beneden.

Daaronder, in de salon, kwam de eerste stuurman naar Eckener toe.

'Het schip zakt. Er is land onder ons. We moeten de motoren weer starten, commandant.'

'Laten we ons niet haasten, we hebben de tijd.'

'We bevinden ons op minder dan honderd meter van de grond.'

'Laat ons tot vijfentwintig meter zakken,' zei hij. 'Op vijfentwintig meter kunt u de motoren weer aanzetten.'

'Die marge is niet ruim genoeg,' zei Lehmann.

'Volgens mij ziet ú de dingen vanavond niet ruim genoeg, kapitein.' Eckener wankelde een beetje toen hij dat zei.

De kapitein maakte een gebaar in zijn richting, maar Eckener wist zelf zijn evenwicht te hervinden. 'Pardon. Ik ben een tikkeltje vermoeid, dat is alles. Neem me niet kwalijk kapitein, dat was onbeleefd van mij.'

In feite had hij zojuist Vango's schaduw verticaal langs het raam zien glijden.

Vango daalde aan de stuurboordkant af. Niemand anders had hem gezien.

Een minuut later gaf de meter aan dat het schip nog zesentwintig meter van de grond verwijderd was. De motoren begonnen weer te ronken. De lichten in de salon gingen weer aan. Er werd champagne geschonken. Opnieuw gaf de hoorn aan de voorkant een signaal. De luchtballon zette koers naar Gibraltar, op weg naar het grote Amerika.

Vango rolde op de grond.

Een paar kilometer in zuidwestelijke richting, aan de overkant van de zee, was een vrouw met een lantaarn uit haar huis gekomen. Ze had een cape omgeslagen. Ze dacht dat ze een scheepshoorn had gehoord.

Later zag ze alleen een lichtschijnsel boven de horizon, dat tussen de sterren door gleed.

Aan het eind van het pad zag Mazzetta hoe Mademoiselle weer naar binnen ging. Ze woonde al minstens vijf jaar alleen, sinds de jongen was weggegaan.

De zeppelin werd door de oostenwind met volle kracht vooruit geblazen. De volgende dag passeerde hij rond theetijd de evenaar. De dag daarna, toen de passagiers 's ochtends warme chocolade zaten te drinken, kwam de Braziliaanse kust in zicht. Hij passeerde Pernambuco zonder ook maar één minuut vertraging en vloog vandaar door naar Rio de Janeiro. Daar werden de passagiers naar hun hotel gebracht, het Copacabana Palace, dat een eindje buiten het centrum aan het strand lag. Max Gründ was de draaideur van het hotel nog niet door of hij haastte zich naar een telefoon en liet Berlijn bellen.

'Hallo...'

De lijn was slecht, maar hij hoorde duidelijk gebulder aan de andere kant van de lijn toen hij moest opbiechten dat hij niemand aan boord van de zeppelin had aangetroffen. Gründ zwoer dat hij er niets van begreep. Hij wist dat de gezochte persoon, wiens ontsnapping door een zeer bekende en zeer betrouwbare persoon was doorgegeven, hoog op het prioriteitenlijstje van het regime stond. De missie had onmogelijk kunnen mislukken.

'Onmogelijk!' schreeuwde de stem door de telefoon.

Max Gründ zweette peentjes in de tropische hitte. De hoorn van de telefoon gleed bijna uit zijn handen. Aan het plafond draaide een grote ventilator voor spek en bonen in het rond.

In de herenwc naast de hal stond de dikke operazanger met een ernstig gezicht voor de spiegel.

Hij ging met zijn hand door zijn haren en liet de pruik van zijn hoofd glijden, zodat zijn kale schedel zichtbaar werd. Hij stopte zijn vingers in zijn mond en haalde er de gum uit die zijn kaken en wangen opvulde, waardoor zijn gezicht er opeens heel anders uitzag. Daarna maakte hij zijn bretels los en knoopte hij zijn overhemd open om er de grote rubberen zak uit te halen, die als dikke buik had gediend.

Hij knoopte zijn overhemd weer dicht en stopte zijn hoofd onder de kraan.

Het gezicht dat in de spiegel verscheen was dat van de acteur Walter Frederick, een ster van het Deutsches Theater in Berlijn en een fervent tegenstander van het nazibewind, die al anderhalf jaar met de dood werd bedreigd en die in allerijl uit Duitsland had moeten vluchten om via Brazilië naar Californië te reizen.

Hij dacht dat zijn bestaan als acteur hiermee ten einde was. Hij wist niet dat hij een paar jaar later zou schitteren in Hollywood en opnieuw het pad van Vango zou kruisen.

Walter Frederik verliet de wc en liep naar de hotellobby, waar hij bij wijze van afscheidsgroet een paar tapdanspassen achter Max Gründ maakte, die zojuist woedend had opgehangen.

De verstekeling die Gründ niet had gevonden, dat was hij.

Deel twee

Geboorte van Vango — 1915

1914 — Begin van de Eerste Wereldoorlog

Vango's aankomst op — 1918
de Eolische Eilanden

1917 — Russische Revolutie

Einde van de Eerste Wereldoorlog

Ontdekking van het — 1925
onzichtbare klooster

Eerste vlucht van de Graaf Zeppelin
Wereldwijde economische crisis

Vango verlaat de eilanden

1928 — De Graaf Zeppelin maakt een reis
om de wereld

Ontmoeting met Ethel — 1929

Vango in het klooster in Parijs

1933 — Hitler komt in Duitsland aan de
macht

Vango bij de Notre-Dame — 1934

Vango op de vlucht

'Toen hij zijn ogen sloot, herinnerde Vango zich alles weer.'

13
Het meisje en de commissaris

Everland, Schotland, 1 mei 1934

De commissaris kwam rond het middaguur op het kasteel aan.

Hij had drie dagen gereisd. Hij had al twee treinen en een boot genomen toen hij in Londen tussen het Victoria Station en King's Cross zijn koffer had laten stelen. Hij begon ter plaatse te koken van woede en vervloekte eerst de Engelsen en daarna Napoleon omdat die de slag bij Waterloo had verloren.

De voorbijgangers zagen hem stampvoetend op de stoep staan, met een hoofd zo rood als een vliegenzwam.

Er zat voor hem niets anders op dan desondanks in de Flying Scotsman te stappen, de nieuwe trein die in zeven à acht uur van Londen naar Edinburgh reed. Eenmaal aan boord had de commissaris zich de genoegens van een luxe treinreis laten aanleunen en de helft van het traject lunchend doorgebracht. Er bleek zelfs een barbier aan boord te zijn, die hem met het oog op zijn afspraak de volgende dag had geschoren. Na aankomst had hij een deel van de nacht in een bomvol hotel in de stationsbuurt van Edinburgh doorgebracht, waar hij een kamer had moeten delen met een aan slapeloosheid lijdende roodharige reus. Toen zijn kamergenoot om vijf uur 's morgens eindelijk in slaap viel, had Boulard zijn hielen al gelicht.

Uiteindelijk werd hij door een timmerman met paard-en-wagen aan het eind van de weg afgezet. Hij bleef een hele poos stomverbaasd naar het kasteel staan kijken.

'Weet u het heel zeker?'

Hij had het adres een paar keer herhaald toen zijn vervoerder hem met een gebaar duidelijk maakte dat hij op zijn bestemming was aangekomen.

'Everland Manor,' zei de timmerman.

Boulard bedankte hem in een Engels dat niet om aan te horen was en keek de wegrijdende wagen na.

'Wel wel, poesje...'

Hij streek zijn haren onder zijn hoed glad.

'Wel wel, ik zie dat je niet in een mandje woont...' zei hij, denkend aan het tengere meisje dat hij maar heel even had gezien in Parijs, in de bovenzaal van Het Dampende Everzwijn.

Hij had een charmant, klein landhuis ergens in de heuvels verwacht. Dit was een burcht die Mordachus, koning van Schotland, de stuipen op het lijf zou hebben gejaagd.

Hij was ook niet bepaald naar behoren uitgerust om dit kasteel te bestormen. Het liefst had hij een maliënkolder, een helm en twee schildwachten bij zich gehad, maar nu had hij niet eens een schone onderbroek op zak.

Hij verstopte zich achter een boom om zijn kleren glad te strijken. Gelukkig dat hij zijn paraplu nog had. Zijn paraplu was het fundament van zijn beschaafdheid. Hij moest denken aan zijn oude moeder, die in Parijs zijn koffer had gepakt: 'Ik stop er je flanellen kostuum bij, voor als je er 's avonds een beetje netjes uit moet zien...'

Die Londense dief liep er waarschijnlijk als een prins bij in zíjn mooie avondkostuum en zou vast op zijn gezondheid drinken. De commissaris vond het nog het vervelendste dat zijn notitieboekje was gestolen, waarin zijn trouwe Avignon tijdens hun magere onderzoek in Parijs aantekeningen had gemaakt.

'Vooruit, Boulard!'

Hij begon in de richting van het kasteel te lopen. Zijn paraplu diende hem als wandelstok. Toen hij nog honderd meter van het kasteel verwijderd was, ging de dubbele deur al open.

Ridder Boulard werd verwacht.

Een man liet hem binnen en zei in vlekkeloos Frans: '*Soyez le bienvenu, monsieur le commissaire.*'

Hij hielp hem uit zijn jas en pakte zijn paraplu beet.

Verrast hield Boulard het handvat stevig vast.

De paraplu. Hij mocht zijn paraplu niet loslaten.

De man hield vol en trok de paraplu naar zich toe, maar Boulard klemde zich er met beide handen aan vast.

Ze keken elkaar strak aan, terwijl ze een paar stapjes om de paraplu heen deden, die met zijn punt stevig op de stenen vloer stond. Het was een grappig samoeraiduel tussen een Schotse butler en een Franse politieman.

'Staat u mij toe om uw paraplu van u aan te nemen,' zei de butler ten slotte.

'Ik hou hem liever bij me,' antwoordde Boulard, alsof hij bang was dat het in de woonvertrekken zou gaan stortregenen.

Sportief als hij was liet de butler de paraplu los.

Boulard was opgelucht. Dat was het enige wat hem nog restte. Zijn moeder vond dat hij er met zijn paraplu heel chic uitzag. Als hij het zonder had moeten stellen, zou hij zich in deze vesting beslist onthand hebben gevoeld.

De gast kreeg een stoel aangeboden vlak bij het haardvuur in een ruimte die men 'de kleine jachtsalon' noemde, maar die plaats genoeg bood voor twee of drie postvliegtuigen. Er werd hem iets te drinken aangeboden. Hij liet zich nog eens bijschenken. De voeten van de commissaris warmden zich aan de vlammen. Hij had zijn schoenen onopvallend uitgetrokken om de punten van zijn sokken te laten drogen.

Doorgaans had de commissaris een hekel aan wachten. Als hij ook maar een minuut alleen werd gelaten raakte hij al gespannen, alsof hij bij de tandarts in de wachtkamer zat. Ditmaal voelde hij zich echter volkomen op zijn gemak bij het haardvuur, omringd door schilderijen en wandtapijten. Hij zat haast te spinnen.

Hij besefte dat hij nog nooit op een jongedame in een kasteel had zitten wachten. Het was best een plezierig gevoel. Met zijn negenenzestig jaar werd het hoog tijd dat hij eens wat ervaring als sprookjesprins opdeed.

Maar Boulard begon zich zorgen te maken over zijn verstandelijke vermogens toen hij de deur zag opengaan en een jonge hinde met witte vlekken de kamer zag binnenstappen.

Een hinde, jawel.

Een hinde.

Hij keek beurtelings naar zijn glas en het dier, toen weer naar zijn glas, en weer naar het dier.

'Boulard kerel, je wordt moe,' zei hij.

Hij smeet de inhoud van zijn glas in de haard, waardoor het vuur hoog oplaaide en de jonge hinde opzij sprong.

Een hinde.

Plotseling stond Boulard op.

Het dier liep op de commissaris af.

'Tut, tut, tut,' zei hij, wapperend met zijn vingers om het dier weg te jagen.

Dat vond de hinde wel een leuk spelletje. Ze dartelde een beetje door de kamer en liep toen terug naar haar nieuwe speelkameraad.

'Tut, tut, tut,' deed Boulard nog eens, en hij besefte dat hij zijn paraplu en zijn schoenen bij de stoel had laten staan.

De hinde vond het prachtig. Ze trappelde van plezier.

'Tut, tut.'

Deze keer sprong ze over een brede tafel heen, nam een krappe bocht langs een leren bank en rende op de commissaris af.

Toen Ethel de kleine jachtsalon binnenkwam, zag ze meteen dat er iets niet in orde was.

De commissaris stond in zijn kousenvoeten op de ladekast, met een kandelaar in zijn hand. De hinde keek hem aan, verliefd met haar lange wimpers knipperend.

'Mag ik u vragen om mij mijn paraplu te geven, juffrouw?'

Ethel knipte met haar vingers en teleurgesteld liep de hinde langzaam naar de deur.

'Het spijt me. U hebt kennisgemaakt met Lilly,' zei Ethel. Ze reikte hem zijn paraplu en zijn schoenen aan.

Hij bleef op de ladekast staan terwijl hij zijn veters strikte, en ondertussen hield hij vanuit zijn ooghoeken in de gaten of Ethel de deur achter Lilly goed dichtdeed.

'Ze... ze woont bij u?'

'Nee. Ze komt uit het bos, maar zodra er een deur of een raam openstaat glipt ze naar binnen.'

De commissaris was verbouwereerd. In Parijs durfden zelfs de duiven zich niet in de buurt van zijn ramen te wagen.

'Ik heb Lilly na haar geboorte een jaar lang met de zuigfles gevoed,' zei ze met haar zachte accent. 'Ze is heel... aanhangig geworden.'

Ethel moest altijd even zoeken naar de juiste woorden als ze Frans sprak.

Hij had inderdaad nooit een duif de fles gegeven. Misschien dat ze zich daarom niet bij hem in de buurt waagden.

Toen de man weer op de vloer stond en zijn paraplu pakte, had hij maar een paar tellen nodig om weer zijn rol aan te nemen van Auguste Boulard, de gevreesde politiecommissaris uit Parijs, die sinds het begin van de eeuw de grootste zaken had opgelost.

'Ik denk dat u hier niet alleen gekomen bent omdat u zoveel van dieren houdt,' zei Ethel.

'Inderdaad, juffrouw. Inderdaad.'

In nog geen twee dagen tijd, de twee dagen na de gebeurtenissen bij de Notre-Dame, had Boulard begrepen dat hij in Parijs niets te weten zou komen over die Vango Romano. Hij had nog nooit met zo'n situatie te maken gehad: een jongen die vier jaar lang in een klooster had geleefd, te midden van tientallen anderen die hem aardig vonden, soms zelfs hadden bewonderd, een jongen die zich in een hechte gemeenschap een plaats had verworven maar over wie helemaal niets bekend was. Helemaal niets.

Als Boulard onderzoek deed naar een tragisch voorval dat zich op straat had afgespeeld, kon het voorkomen dat een getuige zijn eigen naam niet eens wist en dan antwoordde: 'Hier noemen ze me Vlieg, ik weet niet hoe ik heet.'

Maar Vango was geen zwerver. Hij woonde al vier jaar in het karmelietenklooster!

Boulard had geprobeerd om van zijn kloostervrienden een geboorteplaats te weten te komen, de naam van een familielid, het adres van zijn ouders – het maakte niet uit wat, als het maar iets zou vertellen over waar Vango Romano vandaan kwam. Hij had gevraagd waar Vango belangstelling voor had, waar hij zijn vakanties doorbracht, of hij wel eens bezoek kreeg, of post...

Niets. Absoluut niets.

Niets, niets en nog eens niets.

'Houden jullie me soms allemaal voor de gek, meneer de kanunnik?'

Boulard was ten slotte beland in de kamer van de overste, de kanunnik Bastide, die dezelfde vragen had beantwoord, terwijl hij grote ogen opzette en knopen in zijn soutane maakte.

'Niets,' had hij ten slotte nogmaals gezegd, waardoor Boulard in woede was ontstoken.

'U houdt me voor de gek! U gaat me toch niet vertellen dat u zijn geboortedatum niet eens weet?'

Ditmaal klaarde het gezicht van Bastide op.

'Ah... jawel... Zijn geboortedatum, daar kan ik u mee helpen.'

Inspecteur Avignon, die achter Boulard stond, haalde zijn notitieboekje tevoorschijn. Nu werd het interessant.

'Omstreeks 1915,' zei Bastide. 'Of misschien 1916.'

Boulard klemde zijn tanden op elkaar.

'Of '14,' voegde kanunnik Bastide er schoorvoetend aan toe.

Augustin Avignon had de drie jaartallen in zijn notitieboekje opgeschreven.

'Dat is net zo nauwkeurig als de geboortedatum van Abraham,' merkte de commissaris op.

'Eigenlijk,' zei de kanunnik, 'denk ik dat Vango zich iets ouder voordeed dan hij was om eerder priester te kunnen worden. Hij was nog een jongen. Hij had Rome gevraagd om een uitzondering te maken. Ik weet niet hoe hij dat voor elkaar heeft gekregen. Hij sprak Italiaans, hij had relaties.'

Relaties! Het probleem was juist dat Vango met niemand een relatie had!

De kanunnik had echter iets gezegd over de achtervolgingswaan waar Vango aan leed.

'Achtervolgingswaan?'

'Ja,' zei de kanunnik. 'Het was een kwetsbare jongen. De beschuldiging spreekt helaas boekdelen. Die staat op de schrijftafel van het slachtoffer geschreven.'

Boulard had op school genoeg Latijn opgestoken om te snappen wat 'Fugere Vango' wilde zeggen, maar hij wantrouwde dingen die voor de hand lagen. Het was duidelijk dat Bastide Vango niet mocht. De commissaris veranderde van onderwerp.

'Hebt u het dossier waaruit blijkt dat er voor hem een uitzondering is gemaakt?'

'Niets,' mompelde de kanunnik voor de vijftigste keer.

Boulard zakte in zijn stoel terug en keek achterom naar Avignon.

'Jongeman, heb jij deze eerwaarde vader nog iets te vragen?'

'Niets,' antwoordde de inspecteur.

'Goed!' gromde Boulard, en hij wierp een blik op zijn zakhorloge.

De commissaris kwam overeind en liep naar de deur. Hij moest heel hard denken aan een kleine bistro achter de Église Saint-Sulpice. Een kleine bistro die kalfswangetjes maakte waar je je vingers bij opat.

Boulard had honger.

Net toen hij zijn hand op de deurknop wilde leggen, hoorde hij de kanunnik zeggen: 'Uiteindelijk is er maar één persoon die u zou

153

kunnen helpen. Hij wist alles, denk ik. Hij heeft vanaf het begin voor die jongen ingestaan.'

Opnieuw haalde Avignon zijn notitieboekje tevoorschijn.

'Die man,' zei Bastide, 'is degene die Vango aan mij heeft voorgesteld. Die ervoor heeft gezorgd dat hij hier terecht kon.'

'En wie is dat?'

'Vader Jean. Hij is vrijdagavond door Vango vermoord.'

'Als u ooit nog eens een lévende getuige tegenkomt, eerwaarde vader, geeft u me dan een seintje.'

Boulard smeet de deur achter zich dicht. De muur trilde zo dat het kruisbeeld aan de muur een zwieper maakte.

Maar tegen Ethel tapte de commissaris uit een heel ander vaatje.

'Ja, het onderzoek vordert, dat is zeker. We zijn hem op het spoor. Het net sluit zich. De zaak is rond. Hij zal zijn trekken thuiskrijgen...'

Hij gebruikte het ene nietszeggende cliché na het andere en dacht ondertussen na over de manier waarop hij Ethel het beste aan de tand zou kunnen voelen.

Boulard bereidde zijn verhoren nooit voor.

Zijn leermeester Jacques Aristophane, die het hoofd van de Parijse politie was toen Boulard daar in 1891 aantrad, hield hem altijd voor dat je door vragen te stellen iemand het antwoord in de mond legt.

Aristophane lichtte zijn methode toe door in hoog tempo met zijn Parijse accent voorbeelden te geven. 'Weet je, Boulard, als je de melkboer vraagt of hij afgelopen nacht de kat van opoe Michel heeft gezien, vertel je hem al dat opoe Michel een kat heeft, dat er iets met die kat aan de hand is, en dat dat afgelopen nacht is gebeurd. Maar weet je, Boulard, als je alleen maar "Goedemiddag" zegt, dán heb je kans dat je iets te weten komt.'

De piepjonge Boulard luisterde eerbiedig.

'Dan zal de melkboer zeggen: "Ach meneer, de dag begint slecht. Ze hebben al mijn melk omgegooid. Het is vast de zoon van de buurman geweest, die speelt altijd met zijn bal op de binnenplaats." Weet je, Boulard, dat zou hij je anders nooit hebben verteld. Hij zou je hebben geantwoord: "Nee, ik heb de kat niet gezien." Meer niet. Hij zou geen enkel verband hebben gelegd met de omgegooide melk en maar al te blij zijn geweest om de buurman de schuld in de schoenen te schuiven...'

Jacques Aristophane had Auguste Boulard alles geleerd.

Hij was in 1902 door een pistoolschot gedood, toen hij had geprobeerd om een eind te maken aan een gevecht tussen gangsters in de Rue Planchat, aan de rand van Parijs. Toen de jonge Boulard over hem heen gebogen stond, had hij zijn laatste woorden opgevangen: 'Weet je, Boulard, de kogel is onder mijn ribben door gegaan, dus het is de kleinste die geschoten heeft.'

Zo was hij tot zijn laatste snik met een politieonderzoek bezig geweest.

Dat alles schoot Boulard weer te binnen, maar hij besefte dat er met de kleine Ethel niet te spotten viel en dat ze niet klakkeloos zou prijsgeven wat ze wist.

'Ik zei dus dat we ons doel bijna bereikt hebben...'

Hij stopte om het meisje aan te kijken en ging toen verder: 'In elk geval zit de schuldige, Vango Romano, achter slot en grendel.'

Hij had het er zomaar uit geflapt, zoals je een kort balletje speelt, dat vlak achter het tennisnet belandt. Het was het proberen waard.

Het resultaat liet niet op zich wachten. Ethel balde haar vuisten en stopte ze onder haar korte jagersjas, alsof ze het koud had. Boulard had het gezien, maar een gewone waarnemer zou alleen de ogenschijnlijke onverschilligheid van het meisje hebben opgemerkt. Ze wist de bal op het nippertje terug te slaan: 'U weet van aanpakken, commissaris. Gefeliciteerd. Maar ik begrijp niet waarom u helemaal hierheen bent gekomen om me dat te vertellen.'

'Omdat men me heeft verteld dat u de enige bent die me informatie zou kunnen geven.'

'Wie?'
'U.'
'Maar wie heeft u dat verteld?'
'Vango.'

14
Twee dooiers in een ei

Ditmaal had hij haar te pakken. De Aristophane-methode werkte.

Ze ging in een leunstoel naast de haard zitten.

Het bleef een hele poos stil. Ethel wist dat het geen zin had om alles te ontkennen. Als Vango haar naam had genoemd, kon ze hem niet tegenspreken.

Diep vanbinnen voelde ze ook iets van blijdschap als ze eraan dacht dat Vango haar naam op zijn lippen had gehad.

Ethel.

'Vraag het maar aan Ethel.'

Dat had hij waarsch ijnlijk gezegd.

Boulard zat schijnbaar ontspannen te tokkelen op de baleinen van zijn paraplu, alsof het een contrabas was.

'Zou ik hem mogen zien?' vroeg Ethel.

'Wie?'

'Hem.'

Boulard haalde zijn schouders op en trok het sceptische gezicht van iemand die wilde zeggen: 'Dat hangt ervan af wat u me te vertellen heeft.'

Ethel duwde een blok hout met haar voet in de vlammen terug.

'Ik heb maar kort met hem opgetrokken. Hooguit een paar dagen. We waren nog erg jong.'

De commissaris ging op zijn beurt zitten. Hij vond haar amusant. Ze was hooguit een jaar of zestien, maar ze praatte al als een deftige oude dame die het over een jeugdliefde heeft.

'Ik was op reis met mijn broer Paul. Toen heb ik hem ontmoet. We zijn bevriend geraakt.'

'Was dat lang geleden?'

'Ach...'

Ze maakte een gebaar met haar hand over haar schouder alsof ze over een ver verleden praatte, een tijd die de oude commissaris niet kon hebben meegemaakt.

'Laten uw ouders u zomaar op reis gaan?'

Ethel glimlachte.

'Onze ouders laten ons een beetje te veel onze gang gaan, commissaris. Onze ouders zijn niet bepaald...'

'Aanhangig?' probeerde Boulard.

'Ja... Is dat geen bestaand woord? Aanhangig?'

Hij haalde zijn schouders weer op.

'Welnu, onze ouders,' herhaalde ze, 'zijn volstrekt niet aanhangig.'

Haar ogen werden vochtig, maar ze probeerde te glimlachen en verder te praten.

'Ik zei dus dat ik met mijn broer op reis was en dat ik hem toen ontmoet heb. Dat is alles.'

'Wat weet u van hem? Wat heeft Vango u over zichzelf verteld?'

'Heel weinig. Hij heeft me heel weinig verteld.'

Ze nam tenminste niet dat beruchte 'niets' in de mond, dat steevast gebruikt werd als Vango ter sprake kwam.

'En?' vroeg Boulard.

'Ik weet dat hij op een eiland is opgegroeid. Of op een paar eilanden.'

'Waar?'

'Dat weet ik niet. Hij had het altijd over 'mijn eilanden'. Aangezien hij goed Russisch sprak, dacht ik vaak aan eilanden ergens in de ijszeeën, of in de rivier de Amoer.'

De rivier de Amoer. Ze wou dat ze dat niet had gezegd.

'Nou ja... Ik...'

Het leek alsof ze zich wilde verontschuldigen voor die al te romantische naam die haar was ontglipt.

'Sprak hij Russisch?' onderbrak Boulard haar.

Hij fronste zijn wenkbrauwen.

In Parijs had een Duitse monnik in het klooster gezegd dat hij veel met Vango optrok omdat die ook Duits sprak. En kanunnik Bastide had gezegd dat hij Italiaans kende. Hadden ze het allemaal over dezelfde jongen?

'Ja, hij sprak Russisch, hij sprak met...'

Er lichtte iets op in Ethels gezicht. Ze leek van haar stuk gebracht.

'Met?' drong Boulard aan.

Ethel bleef even stil.

De Rus.

Ineens zag ze het gezicht van de man voor zich, de man naar wie ze al een paar dagen op zoek was, de man die op het plein voor de Notre-Dame zijn pistool had getrokken. De man met het lijkbleke gezicht, van wie ze wist dat ze hem al eens eerder gezien had; ze was hem namelijk tegengekomen in 1929, tijdens de lange reis met Vango. Maar dat hield ze liever voor zich.

Boulard stond plotseling op.

'Maar waarom sprak hij Russisch? Ik praat toch ook geen Russisch? Was hij soms Russisch?'

'Nee,' zei ze, 'ik denk dat een van zijn ouders Brits of Amerikaans was.'

'Waarom?'

'Omdat hij mijn taal vloeiend sprak.'

Boulard begreep er niets meer van. Hij friemelde aan zijn oor, iets wat hij altijd deed als het niet meezat. Sinds een week had hij zich een beeld gevormd van een nietszeggende, enigszins kleurloze Vango, die niks buitenissigs had, en nu kreeg hij opeens de indruk dat hij jacht maakte op een kameleon en een globetrotter, die een veelkleurige tong naar hem uitstak.

'Potdorie nog an toe, en toch zal ik hem te pakken krijgen!'

Ethel keek hem aan. Te laat besefte hij wat hij gezegd had.

De ogen van het meisje waren opeens groen en glanzend, als opgewreven brons.

'U hebt hem nog niet...' zei ze langzaam. 'U wilde me alleen aan het praten krijgen.'

Boulard beet op zijn lippen.

'Moet u luisteren, juffrouw...'

Ethel stond op.

'Nee. U hoeft mij niets te vertellen. U bent hier welkom, commissaris. Blijft u in elk geval tot morgen.'

Ze gaf hem geen kans om iets te zeggen en vervolgde op onverbiddelijke toon: 'Mary zal u wijzen waar uw kamer is. Daar staat de lunch voor u klaar. En kleren, want u lijkt niet veel bij u te hebben. U kunt vanmiddag een wandeling maken. Ik kan u het uitzicht vanaf de heuvel daarginds laten zien. We eten vanavond laat. Mijn broer Paul eet met ons mee, maar hij komt pas om negen uur thuis. Het wordt vast een gezellige avond, we hebben alle drie veel te vertellen.'

Haar stem trilde toen ze er streng en bedroefd aan toevoegde: 'Maar over de zaken die we zojuist besproken hebben, over Vango en de rest, wil ik geen woord meer horen. Is dat duidelijk? Geen woord meer of ik gooi u eruit, ook al is het midden in de nacht, ondanks Lilly en de wilde dieren die overal in de Highlands rondzwerven. Tot straks, commissaris. Geen woord meer.'

Ze maakte een lichte buiging en liep waardig de kamer uit.

Boulard zou deze dag niet snel vergeten.

Hij nam zijn intrek in een kamer die zo groot was als de stationshal van een flinke provinciestad. Mary, het kamermeisje, werd op slag verliefd op hem en had het in de keuken alleen nog maar over 'die knappe Fransman' als ze de gast bedoelde, een beschrijving waarin iedereen de kleine commissaris maar ternauwernood kon herkennen.

Boulard wandelde wat in de heuvels, gekleed in de broek van een Schotse gentleman die Mary nog snel even had omgezoomd toen hij een bad nam.

Het avondmaal was zo gezellig als voorspeld was. Paul had geen flauw idee wat die man bij hem aan tafel deed, maar hij verwelkomde hem als een oude vriend. Om middernacht bracht Mary de commissaris met een kaars in haar hand naar zijn kamer.

Voordat hij zijn deur opendeed en Mary op de gang probeerde te laten staan, vroeg Boulard: 'Zeg eens, lief kind, waar zijn de ouders van die jongelui momenteel? Zijn ze ver weg?'

'O nee! Nooit ver vanhier, meneer Boulevard. Dat zou onmogelijk zijn! Ze houden alle vier zoveel van elkaar...'

Ze trok hem naar het raam in de gang en wees hem op een lichtschijnsel, nog geen honderd meter van het huis.

'Vlakbij, kijk maar, de kleine begraafplaats onder de boom.'

De commissaris viel bijna om.

'Ach... juist ja... U stelt me gerust. En sinds wanneer zijn ze daar?'

'Tien jaar. Over vier dagen tien jaar.'

De volgende dag bood Ethel Boulard aan om hem naar het station van Inverness te brengen. Mary had een paar souvenirs voor de knappe Fransman in een tas gestopt. Hij verontschuldigde zich dat hij de hertenkop die ze hem wilde geven niet kon meenemen.

Waarschijnlijk dacht ze dat hij in het kasteel van Versailles of Chambord woonde. Hij moest eerder denken aan het gezicht dat zijn moeder zou trekken als ze de deur van hun driekamerflat in de Rue Jacob zou opendoen en een kop met een gewei aan de muur zou zien hangen.

'Mijn god, Auguste!'

Hij verstopte zijn verzameling soldaatjes al onder zijn matras omdat dat volgens mevrouw Boulard een stofnest was...

'De commissaris heeft al heel veel bagage bij zich,' zei Ethel tegen Mary. 'We sturen de kop wel naar hem op.'

Ze stapten in de twaalfcilinder-Railton van het meisje. De auto was niet gemaakt voor twee passagiers, maar Ethel was erg slank en Boulard hield zijn buik in.

Het was een gek gezicht, het meisje en de commissaris die als twee dooiers in één ei gepropt zaten, met nog een koffer erbij.

De auto reed weg. Hij maakte een bocht naar links en verdween brullend in de verte.

Mary liep weemoedig het kasteel in, met de hertenkop onder haar arm.

De commissaris had het niet meer: hij zat tegen het meisje aan gedrukt, bij een snelheid van honderdtwintig kilometer per uur op een slechte weg.

'Op het circuit van Brooklands haalt hij wel tweehonderdzestig,' schreeuwde Ethel.

'Ik geloof u op uw woord.'

'Wat zegt u?'

'Ik bedoel dat u me dat niet hoeft te laten zien!'

'Wat zegt u?

'Langzamer!' brulde de commissaris.

Toen schonk Ethel hem een stralende glimlach, zoals hij nog niet eerder op haar gezicht had gezien.

In een bocht wilde ze stoppen om hem het uitzicht te laten zien. De banden belandden weer op de grond en knarsend kwamen ze tot stilstand.

Nog trillend op zijn benen liep Boulard door de struiken achter haar aan.

In de verte was Loch Ness te zien.

'Mooi,' moest Boulard toegeven.

Ze was gaan zitten op een rots en zweeg.

Hij bleef staan. Het landschap herinnerde hem aan zijn geboortestreek Aubrac. De hoogvlakten tussen de departementen Aveyron, Lozère en Cantal, waar hij was opgegroeid en waar je vijf maanden per jaar in de sneeuw zat.

'Hoeveel koninkrijken hebben geen weet van ons,' zei Ethel op gedempte toon.

Boulard fronste zijn wenkbrauwen.

Ze had haar ogen dicht.

In het westen werd de hemel donker.

'Dat is een zin die op een lapje stof stond dat hij altijd bij zich had,' legde Ethel uit. 'Hoeveel koninkrijken hebben geen weet van ons...'

Ze vermande zich en voegde er op een andere toon aan toe: 'Dat vertel ik u omdat u er toch niets aan hebt.'

'Bedankt,' zei Boulard ironisch.

Het was zo'n spoorzoekersraadsel dat inderdaad nergens toe diende, behalve dan als leuke opvulling voor detectives.

'Dat is een zin uit het boek *Gedachten* van Blaise Pascal,' zei Boulard, die juist niet alleen maar detectives las.

Hij vroeg: 'Vertelt u me liever of de naam "de Mol" u iets zegt.'

Ze zweeg.

'Dat is de enige aanwijzing die ik heb gevonden,' erkende de commissaris. 'De enige. De dag nadat hij was gevlucht kwam er iemand bij het klooster die naar Vango Romano vroeg. Een meisje van een jaar of veertien. Ze vroeg de portier of hij tegen hem wilde zeggen dat de Mol op hem wachtte. Toen we er met twee van mijn mannen aankwamen was het meisje er niet meer.'

'Wat betekent dat ook alweer, een "mol"?' vroeg Ethel, die het Franse woord niet kende.

Boulard deed een poging om het dier uit te beelden.

Ze keek hem vertederd aan.

'En,' zei hij, 'zegt die naam u iets?'

'Het is tijd, meneer de commissaris. Als u me nog langer lastigvalt laat ik u hier achter.'

Ze holde naar de auto.

Het idee dat een ander meisje op zoek was naar Vango vond ze maar niks.

Twintig minuten later arriveerden ze bij het station. De trein stond er al, klaar voor vertrek, en behalve de commissaris en het meisje was er niemand anders op het perron.

'Ik heb de naam die u mij noemde nooit gehoord,' zei ze met tegenzin terwijl ze hem de hand drukte. 'Maar laat u het weten als u haar vindt?'

Hij stond al met twee voeten op de treeplank van de trein.

'Bedoelt u de Mol?' vroeg hij.

Ze knikte. Een jongeman met een pet kwam uit het station gelopen en sprong in de trein toen die begon te rijden. Twee fluittonen snerpten in de koude meimorgen.

Toen de trein wegreed bedacht de kleine Ethel, alleen op haar perron, dat ze dolgraag de hele nacht over Vango zou hebben gepraat om alles te vertellen wat ze wist, dat wil zeggen niets anders dan wat ze in de zeppelin had beleefd.

Vango. Hoe hij zijn ogen opende en dichtdeed, hoe hij liep, verhalen vertelde, bepaalde woorden uitsprak, zoals *Brasil*, hoe hij aardappelen schilde zodat ze acht perfecte kanten kregen, hoe hij naar de golven ver in de diepte keek, hoe hij versjes in onbekende dialecten opzei, hoe hij om twee uur 's nachts boven de Stille Zuidzee wentelteefjes bakte, waardoor je het gevoel kreeg dat je in een herinnering hapte.

Ze zou niets anders hebben kunnen vertellen dan dat soort onbeduidende dingen omdat ze met Vango, in nog geen paar weken tijd, altijd alleen maar in het heden had geleefd en omdat het ineens te laat was, toen op die bewuste dag, toen ze ging nadenken over het verleden en vooral over de toekomst.

De commissaris keek naar het steeds kleiner wordende meisje op het perron. Vreemd genoeg was hij tevreden over zijn bezoek. Hij had wat hij wilde hebben, het spoor dat hij tot nu toe niet had kunnen vinden.

Hij nestelde zich behaaglijk op zijn bank.

Toen Mary hem die ochtend bij het ontbijt zijn thee was komen brengen, had hij tussen twee complimenten over de bosbessenscones door kunnen vragen wat hij wilde weten.

De reis die zoveel indruk op Ethel en Paul had gemaakt, had zich afgespeeld tussen 10 augustus en 9 september 1929.

'Ja meneer Boulevard, ze zijn samen op reis gegaan, de arme stakkers. Ik weet het nog precies. Het ging helemaal niet goed met Ethel. Ze was zo kwetsbaar sinds de dood van haar ouders. Maar toen ze terugkwam was ze helemaal veranderd.'

'Ging het beter met haar?'

'Ze was genezen, meneer Boulevard! Genezen!'

Mary snoot haar neus. De commissaris luisterde.

'Het was aan boord van het luchtschip Zeppelin, vijf jaar geleden. Weet u wel? De grote reis om de wereld in 1929! Ze stonden zelfs in de krant. Arme kinderen...'

'Arme kinderen!' herhaalde Boulard opgetogen.

Diezelfde zeppelin was de dag na de moord over de Notre-Dame in Parijs heen gevlogen, op het moment dat Vango was ontsnapt.

Het leek onbelangrijk. Maar voor iemand als Boulard leek dit soort toevalligheden op het begin van een oplossing.

15
Een op hol geslagen paard

Parijs, Place Vendôme, hotel Ritz, drie dagen later

Boris Petrovitsj Antonov had zijn snor afgeschoren.

Hij kon het niet uitstaan, maar de orders kwamen van zo hoog dat er geen sprake van was dat hij die uit ijdelheid kon negeren.

Hij leek nu op een pop met grijs haar.

'Is dat alles wat je hebt?'

Boris bladerde in een notitieboekje. Tegenover hem zat een student die zijn pet tussen zijn met inkt bevlekte vingers verfrommelde. Ze zaten in de bar van het hotel. Drie oude dames dronken thee. Ze roken naar witte lelies en bergamot.

'Waar is de rest?' drong Boris aan.

'In de Theems.'

Boris gaf een klap tegen zijn voorhoofd.

'Heb je de rest van de koffer in de Theems gegooid?'

'Dat was me opgedragen.'

Je kon horen dat ze allebei Russen waren, maar ze spraken Frans om geen aandacht te trekken. In een belendend vertrek zat een pianist lijzige deuntjes te spelen. In de hal klonk het getik van hoge hakken.

Het gezicht van Boris was bleker en valer dan ooit. Hij stopte bij een bladzijde in het notitieboekje waarop een portret was getekend.

'Het lijkt precies, vindt u ook niet?' zei de student, die zijn pet eindelijk op tafel legde.

Boris wierp hem een vernietigende blik toe. Het was het portret

166

van Boris Petrovitsj Antonov zelf, dat Ethel had getekend en dat Augustin Avignon in het notitieboekje had gekopieerd.

Alle politiediensten beschikten inmiddels over dit portret van de mysterieuze schutter bij de Notre-Dame.

Woest sloeg Boris de bladzijde om, woedend omdat hij op papier de snor terugzag die hij vanwege dat meisje had moeten opofferen om te voorkomen dat hij zou worden herkend.

'Heb je het meisje tenminste wél gezien?'

'Alleen uit de verte. Het was onmogelijk om dicht bij het kasteel te komen. Ze heeft overal bedienden en tuinlieden rondlopen. Als ze op stap gaat doet ze dat met de auto of te paard. Je ziet haar als een stofwolk voorbijkomen. Maar ze heeft de commissaris de volgende dag teruggebracht naar het station van Inverness. En ik heb hem tot Parijs gevolgd.'

'Wie?'

'Boulard.'

'Waar woont hij?'

'Achter Saint-Germain-des-Près.'

'Alleen?'

'Met zijn moeder.'

Boris hield een langslopende kelner staande en bestelde nog twee koffie. Naast hen zat een meisje een ijscoupe te eten die bijna groter was dan zijzelf.

'Je bent dus in feite niets te weten gekomen.'

'Ik ben niets te weten gekomen omdat zij niets weten,' legde de student uit.

'Je bent niets te weten gekomen,' herhaalde Boris.

'Ik zeg u dat...'

'Hou je mond. Je hebt de koffer te vroeg gepakt. Je had hem moeten stelen op de terugweg, toen hij na zijn bezoek aan het meisje weer in Londen kwam. Ze heeft hem misschien dingen verteld. Dan zou dat in het opschrijfboekje staan.'

'Ik heb de koffer gepakt toen dat kon, Boris Petrovitsj.'

Woedend sloeg Boris met zijn vuist op tafel. Eerst had hij zijn snor opgeofferd, en nu stonden zijn carrière en zijn leven op het spel. Hij probeerde de situatie samen te vatten.

'Van het portret wisten we al. Voor de rest is er niets. Klopt dat?'

'Ja.'

'Je stelt me teleur, Andrej.'

'Ik heb gedaan wat me was opgedragen.'

'Ben je dan tenminste nog wel bij die paters geweest?'

'Ja. Ze hebben vader Jean vanmorgen begraven. Er waren veel mensen. Ik ben vannacht in zijn kamer geweest. Ze hebben alles opgeruimd. Er staat niets meer.'

Het meisje stootte haar glas water om, waardoor het opschrijfboekje bijna nat werd. Andrej wist zijn pet te redden, maar Boris voelde dat zijn broek kletsnat werd. Ze keken allebei naar het meisje, dat blond haar had en er schattig uitzag. Met een stralende glimlach maakte ze haar verontschuldigingen en ging verder met de beklimming van haar ijsberg via de noordwand.

Boris klemde zijn kiezen op elkaar. Wie liet een meisje een jaar of twaalf nou helemaal in haar eentje in de lobby van een deftig hotel zitten? Hij spuugde zijn afkeer over deze beschaving uit in een zakdoek.

'Dus je hebt niets,' zei Boris Antonov om op zijn onderwerp terug te komen.

'Ik heb gedaan wat u me had gevraagd. U had een adres bij de pater gevonden... Misschien dat dat nog iets oplevert.'

'Het is ver weg. Ergens midden op zee. We hebben mensen gestuurd om er een kijkje te nemen...'

'En kijk hier eens, er staat in elk geval deze naam in het boekje.'

Andrej nam het boekje van Boris over en wees iets aan op een bladzijde.

'Ja,' zei Boris, 'dat heb ik gezien. De Mol.'

Hij grinnikte.

'Geweldig, wat een vondst! De Mol! Bravo, meneer. Dat is nog eens een verdachte!'

Zachtjes klappend stond hij op en gaf hem een hand. Zijn vingers waren ijskoud.

'Gaat u weg?' vroeg de student angstig.

'Ja. Voor een speciale opdracht.'

Boris fluisterde in zijn oor: 'Ik ga naar de dierentuin in het Bois de Vincennes om de Mol te zoeken.'

Andrej lachte nerveus.

'Vind je dat grappig?' blafte Boris.

Andrej verstijfde. De ander pakte hem bij zijn oor beet.

'Waar kan ik je vinden als ik je nodig heb?'

De student verfrommelde zijn pet tussen zijn vingers zonder antwoord te geven.

'Waar?' drong hij aan, klaar om hem zijn oor af te rukken.

'Boris Petrovitsj, ik wilde u zeggen... Ik denk...'

'Ja?' zei de ander.

'Ik denk dat ik moet ophouden...'

'Ophouden?'

'Met voor u te werken...'

De man trok een meewarig gezicht.

'Nee toch? Denk je dat?'

'Ik heb erover nagedacht. Ik denk dat ik ermee ophoud.'

'O ja?'

Boris Antonov had zijn oor losgelaten; met een punt van het tafellaken veegde hij zijn ijzeren bril schoon. Met zijn kippige ogen staarde hij Andrej aan.

'Ik denk niet dat dat een goed idee is. Je bent nog jong, Andrej.'

'Daarom juist. Ik moet het allemaal eens goed overdenken. Ik ben violist.'

Boris moest onwillekeurig glimlachen. Overdenken... Die jongen dacht nog dat hij iets te kiezen had. Hij legde een paar muntstukken op tafel.

'Ik ga. Drink nog wat op mijn gezondheid. En pas op dat je niet spoorloos verdwijnt, jochie. Ik reken op je. En jouw familie rekent ook op je.'

169

'Ik heb u net gezegd dat ik overal mee ophoud.'

Lachend drukte Boris Antonov zijn middelvinger en zijn wijsvinger tegen het voorhoofd van de jongen, waardoor zijn hand de vorm van een pistool kreeg.

'Waarmee ophouden? Met leven? Er zijn dingen waarmee je niet kán ophouden, Andrej.'

Hij kneep hem in zijn wang en liep, nogmaals lachend, weg.

De student bleef een poos staan, terwijl hij met zijn beide handen krampachtig zijn pet vasthield om niet te vallen.

Hij dacht aan zijn familie in Moskou.

Hij was naar Parijs gekomen om muziek te studeren. Hij was verbaasd geweest dat hij zo makkelijk toestemming had gekregen om zijn land te verlaten. Maar alles was volkomen duidelijk geworden toen Boris Petrovitsj Antonov contact met hem had gezocht. Eerst hadden ze hem verteld over zijn familie, die in Moskou geen goede reputatie had. Toen hadden ze hem gevraagd om bepaalde klusjes te doen. Zolang hij gehoorzaamde had zijn familie niets te vrezen.

Hoe kon hij daar een einde aan maken? Hoe?

'Wilt u de rest?'

Hij schrok op.

Het meisje naast hem had haar ijscoupe naar hem toe geschoven.

'Het is te veel,' zei ze, 'ik kan het niet op.'

Hij keek haar aan. Misschien was ze eigenlijk niet zo jong. Ze was minstens dertien.

'Nee, dank je. Ik moet gaan.'

Hij stond op en vertrok.

Als betaling voor het ijsje legde het meisje een stapel muntstukken zo hoog als de zuil van de Place Vendôme op de tafel, en toen ging ze ook weg.

Ze liep door de lobby.

De conciërge knikte haar toe en zei: 'Goedenavond, juffrouw Atlas.'

In het voorbijgaan werd ze begroet door het hoofd van de receptie.

Bij de uitgang deed de kruier de deur voor haar open. 'Tot spoedig weerziens, juffrouw Atlas.'

Buiten zei de koetsier hetzelfde.

Ze gaf niemand antwoord.

Sinds ze een klein meisje was noemden ze haar allemaal steevast juffrouw Atlas, maar dat vond ze nergens op slaan.

Ze liep weg over het plein.

Haar echte naam was de Mol.

De Mol had Vango anderhalf jaar geleden ontmoet, op 25 december 1932, om drie uur 's nachts, tussen het tweede en het derde platform van de Eiffeltoren.

De plek, de datum en het tijdstip waren weliswaar niet ideaal voor een ontmoeting – de laatste meters van de Eiffeltoren, eerste kerstdag, en dan om drie uur 's nachts – maar statistisch gezien is er veel meer kans om op die hoogte, waar je maar één route kan volgen, een klimmer tegen te komen dan beneden bij de vier poten van de toren, waar je alle kanten op kan.

'Hallo.'

'Ook hallo,' antwoordde Vango. 'Gaat het?'

'Ja hoor.'

Vango was niet het type om tijdens zijn nachtelijke uitstapjes beleefdheden uit te wisselen, en de zeer zeldzame keren dat hij mensen was tegengekomen op het dak van het operagebouw, in de toren met de stationsklok van het Gare de Lyon of, een paar jaar eerder, op de kabels van de Brooklyn Bridge, had hij zich verstopt voordat ze hem in de gaten kregen.

Het eerste waar hij zich die nacht over verbaasde was de leeftijd van de Mol. Ze leek net een klein meisje op een schommel in een park, maar ze zat op tweehonderdvijfentwintig meter hoogte schrijlings op een stalen boog.

171

Ondanks de kou had de Mol geen handschoenen aan.

Het duurde een poosje voordat ze toegaf dat ze dertien jaar was.

'Komt u hier vaak?' vroeg Vango.

'Best wel,' zei ze, terwijl ze hem onafgebroken aankeek.

Dat betekende dat het de eerste keer was.

'Wilt u dat we samen verdergaan?'

'Ik rust even uit, het gaat wel.'

Ze hijgde in de ijskoude lucht en er kwamen ronde witte damp-wolkjes uit haar mond.

'Goed.'

Vango deed alsof hij verder wilde klimmen. Op die hoogte was de verf op het berijpte metaal een beetje aan het afbladderen. Telkens wanneer hij zich vastgreep lette hij goed op dat hij niet uitgleed. Hij draaide zich weer om.

'Gaat het? Weet u het zeker?'

Vango had er een hekel aan om zo aan te dringen, maar het meis-je leek daar niet op haar gemak te zitten. Ze gaf geen antwoord. Hij klom terug in haar richting en keek haar nog een keer aan. Ze had een te lange zijden sjaal om die vijf of zes keer om haar smalle nek was geslagen. De dwarsbalken om hen heen waren niet goed ver-licht.

'U hebt uw linkervoet bezeerd,' zei hij.

'Nietes.'

Maar onwillekeurig ging ze verder: 'Hoe weet je dat?'

'Mag ik kijken?'

Hij pakte haar voet beet. Ze slaakte een kreet.

'U hebt uw voet verzwikt.'

'Nou en?'

'Mag ik u helpen om hier weg te komen?'

Ze keek naar de lichtjes in de verte en haalde haar schouders op, als een beleefd kind aan wie je een snoepje aanbiedt.

'Goed dan.'

Hij nam haar voorzichtig op zijn rug. Vlakbij hoorden ze een uil.

Aan de manier waarop ze zich aan zijn schouders vasthield merkte hij dat het meisje er eentje was zoals hij, zo iemand die al kon klimmen voordat ze kon lopen.

'Ik neem aan dat u geen zin had om de trap te nemen,' zei hij.

'Nee.'

Ze wisten allebei dat er soms een bewaker over de trappen rondliep, die een enge zwarte hond met blikkerende tanden bij zich had.

'Goed.'

Hij begon te klimmen.

'Waar ga je naartoe?'

'Wilde u dan niet naar boven?'

Ze vond het leuk dat hij 'u' tegen haar zei.

'Jawel...'

'Nou, dan gaan we.'

'Goed. Mij best.'

Ze bleven boven in de toren zitten totdat de zon opkwam.

Vango had een stuk brood bij zich, dat ze samen opaten.

Er kwamen meeuwen krijsend om hen heen vliegen. Ze speelden met Vango.

'Ken je ze?' vroeg de Mol gefascineerd.

Vango bekeek ze aandachtig.

Van beneden af zag je een aureool van veren die bij de top van de toren ronddraaiden in de rode gloed van de opgaande zon.

Vango wees op een meeuw die vlak boven hen zweefde.

'Die daar, ja, die daar, die heb ik wel eens bij mij thuis gezien, heel ver vanhier.'

Het meisje probeerde niet verbaasd te kijken.

Voorbij de voorsteden van Parijs zagen ze velden en bossen, en de Mol beweerde zelfs dat ze de zee kon zien.

'Misschien,' zei Vango.

'Daar, kijk dan.'

Er hing een sluier van wolken aan de horizon.

173

Ze had goede ogen, voor een mol.

Geen van beiden vertelden ze elkaar verder iets over hun leven.

's Morgens zette hij haar voor haar huis af.

'Waarom heet u de Mol?'

'Omdat ik het benauwd krijg als het plafond boven me lager dan vijf meter is.'

Vango glimlachte.

'Dat is niet grappig, ik krijg het echt benauwd.'

'Ik vind het grappig omdat u van luxe lijkt te houden... U woont blijkbaar in een groot huis...'

Ze stonden voor een mooi huis aan het begin van de Champs-Élysées.

Ze keek naar boven. Tussen twee bliksemafleiders op het dak van het gebouw hing een hangmat.

'Ik ben claustrofobisch.'

'Aangenaam kennis te maken. Ik ben paranoïde.'

Ze glimlachten, gaven elkaar een hand en toen hinkte ze weg.

Sinds die dag brachten ze samen menige nacht in de lucht boven Parijs door.

Zij leerde hem hoe hij kon roetsjen over het dak van het Théâtre du Châtelet, en hoe hij tijdens de voorstellingen tussen de balken boven het toneel naar de balletdansers kon kijken.

Hij liet haar de Tour St-Jacques zien, die vlak bij het theater stond. Er was een bewaker die de hele nacht angstvallig rondjes om de toren liep. Ze deden een spelletje. Je moest in minder dan negentig seconden zevenenzeventig meter naar boven klimmen. Precies de tijd waarin de bewaker een heel rondje liep. Eenmaal boven zag je de bochten van de Seine met de twee eilanden in de rivier, en de Notre-Dame die als een schip uit een zee van grijze daken oprees.

Ze werden vrienden zonder iets van elkaar af te weten. Soms brachten ze elkaar thuis. Ze kenden allebei de voordeur van de plaats waar de ander woonde. Maar die deur ging weer dicht zonder dat ze ook maar een glimp van de rest van elkaars leven konden opvangen.

Op een dag in april was Vango niet op de afgesproken plek komen opdagen. Een paar dagen later had de Mol aangebeld bij het gebouw waar hij woonde. Bij het zien van de uitdrukking op het gezicht van de portier, toen ze had gevraagd: 'Kunt u meneer Vango zeggen dat de Mol op hem wacht', had ze meteen begrepen dat er iets aan de hand was. Ze was op het nippertje aan de politie ontsnapt.

Tijdens de daaropvolgende uren en dagen probeerde ze te begrijpen wat er was gebeurd.

Ze had vlak in de buurt postgevat en haar oor te luisteren gelegd bij de ingang van de cafés waar de rechercheurs elkaar troffen. Zodoende kon ze het verhaal reconstrueren.

Het eerste wat ze tot haar verrassing hoorde was dat Vango op het punt stond om priester te worden. Ze kende persoonlijk geen enkele priester, ze wist nauwelijks wat dat was, maar ze kon zich niet voorstellen dat zo iemand ondersteboven aan de Eiffeltoren hing of in plantsoenen in de bomen sliep, zoals zij en Vango dat zo vaak hadden gedaan.

In feite was ze minder geschokt toen ze hoorde dat hij ervan beschuldigd werd iemand te hebben gedood. Misschien had hij zo zijn redenen. Dat ging haar niet aan. Ze begreep nu waarom hij niet was gekomen, en dat was alles wat ze wilde weten.

Ze dacht dus dat ze haar gewone leventje weer zou oppakken.

Maar toen ze op een nacht languit in haar hangmat lag voelde ze iets tussen haar ribben prikken. Het was geen duidelijke pijn, eerder iets dat langzaam maar zeker omhoog kroop naar haar borst en haar schouders.

Ze draaide zich op één zij, toen op de andere.

Ze zuchtte.

Ze deed een paar stappen op het dak, in het donker.

Ze keek naar de flakkerende vlam van een lantaarn beneden op straat.

Ze kruiste haar armen, pakte zichzelf bij haar schouders vast, bleef zo een poos staan en zuchtte toen nog een keer. Dit was misschien wat in de boeken eenzaamheid genoemd werd.

Zoiets had ze nog nooit eerder gevoeld.

De Mol was in haar eentje opgegroeid.

Ze had drie broers, die veel ouder waren dan zij. De laatste was vlak voor haar geboorte uit huis gegaan. Nu waren ze allemaal ouder dan vijfendertig jaar, wat voor de Mol net zo oud was als de voorouders op de schilderijen.

Ze was een kind uit het tweede huwelijk van haar vader. Haar ouders waren drukbezette mensen. Ze woonden in drie steden tegelijkertijd, pakten nooit hun koffers uit en hielden zelfs hun bontjas aan als ze thuiskwamen om haar even te begroeten.

Ze had tweeëntwintig kindermeisjes gehad, die op het slechte idee waren gekomen om haar juffrouw Atlas te noemen en haar binnen te houden. De laatste was uit een boom gevallen toen ze haar probeerde te pakken.

Uiteindelijk had de Mol het baantje gekregen. Ze was haar eigen kindermeisje geworden. Nummer drieëntwintig.

In de afgelopen veertien jaar had ze zich nooit eenzaam gevoeld. Zelfs toen het zeventiende kindermeisje haar de hele nacht in een kast had opgesloten om te voorkomen dat ze op het dak zou gaan slapen, zelfs toen ze een jaar in een sanatorium in de bergen had gelegen omdat ze ziek was, had ze zich nooit echt alleen gevoeld.

En nu was haar harnas door die sukkel van een Vango met een kletterend kabaal uit elkaar gevallen.

De Mol besloot hem te gaan zoeken en hem op de man af te vragen waarom hij dat had gedaan.

Daarom nestelde ze zich met een paar dekens in het klokkentorentje van het karmelietenklooster en wachtte af. Nooit de plek des onheils uit het oog verliezen. Ze wist zeker dat dit de enige plek was waar ze iets te weten zou kunnen komen.

Drie dagen lang gebeurde er niets.

De moord was langzaam maar zeker op de achtergrond geraakt.

De vierde nacht begon er iemand op het orgel onder haar een foxtrot te spelen. Ze wist niet dat het Raimundo Weber was, de kapucijnermonnik, die na een korte periode van rouw opnieuw zijn nachtelijke concerten gaf. Het leven kwam weer op gang.

De volgende dag kwam de politie de kamer van het slachtoffer ontruimen. Het bureau, een stoel en een paar kisten met boeken en schriften verdwenen in een vrachtwagen. Vijf jongens van het klooster sopten de kamer grondig schoon en daarna werd het raam wijd opengezet om elke herinnering aan vader Jean te laten wegwaaien.

De Mol begon net te denken dat ze te laat was gekomen, toen de vijfde nacht aanbrak.

Het was een zoele nacht, allereerst omdat er een zacht meiwindje waaide dat een kersengeur in de stad verspreidde, maar misschien ook omdat Weber een rustiger melodie op zijn orgel speelde dan anders. Het waren niet meer dan vier noten, maar hij speelde ze in een magische volgorde, die bij elke muzikale zin veranderde.

De Mol spitste haar oren.

Er werd bij het hek van het klooster aangebeld.

Weber ging zo op in zijn muziek dat hij niets hoorde.

Bij het zien van de gestalte die achter het hek stond te wachten begreep de Mol dat dit een ongebruikelijke bezoeker was. De voorgaande dagen had ze alleen maar priesters, nonnen, een bisschop, seminariestudenten en agenten zien binnenkomen. Maar degene die nu stond te wachten had op zijn hoofd een grote jongenspet met een brede klep. Onder zijn arm hield hij een zwarte langwerpige kist en een leren aktetas, net als de studenten van het Quartier Latin.

De Mol sloeg hem gade. Als niemand op zijn gebel reageerde zou hij de aftocht blazen, wat de Mol vervelend zou vinden.

Daarom klom ze langs het dak naar beneden en keek ze door een raampje in de kapel. Weber leek in trance. Zijn kleine, over het muziekinstrument gebogen lijf bewoog niet, maar zijn grote handen

177

openden zich als vleermuizen en dansten over het toetsenbord. Hij had de vier noten van het begin laten varen. Van de laagste tot de hoogste noot sloeg hij er niet één over.

De Mol gooide haar deken als een visnet uit. Ze zweefde even onder het gewelf en belandde op de pijpen van het orgel, dat als een onpasselijke olifant heen en weer begon te zwaaien. Opeens ontwaakte Weber uit zijn muzikale extase. Hij hoorde dat er werd aangebeld, sprong van zijn kruk en verliet de kapel met de woorden: 'Ik kom eraan, ik kom eraan...'

De zoom van zijn kamerjas sleepte over de plavuizen van de binnenplaats.

Hij keek door het hek en zag de jongeman staan.

'Ben je verdwaald, mijn zoon?'

'Goedenavond. Ik zit op de kostschool hiernaast, in de Rue Madame. Ik kan er niet meer in. De deur is dicht. Hebt u hier misschien een plekje waar ik zou mogen slapen?'

De monnik beet op zijn lippen. 'Slapen...' herhaalde hij.

Weber klopte op de sleutels in zijn zak en keek ontstemd.

'Normaal gesproken zou ik u hebben binnengelaten...'

Hij keek om zich heen en fluisterde: 'Men heeft mij gevraagd om heel voorzichtig te zijn. Er zijn dingen gebeurd...'

'Ik zal morgenochtend heel vroeg vertrekken,' zei de jongeman, die een Russisch accent had.

'Ik geloof je, mijn zoon, maar ik heb instructies gekregen.'

De jongen knikte.

'Normaal gesproken...' begon Weber weer.

'Ik snap het. Goed, dan ga ik maar.'

De jongen liep weg.

'Hé!'

Raimundo Weber had hem geroepen. Hij liep terug naar het hek.

'Wat heb je daar in die kist?'

'Welke kist?'

'Daar, in je linkerhand.'

'Niets. Een viool.'

Weber stak de sleutel in het slot. Hij opende de poort.

'Een viool?'

Hij gaf hem een hand.

'Speel je viool?' vroeg hij.

'Ja.'

'*Zing zang zang zaaaaaang.*'

Weber zong en deed alsof hij op de stoep een muziekstuk uitvoerde.

'*Ziiiing...*'

Hij keek de ander vragend aan.

'*Zaaaaang zoooing...* Herken je het?'

'Sjostakovitsj,' zei de jongen.

Weber vloog hem om de hals.

'Ben jij een Rus?' vroeg Weber.

'Ja.'

'Kom.'

De Mol zag hoe hij de jongen binnenliet en meenam naar de kapel. Weber klom opnieuw achter zijn orgel en begon een melodie te spelen.

'Pak je viool!'

Een uur lang speelden ze samen.

Het leek net een dorpsfeest in Stromoski in Siberië. Zelfs de bidstoelen kregen zin om te dansen. Uiteindelijk zakte Weber doodop tussen de pedalen van het orgel op de grond.

De Mol hield de jongeman strak in de gaten.

Hij stopte zijn viool terug in de kist, controleerde of Weber echt sliep, pakte zijn sleutels en verliet de kapel. Hij liep naar het kleine gebouw op de tweede binnenplaats, deed de deur met de grootste sleutel open en liep naar boven.

De Mol volgde hem over het dak.

Algauw kwam de jongen weer naar beneden; hij liep naar het hek en ging naar buiten, de straat op.

De Mol volgde hem naar zijn huis, een studentenhuis, en ook de volgende morgen, naar de begrafenis van vader Jean op de begraafplaats van Montmartre, en ten slotte aan het eind van de middag naar het Ritz-hotel.

Daar hoorde ze dat hij Andrej heette, dat hij voor een zekere Boris Petrovitsj Antonov werkte en dat ook hij op zoek was naar Vango.

Toen ze weer thuiskwam, op haar eigen dak, was de Mol in haar nopjes. Ze had een spoor. Het spoor heette Andrej, een vioolstudent. De Mol kende zijn stem, zijn adres en de naam van zijn baas...

Die avond durfde ze zichzelf nog niet te bekennen dat dit spoor, met zijn viool en zijn warrige haardos, met zijn droevige ogen en zijn mooie gezicht uit het koude Noorden, haar hart zo snel liet bonzen als de hoeven van een op hol geslagen paard in de taiga.

16
Mademoiselle

Eolische Eilanden, 1 mei 1934

Vango was op het eiland Basiluzzo afgezet. Hij had onmiddellijk de voorovergebogen puist herkend, die tussen de vulkaan en het eiland Panarea in zee lag.

's Morgens vroeg riep hij de vissers aan, die vlak langs het water de rotsen afschraapten om vissen en inktvissen te vangen.

De mannen vroegen niet eens wat hij daar deed. Hij mocht tussen de manden met vis komen zitten.

Voor in de boot zong een van hen een liedje.

Toen hij hen hoorde praten, de sloep voelde schommelen en de geur van het zilte hout van de romp rook, besefte Vango dat hij echt terug was.

De vissers kwamen van Lipari. Ze brachten hem terug naar het grote eiland.

Daar nam hij de veerboot naar Salina. Die was afgeladen vol. Vango nestelde zich achter een meneer die op zijn koffer zat te slapen. Langzaam maar zeker zag hij de twee toppen van zijn eiland dichterbij komen. Hij was achter in de boot gaan zitten, als enige reiziger zonder bagage terwijl alle anderen enorme plunjezakken met levensmiddelen en potten en pannen bij zich hadden. Sommige passagiers zouden hun eiland pas weer verlaten als het herfst werd. Tot dan moesten ze het er zien uit te houden.

De boot voer om de puimsteengroeven van Lipari heen. Er was veel tegenstroom. Voor Vango's gevoel duurde de reis eindeloos.

Toch lag het daar, vlak voor zijn neus, zijn eiland, achter dat grote vierkante zeil dat maar weinig wind ving.

Vango zat met zijn armen om zijn opgetrokken knieën heen geslagen. Om zijn enkel had hij de blauwe zakdoek geknoopt, die hij altijd bij zich had.

Hij had tijd genoeg om zich het tafereel van het weerzien met Mademoiselle voor te stellen.

Hij wist dat ze hem niets zou verwijten, dat ze haar betraande wangen tegen de zijne zou drukken, dat ze een stap naar achteren zou doen om te zien hoe groot hij was geworden, dat ze met een hand door zijn haren zou strijken, dat ze zich zou verontschuldigen voor haar jurk, dat ze het bord en het glas op tafel zou zetten, dat ze zou zeggen dat er in de lauwwarme oven toevallig nog een restje van een ovenschotel stond en dat er nog wat suikerkoekjes over waren, en dat ze iets liefs zou zeggen in een van de talen die ze graag sprak, maar dat ze zichzelf dat onmiddellijk hardop kwalijk zou nemen omdat hij geen kind meer was.

Ze zou hem niet de kans geven om haar vergiffenis te vragen voor het feit dat hij nooit was teruggekomen, dat hij in vijf jaar tijd maar vier brieven had geschreven, vier brieven waarin geen adres stond, maar alleen dit:

Ik denk altijd aan u, Mademoiselle,
Het gaat goed met mij,
Veel liefs.

Vier korte briefjes, alsof het oorlog was. Je was gezond, dus maakte je het goed.

Vango ging door het leven zonder ooit sporen achter te laten. Hij noemde dat geen achtervolgingswaan, maar een manier om te overleven.

Hij was net als de Sioux op de grote prairie, die vijf rijen takken en bladeren achter zich aan sleepten, opdat er niets van hun voetstappen te zien was.

Hij dacht dat hij Mademoiselle zou beschermen door haar niets te vertellen.

Dankzij dat stilzwijgen zouden ze haar niet op het spoor komen.

Zij, degenen die hem al vijf jaar lang in de gaten hielden.

Degenen die hem wilden vermoorden.

Degenen die vader Jean 'jouw ziekte' noemde, maar die vader Jean te grazen hadden genomen.

Bij de Notre-Dame was alles echter veranderd. Duizenden mensen hadden de kogels om hem heen zien fluiten.

En Vango had willen schreeuwen: 'Zien jullie wel? Zien jullie wel? Ik ben toch niet gek? Ze bestaan! Daar heb je ze!'

Heel even had hij daarboven op de kathedraal zelfs zijn armen uitgespreid, klaar om een kogel midden in zijn hart te krijgen opdat er in zijn huid een spoor, een bewijs zou zitten dat er door een dokter met een pincet zou worden uitgehaald en op tafel zou worden gelegd. Maar er was iets onmogelijks gebeurd. Hij had een zwaluw traag voor zich zien opduiken, zwakjes met zijn vleugels klappend, bijna stil hangend in de lucht, iets wat eigenlijk geen enkele zwaluw kan.

Er had een schot geklonken. De doorboorde vogel was roerloos in vrije val langs de kathedraal omlaag gestort.

De kogel was uit zijn baan geraakt, en in plaats van Vango in zijn hart te raken was hij alleen maar langs hem geschampt.

Op het eiland Salina stapte Vango in de haven van Malfa aan wal.

Het werd al donker. De mensen stonden de boot op te wachten.

Het avondwandelingetje... De bemanning begroeten, de bagage helpen uitladen, kijken naar de passagiers die aan boord bleven, op weg naar een ander eiland, mijmeren over nieuwe gezichten. Vango zag dat niemand hem herkende. Er zaten stelletjes met hun benen over de reling, bungelend boven het water. Een oude meneer telde nogmaals de vissen in zijn mand.

Vango liep een eindje over de kade, en hij merkte inderdaad hoe hij veranderd was. Hij was niet meer dezelfde. Hij keek naar de bewoners van zijn eiland, terwijl hij ze als kind altijd had gemeden.

'Kan je me even helpen, jongen?'

Een man legde zijn hand op Vango's schouder.

'Ik moet de post naar boven brengen. Ieder een zak?'

Vango tilde een zak op en zwaaide hem op zijn rug.

Hij herkende die man, Bongiorno: hij zorgde voor de post en de kaartjes voor de boot, hij verkocht groente en schoenen, en hij repareerde kapotte ruiten. Voor hem hadden vijf of zes anderen dat werk gedaan, maar die waren allemaal vertrokken om hun geluk aan de andere kant van de wereld te beproeven.

'Normaal gesproken,' zei Bongiorno, 'komt er een kerel met een ezel, maar hij is er niet. Ze moeten alleen maar naar boven, naar het plein. Ik zal je wel iets betalen.'

'Dat hoeft niet,' zei Vango, 'ik moet toch die kant op.'

Hij keek naar de kinderen die van een rots af doken. Ze verdwenen in het zwarte water. Een man en een vrouw kwamen in de bocht van de weg aangerend. Smekend riepen ze dat de boot moest wachten. Iemand luidde de bel van de boot, alsof hij al vertrok, om ze nog harder te laten lopen. Een stel meisjes, die op een paar kisten zaten, moesten lachen. Een jongen dook van de voorsteven in het water. Vango vroeg zich af waarom hij nooit met de kinderen van zijn eiland was gaan zwemmen.

Hij zag een vrouw die er als een zwerfster uitzag gehurkt onder een dak van planken op het havenhoofd zitten.

'Wie is die vrouw?'

'Jij bent zeker niet vanhier!' zei Bongiorno.

'Nee.'

'Toch praat je een klein beetje met het accent van de eilanden hier.'

'Ik ben hier lang geleden geweest.'

Bongiorno liep voor Vango uit.

'Die vrouw is gek. Ze wacht op haar man sinds... ik weet niet hoe lang... al jaren. Ze heeft daar postgevat zodat ze hem kan zien aankomen.'

'Waar is hij heen gegaan?'

'Ik denk dat hij dood is. Maar ik heb medelijden met die vrouw.'

Hij gooide haar een muntstuk toe en riep: 'U moet wat eten, mevrouw Giuseppina!'

Vango hield zijn pas in toen hij langs haar liep. Hij herkende de vrouw van Pippo Troisi, Giuseppina.

'Ze zit daar maar te zitten,' zei de man, 'en te huilen.'

Vango staarde naar haar.

'En jij, waar ga jij heen?'

'Ik?' vroeg Vango, een beetje wezenloos.

'Ja, waar ga je straks naartoe?'

'Ik ga naar boven, naar de Madonna del Terzito, op bedevaart.'

Dat was een afgelegen kapelletje op een pas, tussen de bergen. Vango wist niets beters te verzinnen om Bongiorno's nieuwsgierigheid te bevredigen.

En inderdaad stelde die verder geen vragen meer totdat ze bij het hooggelegen plein van Malfa aankwamen. Daar liet Vango hem met zijn zakken achter, en hij zei dat hij voor het donker boven wilde zijn.

'Hier heb je een paar muntstukken...' zei de man.

En toen de jongen die niet wilde aannemen:

'Dan kun je voor mij bij de Madonna wat kaarsjes aansteken. Je zult er niet alleen zijn, er zijn vanmorgen al twee vreemdelingen heen gegaan.'

Vango nam het geld aan. Hij liep het dorp aan de westkant uit. Hij rende bijna. In minder dan een uur tijd stond hij boven de krater van Pollara. Honderden meters onder hem brandden de lichtjes van het dorp.

Op dat moment zat Mademoiselle in het huis van Pollara op een stoeltje dat Vango, toen hij twaalf jaar was, voor haar had getimmerd van vlothout, van dat hout dat een poos in zee heeft rondgedobberd en uiteindelijk tussen de kiezels op het strand helemaal glad en wit is geworden. Het stoeltje was een samenraapsel van stukken hout die met touwtjes aan elkaar waren gebonden. Het zat heel prettig. Mademoiselle zat er 's avonds vaak in te lezen of te naaien, en soms werd ze er 's morgens in wakker, met een boek op schoot.

Die avond was het boek op de grond gevallen, maar Mademoiselle sliep niet. Ze keek naar twee mannen die bezig waren om het interieur van haar huisje kort en klein te slaan.

Ze waren binnengekomen zonder iets te zeggen en hadden alleen maar even beleefd naar Mademoiselle geglimlacht.

Er stonden zo weinig spullen dat ze haast teleurgesteld waren. Mademoiselle zat verstijfd op haar stoel. Ze verroerde geen vin. De mannen liepen wat in het rond en begonnen bladzijden uit de boeken in de boekenkast te scheuren. Een bundeltje papieren dat ze in een kartonnen map vonden smeten ze in een reistas die ze bij zich hadden. Ze gooiden er ook een schrift in, waarin Mademoiselle kriskras door elkaar haar uitgaven en gedichten opschreef.

Daarna gooiden ze een paar borden aan diggelen. En alsof ze nog niet genoeg aan hun trekken waren gekomen, begonnen ze de blauwe wandtegels van aardewerk kapot te slaan. Ze vielen niet in stukken op de grond, maar barstten op de muren in duizend stukjes. De kamer veranderde in een caleidoscoop waar je duizelig van werd.

Ze deden dat allemaal zonder een woord te zeggen, alsof ze met een secuur werkje bezig waren, waar ze hun aandacht goed bij moesten houden. Ze hadden hun wapens op tafel gelegd om de handen vrij te hebben. Twee halfautomatische Tokarev TT33-pistolen en een zwaar kaliber luchtdrukgeweer, dat waarschijnlijk iets van zes à zeven kilo woog.

Mademoiselle had niet echt verbaasd gekeken toen ze binnen waren gekomen.

Ze had in het Russisch tegen ze gezegd dat ze al vijftien jaar op hen zat te wachten.

Vango rende in het donker de weg af. Hij voelde niets anders meer dan de euforie van het moment. Het terugkomen op een geliefde plek, het huis dat zijn thuis was, bij de vrouw die zijn familie was, het feit dat hij na vijf jaar ballingschap op een mooie meiavond naar haar toe rende. Al het andere was hij vergeten.

Hij sloeg linksaf. Nu kon hij het witte dak van het huis goed zien, en toen hij nog verder liep, het schijnsel van de lamp bij het raam. Daar was ze.

Vango wilde Mademoiselle niet verrassen. Hij was van plan om aan te kloppen en achter de deur zijn naam te zeggen. Hij maakte een omweggetje langs de olijvenboom, waarvan de bladeren ritselden toen ze hem voelden naderen.

Hij legde zijn hand en toen zijn voorhoofd op de bast.

In huis bewoog een gestalte, dat kon je door de kleine ruitjes zien. Ze sliep niet.

Mademoiselle.

Hij had zoveel aan haar te danken. Mademoiselle was een wereld apart. Ze leek alle geheimen van het leven te kennen maar ze gaf ze een voor een prijs, zonder dat je het in de gaten had. Net als die olijfboom die het hele jaar door zijn bladeren verloor zonder dat je de indruk had dat er ooit eentje miste.

Wanneer Vango te lang om iets bleef treuren, maakte ze van die opmerkingen als: 'Geen morgen voor een dag van zorgen.' Ze verzon haar eigen spreuken.

Voordat hij de beschutting van de boom verliet wachtte hij nog een paar tellen.

Een reusachtige schim naderde hem van achteren. Het leek net alsof Vango hem expres de tijd gunde om dichterbij te komen. Maar hij had niets gezien en wilde alleen nog iets langer genieten van dit fijne moment, leunend tegen zijn boom.

Ik kom eraan, Mademoiselle... dacht hij.

Toen Vango opnieuw een stap in de richting van het huis zette, voelde hij hoe er een hand op zijn mond gedrukt werd, terwijl een andere om zijn middel geslagen werd en hij van de grond werd opgetild. Het was voor het eerst sinds jaren dat Vango echt even tot rust was gekomen. Het eerste moment dat hij zijn waakzaamheid had laten verslappen.

Maar die ene seconde was genoeg geweest.

Mademoiselle zag hoe de twee mannen naar hun wapens grepen. Ook zij had buiten een geluid gehoord. Ze hadden vast en zeker een derde maat, die buiten op de uitkijk stond. Een van de mannen ging naar buiten. Hij kwam vrij snel terug en knikte de ander geruststellend toe. Ze gingen verder met hun afschuwelijke bezigheid. Mademoiselle had haar ogen gesloten.

Vango werd in het duister meegenomen. Wie het ook was die hem vasthield, hij was ongelooflijk sterk. Vango verzette zich niet.

Op een gegeven moment werd hij op de grond gezet. Hij bevond zich in een soort hol met een bodem van lavasteen. De ruimte werd verlicht door de vlammen van een klein haardvuur. Vango richtte zich op. Er was een geweer op hem gericht.

'Verroer je niet.' De man praatte Siciliaans. 'Je maakt geen schijn van kans tegen hen.'

Het was Mazzetta.

'Ze hebben meer munitie dan alle carabinieri van de eilanden tot aan Milazzo.'

Mazzetta had gelijk. De zware luchtbuks met knikloop, die bij Mademoiselle op tafel lag, had .600 nitropatronen, die al vijfentwintig jaar bekend stonden als de ideale munitie voor de olifantenjacht. En een van de twee mannen, de grootste, had behalve de twee Tokarevs een fraaie Engelse stengun als een doopmedaillon onder zijn hemd hangen.

Vango ging staan.

'Ga zitten,' beval Mazzetta hem. 'Ik schiet je in je knie als je probeert te ontsnappen. Ik wil niet dat ze je te pakken krijgen.'

Mazzetta had bijna het huis bestormd toen hij de mannen naar binnen zag gaan. Maar door het raam had hij het wapenarsenaal zien liggen. Hij wist hoe sterk de wapens waren. Hij was niet bang voor zijn leven, dat had hij allang gegeven. Hij was bang voor Mademoiselle. Hij kon maar beter in leven blijven om een oogje in het zeil te houden.

'Laat me erheen gaan.'

'Nee. Ze zullen uiteindelijk wel weggaan. Haar zullen ze niets doen. Volgens mij ben jij degene die je zoeken.'

Ze hoorden iemand stampvoeten vlak voor het hol van Mazzetta. Het dorre gras werd vertrapt. Vango hield zijn adem in.

'Wie is dat?' fluisterde hij.

Mazzetta legde een vinger op zijn mond.

Ja, iemand haalde snuivend adem, op nog geen twee meter van hen vandaan.

'Wie is dat?' vroeg Vango nogmaals.

Mazzetta's woeste gezicht ging langzaam wiegelend heen en weer.

'Dat is mijn ezel,' fluisterde hij ten slotte. 'Die komt ons waarschuwen dat ze weggaan.'

Tesoro de ezel stak zijn kop met zijn enorme halster van beslagen leer door de deur naar binnen. Mazzetta aaide hem tussen zijn ogen.

Ze wachtten nog een paar minuten, die eindeloos leken te duren, en toen ging Mazzetta naar buiten. Vango verroerde zich niet.

Na een poosje kwam Mazzetta weer naar binnen en ging naast Vango zitten.

'Ze zijn vertrokken.'

'En Mademoiselle?'

'Ze zullen nog een tijdlang in de buurt blijven. Je moet weggaan.'

'Mademoiselle?'

'Ze zit voor het huis. Ze mankeert niets.'

'Ik wil haar spreken.'

'Ze houden haar in de gaten. Als je met haar gaat praten is ze er geweest.'

Vango streek met een hand over zijn gezicht.

'Mijn god,' zei hij.

'Ga weg.'

Mazzetta had zijn jachtgeweer neergezet. Het was de eerste keer dat Vango met hem praatte.

'En Mademoiselle dan? Ga jij voor haar zorgen?'

'Ze zal mijn hulp niet willen hebben. Maar ik ken iemand die zeker zal komen.'

'Zorg dat ze alles krijgt wat ze nodig heeft. Alsjeblieft.'

Vango verliet het hol en kroop tussen de struiken door.

Toen hij ver genoeg uit de buurt was, rende hij naar de zee en klom langs de klif naar beneden. Hij pakte de eerste de beste sloep die op het kiezelstrand lag, duwde hem in het water en roeide rechtuit de volle zee op.

Om twee uur 's nachts hoorde dokter Basilio iemand op de deur bonzen.

Hij herkende dit soort kabaal van mensen voor zijn huis. Hij wist dat ze altijd een paar uur eerder begonnen te schreeuwen dan hun vrouw die ging bevallen, of dan het kind dat ter wereld zou komen.

'Ach, de man moet ook een keer kunnen brullen. Dat is zijn goed recht,' mompelde de dokter, nog half slapend. Hij trok een broek aan, pakte zijn dokterstas en deed de deur open.

Het was niet wat hij dacht.

Mazzetta stond hijgend voor hem.

'Het is...'

Toen hij Mazzetta's ogen zag, begreep de dokter dat er iets ernstigs was gebeurd.

'Mademoiselle?'

Hij rende achter hem aan in de nacht.

Arkudah, de volgende dag

Een weerzien was Zefiro nooit goed afgegaan.

Hij had een groot talent voor afscheid nemen, klinkende zegeningen geven of mensen omhelzen voordat ze op reis gingen. Maar wanneer hij iemand terugzag wist hij niet of hij zijn armen moest uitspreiden, zijn hoofd moest buigen of zijn hand moest uitsteken. En meestal deed hij alle drie tegelijkertijd, wat tot jammerlijke botsingen leidde.

Zefiro wist nooit waarover hij moest beginnen en hoe hij vat moest krijgen op die lange, ongrijpbare afwezigheid die op het laatste afscheid was gevolgd.

De periode van scheiding was voor hem een gordijn van ijs.

Toen Vango voor zijn neus stond merkte hij stotterend op dat zijn haar wat korter was dan vroeger, maakte hij schuchter een opmerking over het weer en bood hij hem een glas water aan.

Ten slotte stamelde hij, bij wijze van wonderlijk welkomstwoord: 'Ik heb nieuwe konijnen.'

Vango stond voor hem, bij de poort van het onzichtbare klooster, doodop, met gehavende kleren. Hij had rode ogen en hij stierf van de honger.

Maar hij was Zefiro niet vergeten. Hij volgde hem naar binnen.

Pas toen ze naar de konijnenhokken liepen smolt het pakijs. Toen Vango hem trillend een grijs konijn aanreikte dat hij had gevangen, duwde Zefiro het diertje weg, pakte het hoofd van de jongen beet en drukte het stijf tegen de holte van zijn schouder aan. Er waren vijf jaren voorbijgegaan.

'Wat ben je lang weg geweest.'

Vango wilde zijn hoofd opheffen, maar Zefiro weigerde hem los te laten, want anders zou de jongen zijn tranen zien.

'U had me toch gezegd dat ik weg moest gaan,' piepte die.

'Een jaar! Ik had je een jaar gegeven om terug te komen...'

Vango keek hem aan.

'Ik heb moeilijkheden gehad, padre.'

Setanka was achtenhalf. Wanneer ze 's avonds naar een film ging kijken, in de voormalige wintertuin die in een bioscoopzaal was veranderd, werd ze altijd gevolgd door een stoet geblindeerde auto's en tientallen lijfwachten.

Ze drentelde voor hen uit.

Die avond luisterde haar vader, die vlak achter haar liep, naar een man die hem verslag uitbracht.

'We hebben zijn huis gevonden, en de vrouw die hem heeft grootgebracht. Maar van hem geen spoor. Het lijkt alsof hij er al een hele poos niet meer woont.'

'Zorg dat je hem vindt.'

Ze spitste haar oren. Ze hadden het over de Vogel.

Setanka had een tijdlang gedacht dat haar vader tuinman was. In de buitenhuizen in Sotsji, op de Krim of in de omgeving van Moskou vond hij het fijn om bloemen en bomen aan te raken. Wanneer hij de geur van rozen opsnoof zag ze zijn mooie snor trillen.

Toen ze een jaar na de dood van haar moeder naar school ging en het gebouw binnenstapte van dat wat men de 'Vijfentwintigste modelschool' noemde, zag ze tot haar verbazing dat er op alle muren van de binnenplaats die bij de Gorkistraat uitkwam portretten van haar vader hingen. Op dat ogenblik had ze begrepen dat haar vader geen tuinman was.

Hij was de hoogste baas van een immens groot land, dat tot aan Mongolië en de Stille Oceaan reikte.

Hij heette Jozef Stalin.

Ze hoorde hem nogmaals zeggen: 'Zorg dat je hem vindt. En laat me nu met rust.'

Toen ze zich omdraaide zag ze hoe hij de ander met de rug van zijn hand wegwuifde, zoals je een vlieg van een bord met vlees wegjaagt.

Hij pakte het meisje bij haar hand.

'En? Vind mijn bazinnetje het leuk om naar de film te gaan?'

Maar Setanka wilde geen antwoord geven. Ze keek naar een ster boven het dak van de wintertuin. Ze moest denken aan de Vogel, die door een andere hemel zweefde, en die elk moment midden in zijn vlucht kon worden geraakt.

17

De ontmoeting

Friedrichshafen, Duitsland, een jaar later, mei 1935

Obers kennen ze wel, die mensen die voor twee personen hebben gereserveerd, maar in hun eentje komen. Ze hebben zich piekfijn gekleed voor een romantisch etentje. Ze werpen een blik op hun horloge en terwijl ze zichzelf in hun glas of hun lepel bekijken strijken ze hun haar glad.

Niemand komt.

Als ze hun vragen of ze het tweede bord zullen weghalen, mag dat niet.

'Nee. Mijn gast laat vast niet lang meer op zich wachten. Ze komt nog. Ze is vaak te laat!' Een uur later biedt het huis een klein aperitief aan bij wijze van troost. De andere gasten kijken medelijdend toe.

Die avond was er in restaurant Kurgarten een tafel voor twee gedekt aan de waterkant. Het restaurant zat vol. Hugo Eckener zat al drie kwartier te wachten, maar dat leek hem niet te deren.

De gerant, die hem had herkend, liep voortdurend langs om zijn diensten aan te bieden.

Vlak naast hem bogen de bomen zich over het water. Eckener zag de lichten van een dorp aan de overkant van het meer. Aan de naburige tafels zaten alleen maar stelletjes met hun benen onder het tafelkleed tegen elkaar aan gevlijd.

'Een krant, Herr Doktor?'

Een ober hield hem een stapel kranten van die dag voor.

Eckener duwde ze weg.

'Geen sprake van.'

Wanneer Hugo Eckener de krant opensloeg deed hij hem onmiddellijk weer dicht, alsof het een mand met slangen was. In Duitsland sprak de pers nergens meer vrijuit over, en als er bij toeval een bericht werd gepubliceerd dat klopte was het om kippenvel van te krijgen.

Tien maanden eerder, in juli 1934, had Eckener een verschrikkelijke nacht overleefd, waarin Hitler tientallen hooggeplaatste personen die hem in de weg zaten had laten vermoorden: de Nacht van de Lange Messen.

Dankzij een minister die hem in bescherming had genomen, was Hugo Eckener op het nippertje aan de dood ontsnapt.

Toen hij de volgende morgen in de kranten keek kon hij nergens een bericht vinden waarin dat bloedbad aan de kaak werd gesteld.

Zulke misdrijven kwamen steeds vaker voor. Waarom zou je je uitsloven om anderen te overtuigen als je ze ook onschadelijk kon maken? Door de crisisjaren waren er zoveel mensen werkeloos geworden dat ze alle beloften die Hitler hun toeschreeuwde grif geloofden, en alle schuldigen die hij aanwees te grazen namen.

Eckener zag een bootje dat in het donker het meer overstak.

De ober bracht hem een glas wijn op een dienblad.

'Ik heb u toch gezegd dat ik nog niets wilde hebben,' zei Eckener.

'Het is van het huis.'

Hij keek naar het glas dat voor hem stond. Hij dacht aan zijn vrouw. Hij had tegen haar gezegd dat hij ging eten met een oude studievriend, een zekere Moritz die zich in München als psycholoog had gevestigd.

'Het schijnt dat hij al zijn haren kwijt is!' had de commandant tegen mevrouw Eckener gegrapt om nog geloofwaardiger over te komen.

De ober liep op zijn tenen weg.

'Ik ben blij dat u niet op mij hebt gewacht om iets te drinken.'

Eckener ging staan. Er stond een jonge vrouw voor hem. Hij vond haar beeldschoon. Alle gasten van het restaurant zwegen en keken naar dit wonderlijke stel.

Ze gaven elkaar een hand.

'Je bent groot geworden, Ethel,' zei Hugo Eckener.

Dat was niet de meest romantische zin om een dame in een dergelijk restaurant te verwelkomen, maar hij had haar leren kennen toen ze twaalf was. Ze was nu bijna achttien. Ze zag er niet helemaal meer uit zoals toen.

'Het spijt me, Doktor Eckener. Ik heb u laten wachten.'

'Het was me een genoegen.'

'Er zijn twee galante ridders die me sinds gisteren volgen. Ik wilde ze een tochtje in het bos laten maken. Mijn auto is veel sneller dan die van hen. Nu kan ik hier rustig zitten.'

'Denk je dat je ze hebt afgeschud?'

Ethel knikte.

Sinds ze in Duitsland was aangekomen, werd ze voortdurend in de gaten gehouden door agenten die je nauwelijks geheim kon noemen. Uiteindelijk was ze met honderdvijfendertig kilometer per uur een bosweggetje ingeslagen. Haar kleine Napier-Railton vloog tussen de dennenbomen door. Het was onmogelijk om haar bij te houden.

Een paar tafels verderop begon een accordeonist te spelen.

'Zie je die boot daarginds?' vroeg Eckener terwijl hij het meisje liet plaatsnemen.

'Ja, die zie ik.'

Ze rook de weeïge geur van het Bodenmeer en van de klaprozen die tussen de kaarsen op tafel stonden. Ze herinnerde zich hoe ze jaren geleden met haar broer een boottochtje op het meer had gemaakt, voordat ze aan boord van de zeppelin gingen. Dat was daar, voor het hotel. Precies op die plek. Ze was toen een meisje zonder levenslust, al vier jaar kapot van de dood van haar ouders. Ze sprak niet meer. Geen woord, al vier jaar lang.

De reis met de luchtballon had alles veranderd.

Ze keek nogmaals naar de roeiers, die dat verlichte restaurant op de oever moesten zien.

'Waarom vraagt u me dat? Wilt u me meenemen voor een roei-tochtje, meneer Eckener?'

'Jouw galante ridders zitten in die boot.'

Ethel staarde Eckener verbouwereerd aan.

'Je kunt ze niet afschudden,' voegde hij eraan toe. 'De mijne volgen me al een jaar lang.'

'Waar zijn die van u dan?'

'De een zit aan de bar in het restaurant. De ander bezorgt ons hoofdpijn met die afschuwelijke accordeonmuziek.'

Ze draaide zich om naar de muzikant, die hen strak aankeek.

'Daarom heb ik hier met je afgesproken, lieve Ethel. Ik kies altijd een plek uit die zo veel mogelijk opvalt, zodat ze niet denken dat ik iets te verbergen heb.'

Hij bekeek haar nog eens goed en voegde er toen aan toe: 'Vooral wanneer ik de avond doorbreng met iemand die er precies uitziet zoals men zich een jonge Engelse spionne voorstelt.'

'Schotse.'

'Inderdaad, Schotse. Dat is waar. Hoe gaat het met je broer? Is hij nog steeds piloot?'

'Ja. Hij heeft nu een vliegtuig.'

'En jij?'

'Ik mag er van hem niet mee vliegen,' zei Ethel.

Ze zei het alsof ze een meisje van zeven was.

'En jij laat hem zijn gang gaan?'

Ze bestelden hun maaltijd. Het werd een vrolijke avond. Ze hadden het over mechanica, over wolken, over het verschil tussen Schotse en Duitse kool, en vooral over hun herinneringen: over die reis om de wereld die ze samen in de zeppelin hadden gemaakt.

Ethel schetste het portret van een paar passagiers. Eckener was verbaasd dat ze het allemaal nog zo goed wist. Ieder ogenblik had ze in haar geheugen opgeslagen. Ze gaf een nauwkeurige beschrijving van de leren bretels van een reiziger of van de hangar in Kasumi-gaura, in Japan, waar ze een tussenstop hadden gemaakt.

Ethel at voor vier.

En ze was beeldschoon. Ze droeg een jurk waarin haar moeder in Amerika na de oorlog vermoedelijk de charleston had gedanst, waarbij je op het ritme van de muziek beurtelings je hakken achter je optilt om je handen aan te raken.

Ethel luisterde naar het relaas van de expeditie die Eckener naar de Noordpool had gemaakt. Het was gelukt om met de Graf Zeppelin in de IJszee te landen, vlak bij het Hooker Island. Ethel huiverde en vroeg lachend om warmere reisverslagen.

Toen vertelde hij haar van de piramiden en van Jeruzalem.

Ethel had haar schoenen uitgetrokken.

De mensen om hen heen mompelden. Ze vonden haar misschien ouderwets, met haar jurk uit de jaren twintig. Ze fluisterden dat ze te hard lachte. Maar zowel de mannen als de vrouwen konden hun ogen niet van haar afhouden.

Er werden die avond heel wat nekken verdraaid.

Hugo Eckener had het erg naar zijn zin. Toch dacht hij aan een naam die ze geen van beiden nog hadden uitgesproken. Dat was het bewijs dat ze allebei constant aan hem zaten te denken.

'Ik zat me iets af te vragen,' zei Ethel.

Hugo Eckener zette zijn glas neer. Het was zover.

'Herinnert u zich...' vroeg ze, 'die jongen... Vango...'

Eckener glimlachte. Ze had de voornaam langzaam uitgesproken, met toegeknepen ogen alsof ze zich misschien vergiste, terwijl ze zo-even in staat was geweest om van elke boordwerktuigkundige aan boord van de zeppelin te zeggen welke kleur sokken hij had gedragen.

Het klonk allemaal niet oprecht, en het was de derde keer in een paar maanden tijd dat Eckener zoiets meemaakte.

Eerst was er die Fransman geweest, die zei dat hij in conservenblikken handelde en die bij hem langs was geweest. Een zekere Auguste Boulard.

Na over worst en spinazie in blik te hebben gepraat en dat van harte te hebben aanbevolen als proviand voor de Graf Zeppelin, na de voors en tegens van droge bonen en ingeblikte bonen te hebben opgesomd, na in smartelijke bewoordingen de aftakeling van de verse, slappe, zielige en steeds geler wordende boon na drie dagen reizen te hebben geschetst, had hij uiteindelijk dezelfde vraag gesteld: 'Herinnert u zich die jongen... Vango? Hebt u nog wel eens van hem gehoord?'

Daarna was er die passagier geweest tijdens een oversteek naar Lakehurst, vlak bij New York. Een Rus die hij al kende en die hem had gevraagd: 'Herinnert u zich die jongen...'

Elke keer had Hugo Eckener geantwoord dat hij zich hem heel goed herinnerde, ja, precies, een aardige jongen inderdaad, maar dat hij al vijf jaar niets meer van hem had vernomen.

'Is het misschien toevallig vanwege die laatste vraag, lieve Ethel, dat ik vanavond het voorrecht heb om met jou te mogen eten? Zou het – hoe vreemd het ook lijkt – zo kunnen zijn, kleine Ethel, dat jouw hart meer naar hem uitgaat dan naar mij?'

Gegeneerd liet het meisje haar glas in het rond draaien.

'Weet je dat je niet de enige bent die hem zoekt?' vroeg Eckener.

'U hebt waarschijnlijk een meneer op bezoek gehad, klein van postuur, een beetje gezet, met een paraplu,' zei Ethel.

'Ja, beaamde Eckener, 'met een paraplu.'

'En misschien ook een Rus met een bril, een snor en een gezicht met de kleur van gesmolten kaarsvet?'

'Misschien,' beaamde hij, 'maar dan zonder snor.'

'De Rus die in 1929 met ons in de zeppelin meereisde?'

'Die, ja. Precies... Maar dan zonder snor.'

Vanwege hen had de commandant besloten om niets tegen het meisje te zeggen. Ze maakten hem bang. Eckener had Ethels vader jaren geleden in Ohio leren kennen. Ter nagedachtenis aan die vriend had hij het weesmeisje en haar broer uitgenodigd om in september 1929 met de zeppelin een reis om de wereld te maken. Hij voelde zich een beetje verantwoordelijk voor haar.

'*Gij zult de prooi van de schorpioen niet begeren*,' zei Eckener op plechtige toon.

'Staat dat in de Bijbel?'

'Het zou er in elk geval wel in horen te staan!'

Hij wist niet veel van de Bijbel. Hij had niet veel op met godsdienst en hij had geweigerd om in de kerk te trouwen.

'*Gij zult de prooi van de schorpioen niet begeren*,' zei hij nogmaals, op nog mysterieuzere toon.

'Wat betekent dat?' vroeg Ethel.

'Dat betekent dat je op je zoektocht naar Vango eerst degenen zult tegenkomen die achter hem aan zitten.'

'Ik ben niet bang.'

'Ze zijn gevaarlijk.'

'Maar ik ben niet bang.'

Eckener streek met zijn hand door zijn baard.

'Waar is hij?' vroeg Ethel zachtjes.

'Dat weet ik niet.'

'Ik weet zeker dat hij hier is geweest.'

'Hij is aan de oever van dit meer geweest, ja. Vijf of zes jaar geleden. Maar dat wist je al, want toen was jij er ook.'

Ethel verhief haar stem.

'U hebt het recht niet om mij hetzelfde antwoord te geven als de anderen, Herr Doktor. Zij willen hem uit de weg ruimen, maar ik...'

Ze kon haar zin niet afmaken. Waarom zocht ze hem?

'Je weet dat hij in Parijs tot priester is gewijd,' zei Eckener kalm.

'Nee!'

Ze had haar vuist op tafel gelegd. Vango was geen priester. Het had inderdaad maar drie of vier minuten gescheeld, maar hij was het niet geworden.

Eckener voelde dat Ethel zich door niets zou laten tegenhouden. Hij leunde achterover in zijn stoel.

Waarom zou hij haar eigenlijk niet vertellen van het bestaan van het onzichtbare klooster van Zefiro? Daar was Vango vast en zeker naartoe gegaan, nadat de zeppelin hem vlak bij de vulkaan Stromboli had afgezet.

Een handjevol mensen op aarde kende het geheim van dat klooster. Hij was een van hen. Allemaal zouden ze liever sterven dan het geheim prijsgeven. Maar Ethels wil leek sterker dan alles.

Ja, dacht hij, ik ga haar vertellen waar hij is. Ze zal minder gevaar lopen als ze hun allemaal te vlug af is. En misschien zal ze Vango kunnen helpen.

Hij keek om zich heen. Er zat niemand meer aan de naburige tafeltjes. De kandelaars op de tafelkleden waren gedoofd; alleen hun tafel was als een wit eilandje aan het water overgebleven.

Ethel wachtte. Eckener vouwde zorgvuldig zijn servet op. Hij dacht na over het risico dat hij nam. Het gevaar voor zijn vriend Zefiro. Maar hij wilde ook dit meisje beschermen.

'Moet je luisteren, Ethel...'

Er kwam iemand naar Hugo Eckener toe.

'Meneer,' zei hij, terwijl hij zich naar de commandant toe boog. Het was een ober.

'Straks,' bromde Eckener.

'Maar meneer...'

'Straks, zei ik.'

De ober waagde het om nog iets te zeggen: 'Frau Eckener voor u...'

'Verdraaid!' zei hij, 'mijn vrouw! Waar is de telefoon?'

'Ze is niet aan de telefoon, meneer.'

'Waar is ze dan?'

'Vlak... vlak achter u.'

18

De drie zwemmers

Johanna Eckener stond inderdaad in het halfduistere restaurant. Met een geamuseerd gezicht keek ze Hugo aan.

'Het spijt me,' zei ze. 'Neemt u mij niet kwalijk, juffrouw. Ik had een zeer dringende boodschap voor mijn man.'

Eckener was verlamd van schrik.

'Goedenavond, Hugo.'

Hij kon niet eens een geluid uitbrengen.

'Vertel me eens, is dat jouw vriend Moritz, die je zo lang niet had gezien, de psycholoog die... kaal was?'

Ethel zette grote ogen op.

Hugo Eckener was zo weinig gewend aan dit soort kluchtige taferelen dat hij bijna ja had gezegd en had toegegeven dat Moritz inderdaad erg veranderd was, dat hij hem eerlijk gezegd niet onmiddellijk had herkend, enzovoort. Maar het leek hem bij nader inzien toch verstandiger om het uit te leggen.

'Johanna...'

Ze hield expres haar mond dicht om hem te laten stuntelen.

'Johanna, ik weet niet waarom...'

In feite wist hij heel goed waarom hij tegen haar gelogen had.

Omdat ze al zeven of acht jaar niet meer romantisch met z'n tweetjes in een restaurant hadden gegeten, omdat hij best wist dat ze dat heerlijk zou vinden, omdat hij al zijn tijd met zijn luchtschip en zijn bemanning doorbracht, en omdat hij haar niet wilde vertellen dat hij met een jongedame ging eten, die hem alleen maar een kattebelletje van drie regels had geschreven, waarna hij zo gauw mogelijk de mooiste, met kaarsen verlichte tafel in het beste restaurant had gereserveerd.

'Ik zweer je dat...'

Johanna glimlachte droevig. Ze wist hoe eerlijk hij was, op het ziekelijke af, en ze geloofde niet dat hij iets anders dan dit etentje op zijn kerfstok had. Maar dat was al erg genoeg.

Hoewel ze dacht dat ze in de loop der tijd verstandig was geworden, moest ze nu toegeven dat ze jaloers was. Niet op Ethel, maar op dit moment, op de sterren, op de klaprozen die tussen hen in stonden, op de witte kaarsen op het tafelkleed.

Ze zou er veel voor gegeven hebben om Hugo één avond voor haar alleen te hebben, aan de oever van het meer, eindelijk met zijn voeten op de grond, met zijn ogen in de hare.

'Neemt u mij niet kwalijk, juffrouw, ik weet dat u er niets aan kunt doen,' zei ze tegen Ethel. 'Het is iets tussen mijn man en mij. Het spijt me dat u hiervan getuige moet zijn.' Haar stem klonk een beetje gesmoord.

'Nee, het spijt míj,' zei Ethel die overeind kwam. 'Ik dacht niet...'

'Blijft u alstublieft zitten. Ik ben zo klaar.'

Ze keek Eckener aan en zei op gedempte toon: 'Hugo, ik kwam je alleen maar vertellen dat er iemand bij ons thuis langs is geweest. Hij moet je dringend onder vier ogen spreken.'

'Wie is het?'

'Dat weet ik niet.'

Ze aarzelde en wierp een blik op Ethel.

'Je kan het zeggen waar zij bij is...'

'Hij had het over Violette...'

Bij het horen van die naam keek Eckener alsof hij door de bliksem getroffen was.

'Waar is hij?'

'Ik heb hem gezegd dat hij op je moest wachten bij de strandcabine, tegenover het eiland.'

'En dat stelletje daar, wat moet ik daar dan mee?'

Hij wees op de drie of vier schaduwen, die op een bank zaten te wachten, klaar om hen te volgen zodra ze in beweging zouden komen. Ze vielen net zo weinig op als een koppel eenden in een theesalon.

'Die hou ik wel bezig,' zei Ethel.

'Ik ook,' zei Johanna.

Eckener trok een sceptisch gezicht.

'Pak je auto,' beval Johanna. 'Juffrouw, gaat u met mij mee?'

'Heel graag.'

En Johanna nam het meisje bij de arm.

Eckener vroeg zich af wat ze voor hem in petto hadden. Maar hij kende de karakters van die twee dames. Het leek hem beter om op hen te vertrouwen.

Ze deden alsof ze alle drie het restaurant verlieten en groetten de gerant. Eckener vroeg een van de obers of ze hem de volgende dag de rekening wilden sturen.

Er stonden nog een paar auto's op de binnenplaats. Eckener stapte in de zijne, en zijn vrouw ging naast Ethel in de kleine Railton zitten, die naast de muur geparkeerd stond. Ze praatten even met elkaar. Twee andere auto's stonden al te ronken en maakten zich op om hen te volgen.

'Gaat u maar voor,' riep Ethel tegen Eckener boven het geknetter van de vertrekkende auto's uit.

De commandant gebaarde vanuit zijn zwarte berline dat hij het had begrepen.

Om de binnenplaats te verlaten moest je tussen twee reusachtige bloeiende rododendronstruiken door rijden, en dat lukte maar met één auto tegelijk.

Eckener reed dus als eerste weg. Ethel en Frau Eckener volgden.

'Wacht...'

Midden in de smalle doorgang liet Johanna Eckener de auto stoppen.

'O! Kijk nou toch eens...'

Ze stapte uit en liep naar de bloemenhaag om een van de dikke, paarse bloemen te plukken. Ethel zette de motor af en voegde zich bij haar. Ze begonnen een gesprek over tuinieren, mesten en stekken. Achter hen stonden de twee andere auto's te ronken.

Er klonk getoeter en geschreeuw.

'Wat is dat mooi,' zei Ethel. Gelukzalig streelden ze de bloemblaadjes, alsof ze die nog nooit had gezien.

De lichten van de auto van Doktor Eckener werden steeds kleiner.

Achter de beide vrouwen werden woedend portieren dichtgeslagen.

'Weet u dat je rododendrons heel goed kan stekken?' zei Johanna tegen Ethel.

'Ach nee!'

Ze trok een verbijsterd gezicht, alsof haar zojuist was verteld dat de zon voorgoed was ondergegaan.

'Jazeker!'

Er dook een man tussen hen op.

'En seringen?' vroeg Ethel geestdriftig.

'Seringen? Praat me er niet van! Die van mij doen het dit voorjaar helemaal niet goed...'

'Wilt u uw auto daar weghalen?' blafte de man woedend.

'Nee, het is echt tobben met die seringen, vind ik,' ging Johanna verder.

'Maak de doorgang vrij!'

'Toch geef ik ze een voetenbadje en flink wat mest om ze weer op gang te helpen...'

Ze had het nog steeds over haar bloemen, maar de man keek schaapachtig naar haar voeten.

'Laat ons erlangs!' schreeuwde een ander die kwam aanrennen.

'Pardon?'

De vrouwen keken alsof ze de twee mannen voor het eerst zagen staan.

'Hebt u misschien haast?' vroeg Ethel poeslief.

Ze trok een nadenkend gezicht en wees met haar vinger naar de man.

'Maar heb ik u niet de hele avond smachtend aan het meer zien zitten?'

Ze sprak Duits met een zangerig accent.

'Haal uw auto weg of ik sla hem aan gort.'

'Het was zo aandoenlijk, zoals u met uw hartsvrienden een romantisch boottochtje in het maanlicht maakte. Ik had haast de neiging om rozenblaadjes naar u toe te gooien.'

Johanna Eckener trok haar aan de arm mee. 'Meneer heeft gelijk,' zei ze. 'De auto staat in de weg.'

Ethel liet zich meevoeren.

Ze hadden hun taak volbracht.

Je moet weten wanneer het mooi is geweest.

Hugo Eckener parkeerde zijn auto langs de weg, aan de oever van het meer. Het was bijna donker. Het strand was verlaten. Hij trof niemand bij het strandhuisje aan. Het was een wit hutje, zoals die ook wel op de stranden langs de Atlantische Oceaan stonden, op lage palen en met een trappetje. Hij ging op de treden staan en wachtte een paar minuten. Hij stak een sigaar op. Het begon zachtjes te waaien.

Ten slotte deed Eckener een paar stappen in de richting van het kabbelende water van het meer. Plotseling bleef hij staan.

Hij had iets gezien.

De commandant trok zijn broek, zijn jasje en zijn andere kleren uit. Hij had alleen nog een lange, witkatoenen onderbroek aan. Hij liep het meer in.

Er stond een man tot aan zijn schouders in het water op hem te wachten.

'Ben je alleen?' vroeg Eckener. Hij had nog altijd zijn sigaar in zijn mond.

'Nee,' antwoordde de ander, 'ik ben hier met de onzichtbare man.'

Eckener herkende onmiddellijk Esquirol, de befaamde arts uit Parijs.

De commandant was een kwarteeuw ouder dan hij, maar ze waren net zo dik bevriend als kostschoolvrienden of legerkameraden. Ze vonden het jammer dat ze elkaar zo weinig zagen, en altijd in ernstige situaties.

Plotseling voelde Eckener dat de sigaar uit zijn mond werd getrokken.

'Wel verdraaid!'

Het rood oplichtende tipje van de sigaar vloog over hen heen en doofde vier of vijf meter verder in het water uit.

'Wie is daar?'

Van verbazing had Eckener bijna zijn evenwicht verloren. Dit alles had zich afgespeeld zonder dat Esquirol een beweging had gemaakt.

'Ik zei je toch dat ik de onzichtbare man bij me had!' zei de arts.

Inderdaad klonk er een zacht lachje in het halfduister. Hugo voelde een hand die op zijn schouder werd gelegd.

'Hallo Doktor Eckener.'

Het was Joseph Jacques Puppet, een kleine gestalte die je onmogelijk in het donker kon opmerken. Op zijn zwarte huid droeg hij een tricot badpak van dezelfde kleur, volgens de laatste zwemmode voor mannen uit Monte-Carlo.

Hij was geboren in Grand-Bassam in West-Afrika en had tijdens de Eerste Wereldoorlog bijna het leven gelaten in Verdun, en daarna in de boksring in het stadion van Parijs en in het Holborn Stadium in Londen, waar hij als lichtgewicht aan wedstrijden meedeed onder de naam J.J. Puppet. Vlak voordat hij eraan onderdoor ging, was hij gestopt met boksen, en nu was hij Joseph, de kapper uit Monaco die vanwege zijn manier van knippen aan de hele Côte d'Azur beroemd was.

Hoewel Eckener zielsblij was om zijn vrienden terug te zien, vermoedde hij dat de situatie zorgwekkend was. Ze waren naar een gevaarlijk land gekomen, terwijl de uitdrukkelijke afspraak was dat ze elkaar niet zouden ontmoeten.

Zomin mogelijk met z'n drieën, en nooit met getuigen erbij.

Het ging dus duidelijk om een ernstige zaak.

Ze zwommen naar het midden van het meer.

'Vertel op,' zei Eckener.

'We hebben Zefiro nodig,' antwoordde Esquirol, die intussen de omgeving in de gaten hield.

'Waarom?'

'Vanwege Viktor.'

'Viktor?'

'De politie in Parijs denkt dat ze Viktor Voloj hebben gevonden. Ze willen dat Zefiro komt kijken of hij het echt is.'

Eckener was aan het watertrappelen.

Hij was opgelucht. Even had hij gedacht dat het weer over Vango zou gaan. Na een poosje vroeg hij: 'Hoe hebben ze Viktor gevonden?'

'Bij toeval, tijdens een controle aan de Spaanse grens.'

'Dat is onmogelijk,' zei Eckener.

Hoe konden ze geloven dat een van de gevaarlijkste en ongrijpbaarste mannen van Europa zich zomaar had laten oppakken?

'Ze weten bijna zeker dat hij het is. Maar tenzij iemand hem met zekerheid herkent, moeten ze hem weer laten gaan. Er wordt van hogerhand druk uitgeoefend.'

'En voor dat geintje willen jullie Zefiro's leven op het spel zetten?'

'Ja.'

'Dat heeft hij zelf al vaak genoeg gedaan. Laat hem met rust.'

'Ze hebben hem nog één keer nodig. Daarna is het afgelopen, maar hij is de enige die Viktor kan herkennen. We moeten het hem vragen. Vertel ons waar hij is.'

Ze bleven alle roerloos op hun rug in het water drijven, zonder een woord te zeggen.

Joseph Puppet, die haast nog niets had gezegd, richtte zich tot Hugo Eckener: 'Het is nu 1935, de oorlog is nog geen zeventien jaar afgelopen en kan van de ene op de andere dag weer uitbreken. Je weet hoe de wereld ervoor staat, Doktor Eckener. Dat weet jij maar al te goed.'

'Ik ga jullie niet vertellen waar het klooster van Zefiro is.'

Ze zwegen. Op de weg reed een auto voorbij. Ze wachtten tot het geluid van de motor was weggestorven, en toen zei Eckener nogmaals: 'Ik vertel jullie niets.'

Esquirol fluisterde: 'Je bent geen spat veranderd, Eckener.'

'Wat bedoel je?'

'Hou op, Esquirol!' kwam Joseph tussenbeide.

'Ik bedoel,' ging Esquirol verder, 'dat je nooit iets gedaan hebt om te zorgen dat de dingen anders lopen.'

'Ik weet niet waar je het over hebt,' zei Eckener met een geknepen stem.

Ze wisten allemaal waar Esquirol het over had.

Voordat Hitler aan de macht kwam, hadden veel stemmen van links en uit het centrum van de Duitse politiek Hugo Eckener gevraagd om zich bij de verkiezingen kandidaat te stellen. Hij had ervan afgezien om de oude maarschalk Hindenburg, die zich ook kandidaat stelde, niet voor het hoofd te stoten.

De maarschalk werd gekozen, maar hij kon de opmars van de nazi's niet tegenhouden. Hindenburg was in augustus van het jaar daarvoor overleden en Hitler had prompt de macht gegrepen. Dat was misschien wel de periode in Hugo Eckeners leven waar hij de meeste wroeging over had.

In het donker hoorde hij de stem van zijn vriend Esquirol zeggen: 'Ik begrijp nu wel waarom jouw zeppelins de nazikleuren dragen...'

Eckener dook naar voren om de arts te lijf te gaan, maar Joseph kwam tussenbeide. Ondanks zijn kleine postuur zou niemand de boksende kapper uit Monaco graag willen uitdagen.

'Hou op!'

Alle drie keken ze elkaar aan.

Toen Hugo Eckener aan het eind van de nacht kletsnat thuiskwam, was zijn vrouw nog wakker.

'Ben je gaan zwemmen, Hugo?' vroeg ze. Ze pakte een handdoek om hem stevig droog te wrijven.

De afgelopen tijd gedroeg haar man zich als een puber die met zichzelf overhoop lag.

'Waar is Ethel?' vroeg hij met paarse lippen.

'Ik heb haar gevraagd of ze wilde blijven slapen, maar ze is weer op weg gegaan. Ik vind het een heel aardig meisje.'

'Ja,' zei Eckener, 'ik ook.'

Hij trok zijn pyjama aan en ging liggen. Hij sloot zijn ogen maar kon de slaap niet vatten. Hij had nu al spijt van wat hij gedaan had. De rest van de nacht lag hij aan Zefiro en aan Vango te denken. Wat een wonderlijke speling van het lot dat de levens van die twee mensen, die allebei achtervolgd werden, bij toeval op hetzelfde eiland waren samengekomen.

Eckener had zijn vrienden daarnet precies verteld waar het eiland Arkudah lag.

19
De verrader van de bijenkorven

Arkudah, twee weken later, juni 1935

Er streken natte wolkjes langs zijn gezicht.

Vango hing in een reusachtig katoenen net aan de hoogste top van het eiland. Daar klom hij elke morgen naartoe, voordat de mist optrok, en dan keek hij in de verte naar het huis van Mademoiselle, een piepklein wit stipje tussen een paar andere huizen op het eiland Salina.

Hij wist dat zijn kinderjuffrouw ogenschijnlijk een weer bijna normaal leven leidde nadat de twee gewapende mannen een jaar geleden haar huis waren binnengedrongen. Dokter Basilio was zo goed geweest om de blauw betegelde muren te herstellen, terwijl Mazzetta met zijn ezel een paar passen verderop de wacht hield.

Sinds hij het kloosterleven had hervat, pakte Vango op de eerste dag van elke maand zonder iets te zeggen een sloep en roeide daarmee naar de voet van de kliffen van Pollara. Dan ging hij in de buurt van Mademoiselles huisje rondsluipen totdat Mazzetta, die altijd op de loer lag, op een gegeven moment tevoorschijn sprong en hem bijna tegen de vlakte sloeg.

'Ik ben het!' fluisterde Vango dan.

Mazzetta bromde en liet zijn arm zakken.

'Ben jij het?'

Wanneer hij eindelijk doorhad dat het Vango was nam hij hem stilletjes mee naar zijn grot om niet de aandacht van Mademoiselle te trekken.

Het had lang geduurd voordat ze weer op krachten was gekomen nadat haar huis was vernield. Ze was er zeker van dat haar aanvallers achter Vango aan zaten. Maar tegen dokter Basilio had ze gezegd dat ze waarschijnlijk op haar spaargeld uit waren, in de veronderstelling dat een vrouw alleen, afkomstig uit het buitenland, vast een heleboel goud tussen haar linnengoed verstopt had.

Nadat de bezoekers nog een paar dagen in de buurt waren gebleven, waren ze weer vertrokken. Mazzetta had hen onopvallend tot aan de haven van Lipari uitgeleide gedaan om zeker te weten dat ze inderdaad de Eolische Eilanden verlieten.

'Laat me met Mademoiselle praten, nu ze er niet meer zijn,' vroeg Vango aan Mazzetta.

Die wist hem altijd op andere gedachten te brengen.

Hij mocht niets tegen haar zeggen, zich niet laten zien, haar niet opzoeken. Dat was de enige manier om haar te beschermen. Kwamen de twee mannen terug, dan zouden ze tot alles in staat zijn om haar aan de praat te krijgen. Ze mocht dus niets weten. En daarom weerstond Vango de verleiding om naar het witte huisje te snellen en zijn kinderjuffrouw om de hals te vliegen.

Vanuit zijn net hoog in de lucht, met zijn hoofd in de mistwolken, keek hij dus elke ochtend met een brok in zijn keel naar het eiland Salina. Daarna klom hij maas voor maas naar beneden om aan het werk te gaan.

Vango begon de touwen van de masten los te knopen. Dat waren vijf reusachtige netten die elke nacht aan de top van het kloostereiland werden opgehesen. Het was een uitvinding van Zefiro. Het geheim van zijn wonderschone tuinen.

Op een dag, toen Vango het eiland net had ontdekt, had hij hem, kijkend naar de prachtige citroenbomen, gevraagd: 'Waar is de bron die dit alles van water voorziet, padre?'

Zefiro had een vinger in de lucht gestoken en Vango had eerst gedacht dat het om een geheimzinnig bovennatuurlijk verschijnsel ging. Maar algauw had hij begrepen dat Zefiro alleen maar naar de wolken wees.

Er was geen bron op het eiland.

Het water van de wolken die elke nacht rond de top van het eiland hingen, maakte langzaam maar zeker het katoen van de netten nat en droop langs de mazen naar de leidingen die in onderaardse waterreservoirs uitkwamen. Tweeduizend liter per net per dag. En in de herfst en de winter werden deze enorme voorraden zuiver water nog eens door regenbuien aangevuld. Daardoor was er op dit dorre eiland genoeg water om een kudde van honderd koeien te drenken.

Wanneer hij 's morgens de kapel verliet, was Vango's eerste taak dus om de netten vanaf de top van het eiland naar beneden te laten zakken, net zoals je de zeilen van een schip strijkt.

In twaalf maanden tijd was Vango in de huid van een onzichtbare monnik gekropen. Ze hadden allemaal bewondering voor zijn snelle aanpassingsvermogen. Hij studeerde en bad net als zij. Hij had zich gevoegd naar de regelmaat van hun bestaan en hij volgde hun dagindeling op de voet.

In de kapel ging zijn stem op in de gezangen die de anderen zongen.

Als er gewerkt moest worden, stak hij zijn handen uit zijn mouwen.

'Want dan pas zijn ze werkelijk monniken, als ze leven van het werk van hun handen,' zei broeder Marco, de kloosterregel citerend.

Hij deed alles om in dat ritme te komen.

Vanaf de vroege Middeleeuwen had dit evenwichtige bestaan van de kloosters in de loop der eeuwen vorm en inhoud gekregen. Het was alsof je keek naar een prachtige kiezelsteen die duizend jaar lang in het water heeft gelegen.

Vango had maar al te graag de rust willen ervaren die hij in de ogen van de anderen beleefde. Maar hij wist dat zijn leven een illusie was. Ook al deed hij nog zo zijn best, hij zat midden in een wervelstorm. Het mysterie van zijn verleden hield hem van 's morgens vroeg tot 's avonds laat bezig. Waar kwam hij vandaan? Wie zat er achter hem aan? Hij sliep niet en bleef 's nachts op zijn knieën op de stenen vloer van zijn kamer zitten. Hij probeerde het te begrijpen. Zijn gebed was een stille schreeuw.

Toch had hij tien jaar lang naar dit bestaan verlangd. Ondanks de muren die hem omringden had hij zich er in het klooster in Parijs elke dag van overtuigd dat zijn keuze geen kinderdroom was. Ondanks de aarzelingen van Zefiro wist hij dat deze weg de zijne was.

Hij wilde een leven zonder grenzen. Voor hem speelde dat leven zich daar af.

Zijn beslissing was als vanzelf tot stand gekomen, toen hij twaalf jaar was, op een regenachtige dag. Het was alsof iemand hem iets had toevertrouwd, alsof iemand had gezegd: 'Let jij er zolang op, tot ik terugkom.'

Maar nu stond hij er helemaal alleen voor, met dat ding in zijn handen, met het leven dat eromheen draaide, met het mysterie en de angst. Hij kon dat ding niet eens loslaten, begraven, delen of aan de eerste de beste doorgeven. Want voor hem was het iets belangrijks.

En daarnaast had hij Ethel, een andere hemel die hem niet losliet.

Op sommige avonden, als hij tussen zijn verlangens en zijn angsten heen en weer werd geslingerd, ging hij naar de hoge rotsen achter het klooster en dook ervan af. Vango was niet bang meer voor de zee. Hij stortte zich er als een vogel in. Hij dook uit het water op, met een huid die wit oplichtte in de maneschijn.

Vango liep terug naar het klooster. Hoewel de warmste maanden van het jaar aanbraken, was het in de buurt van de tuinen heerlijk koel. Hij liep de moestuin in, die boven het klooster op het zuiden lag. Het water liep door goten van gebakken klei over een muurtje van een meter hoog. Je rook er de geur van de meloenen, die op de grond lagen en bijna openbarstten in de zon. Witte winde kroop kronkelig over de hekjes van kastanjehout. Je zou verwachten dat je Adam en Eva in deze Hof van Eden zou tegenkomen, maar die ochtend droeg de eerste mens een zwart schort dat strak om zijn buik spande, en was hij bezig om de slakroppen uit te zoeken.

Het was Pippo Troisi.

'Ach, Vango, het is oorlog! Breng dit even voor me naar de keuken. De konijnen van de padre hebben zich vannacht aan de sla vergrepen. Het is oorlog, Vango. Ze graven tunnels! Mijn kippen zouden zoiets nooit doen. Zefiro zou ze in zee moeten gooien, die konijnen van hem...'

Het was duidelijk dat Pippo geen gelofte van zwijgzaamheid had afgelegd. Hoe meer de monniken om hem heen zwegen, hoe meer hij erop los kletste. Zijn monologen waren een bron van vermaak voor de kloostergemeenschap. Daardoor had hij – de arme konijnen niet meegerekend – veertig paar oren helemaal voor hem alleen, iets waar iedere kletskous van zou dromen.

Vango zag naast Pippo een jachtgeweer liggen.

'Trouwens, je brengt geen konijnen naar een eiland. Dat is een vuistregel. Wanneer zal hij dat nou eens begrijpen, die Zefiro? Wacht maar, als ze nog een keer in de buurt van mijn sla komen, pomp ik vol lood, die hazenpepers. Regelrecht en zonder tussenstop.'

Vango bukte zich om de mand met sla op te pakken.

'Trouwens,' ging Pippo verder, 'het is de padre in zijn bol geslagen... Vanmorgen kreeg hij bezoek! Bezoek! Als je Jan en alleman hier laat komen, heeft dit klooster straks niets onzichtbaars meer. Je kan zeggen wat je wilt, maar het begint met één bezoeker en het eindigt met boten vol bedevaartgangers. Regelrecht en zonder tussenstop. Ik zeg altijd: het is net als met konijnen, daar is niks onzichtbaars aan, dat is een invasie!'

Hij liet een stilte vallen om deze kernachtige uitspraak goed door te laten dringen tot zijn gehoor.

Vango was al weggelopen. Hij hoorde hoe Pippo verderging met zijn slakroppen.

'Onzichtbaar, onzichtbaar... Nou vraag ik je...'

Het grappigste was nog dat Pippo Troisi zelf de enige was die een invasie had gepleegd door plotseling op dit eiland op te duiken.

Vango hoefde alleen nog naar de boomgaard te lopen om wat fruit te halen. Daarna zou hij naar de eetzaal gaan om samen met Marco, de keukenbroeder, aan de slag te gaan.

Twee dagen per week werkte hij in de keuken, en alle monniken zaten op die twee dagen te wachten alsof het Pasen was. Vango had de gave en de kennis die hij van Mademoiselle had gekregen steeds verder ontwikkeld, eerst tijdens het jaar dat hij aan boord van de zeppelin had gewerkt en daarna in het klooster in Parijs.

In Parijs had hij zelfs een keer voor drie bisschoppen het avond-eten op Vastenavond mogen bereiden. Hij was een echte chef-kok geworden.

Op de dagen dat Vango achter het fornuis stond, dwaalden de monniken 's morgens al rond en gingen ze hun vrome boeken in de buurt van de keuken lezen terwijl ze met volle teugen in- en uit-ademden. Tijdens de mis aan het eind van de ochtend zag je hun neusgaten trillen als vlindervleugels. En om kwart over twaalf ze-gende Zefiro de tafel sneller dan ooit. Daarna gingen ze allemaal te-gelijk zitten, de servetten werden voor de borst geknoopt, de wan-gen kleurden al roze en vol toewijding namen ze, al naar gelang het seizoen, een hap van een paddenstoelenpastei of van de gebakken aardappelen met spek. En bij de afwas was er geen gebrek aan vrij-willigers om de bodem van de pannen schoon te schrapen.

Tijdens de veertig dagen van de vastentijd, een periode van sober-heid en onthouding, kwam Vango niet in de keuken.

Broeder Marco was niet jaloers. Integendeel, hij vond het leuk om andermans werk te bewonderen. Hij bleef zitten in een stoel in de buurt van Vango, met een bril op zijn voorhoofd, en zat alleen maar toe te kijken, net zoals de knapste musici in Wenen twee eeuwen eer-der achter de jonge Mozart gingen zitten om zijn handen op het kla-vier te kunnen zien.

Vango liep de boomgaard in. De bomen waren nog jong, maar ze bezweken haast onder de vruchtenlast. De monniken konden het niet bijhouden. Alle vruchtenmoes, compote, marmelade, jam, taarten, cakes, snoepjes en koekjes en brandewijn, alle stopflessen en potten waren niet genoeg om de fruitoogst te verwerken.

Twee keer had Vango stiekem een mandvol op de drempel van Mademoiselles huis gezet. De volgende dag had hij met zijn neus in de wind geprobeerd om over de zeearm die hem van haar scheidde de geur op te vangen van de vruchtensiroop met tijm die ze op het vuur liet trekken.

Vango begon kersen te rapen. Omdat ze door de mand heen vielen, zocht hij een paar grote bladeren om daar de bodem mee te bedekken. Maar toen hij naar de vijgenboom toeliep, hoorde hij stemmen.

Zefiro stond vlak bij zijn bijenkorven, achter de boom. Vango zag hem tussen de takken door staan. Hij praatte. Zijn stem werd gedempt door de imkerkap die hij droeg. Het was een soort helm met gaas ervoor, die hem tegen de bijen beschermde. Er was een andere man bij hem, die net zo'n kap ophad, maar omdat hij kleiner was, hing het gaas bij hem tot op zijn borst.

'Justitie heeft u nog één keer nodig,' zei de andere man in het Frans. 'Als hij achter slot en grendel zit, laten we u verder met rust.'

Vango liet zich in het gras vallen. Hij had die stem herkend. Het kon niet waar zijn.

'Wees verstandig,' raadde de kleine man aan.

'Je weet dat ik wel moet gehoorzamen,' zei Zefiro. 'Je hebt me in de tang met je barbaarse methoden...'

'Windt u zich niet op, eerwaarde vader,' zei de ander kalm.

'De laatste keer, in Parijs, was je niet eens in staat om hem te pakken.'

Commissaris Boulard gaf geen antwoord. Hij zweette onder zijn kap. Hij had een te dik reiskostuum aan voor dit klimaat.

'Vraag het aan iemand anders,' zei Zefiro.

'Niemand kent hem zo goed als u. Ik beloof u dat uw leven geen gevaar zal lopen.'

Zefiro wond zich op.

'Ik zet veel meer op het spel dan mijn leven,' schreeuwde hij. 'Mijn leven kan me gestolen worden.'

Boulard wist dat hij niet loog.

'Dus?' vroeg de commissaris. 'Dat is dan afgesproken?'

Zefiro deed zijn kap af en de bijen begonnen rond het gezicht van hun meester te dansen. Boulard deinsde achteruit.

'Je bent een schoft, commissaris,' zei Zefiro.

'Dat betekent ja?'

En dit keer hoorde Vango het antwoord luid en duidelijk.

'Ja.'

'Goed, je hebt alle instructies,' zei Boulard terwijl hij wegliep. 'Ik ga. Ik zie je daarginds weer. Denk erom: voor het eind van de maand. Succes, eerwaarde vader.'

Zefiro bleef alleen achter.

Hij ging op zijn hurken bij zijn bijenkorven zitten en keek hoe de werkbijen even in de lucht bij de opening bleven hangen om vervolgens op pad te gaan, ieder een andere kant op. Anderen vlogen naar binnen, een beetje wankel, zoals nachtarbeiders die hun dag beëindigen als anderen juist gaan beginnen.

Zefiro had zo nog uren kunnen blijven zitten om na te denken, maar toen hij opkeek keek hij recht in de loop van een geweer.

'Wat doe je, Vango?'

'Geen beweging. Ik zal u niet sparen.'

'Leg dat wapen neer.'

'Wat weet u van mij? Vertel me alles wat u weet.'

'Waar heb je het over?'

Toen hij Zefiro ja hoorde zeggen, was Vango naar de moestuin teruggerend. Pippo Troisi stond met zijn rug naar hem toe, met zijn neus bijna op de grond. Hij was onkruid rond de artisjokken aan het wieden en mopperde nog steeds.

'Onzichtbaar, onzichtbaar... En mijn achterwerk dan, is dat soms onzichtbaar?'

Eerlijk gezegd nam dat achterwerk, te midden van de sla en de kolen, het hele blikveld in beslag.

Vango had ongemerkt het geweer gepakt en was naar de boomgaard teruggegaan.

Hij had gecontroleerd of er patronen in zaten, en vervolgens het wapen op Zefiro gericht.

'Vertel me wat u weet, en dan zal ik weggaan.'

'Ik weet niets van jou,' herhaalde de padre. 'Ik zou je graag helpen, maar ik weet niets. Je hebt me nooit iets verteld.'

'U liegt. De commissaris heeft gezegd dat u alles van mij weet.'

Zefiro ging staan. Vango spande de haan van het geweer.

'Geen beweging.'

'Was je hier toen ik met de commissaris praatte?'

Zefiro liep naar de jongen toe, die geen stap achteruit deed.

'Je vergist je, Vango, je hebt het niet goed begrepen.'

'Ik waarschuw u!'

'Als je goed geluisterd hebt, weet je dat mijn leven me gestolen kan worden.'

'Geen beweging, zei ik,' beval hij opnieuw.

'Maar dat van jou kan me niet gestolen worden, Vango. Dus leg dat wapen weg. Je weet niet wat er gebeurt met het leven van een man die een ander gedood heeft.'

'Wel waar. Dat weet ik wél.'

Ze keken elkaar strak aan.

'Leg dat wapen neer.'

'Ik verdedig mijn leven,' zei Vango, die de haan van zijn jachtgeweer nog verder spande.

Je kon het onrustige gegons van de bijen horen.

'Geen stap verder,' zei Vango.

Zijn vinger trilde op de slagveer.

In minder dan een seconde was het wapen van hand gewisseld.

Zefiro had zijn arm over de loop gelegd en het met één snelle draaibeweging weggetrokken. Tegelijkertijd haakte hij Vango pootje, zodat die in het stof belandde.

20
Rue de Paradis

Zefiro haalde de patronen uit het geweer, liet ze in een zak van zijn bruine pij glijden en gooide het wapen in het gras.

Voor hem lag Vango nog steeds op de grond. Hij steunde op zijn ellebogen en probeerde zijn hoofd op te richten. De zon scheen recht op hem; er was geen spoortje schaduw.

De monnik keek hem niet aan. Hij plukte een vijg achter zich, ging tegen de boom zitten, drukte zijn duimen in het rode vruchtvlees en begon te praten.

'Luister naar me, Vango. Ik zal je een verhaal vertellen. Als je er tot het einde toe naar luistert, zul je alles begrijpen.

Toen ik dertig jaar was, ben ik als oorlogsaalmoezenier in dienst van het Franse leger gegaan. Dat gebeurde min of meer toevallig.

Ik was al monnik, in het westen van Frankrijk, toen in 1914 de oorlog uitbrak. Ik zorgde daar sinds twee jaar voor de tuin van een abdij aan het eind van een eiland midden op zee. Daar was ik beland nadat ik bij twee Italiaanse kloosters was weggestuurd. Het was een gemeenschap met vijftig nonnen, waar ik een aparte plaats innam als enige man tussen al die zusters. Ik was gelukkig in mijn tuin. Ik was een weerbarstige monnik, maar een monnik was ik, en ik wilde geen ander leven dan dat. Ik was vaak met de boeren aan het werk in de zoutpannen. Ik was bevriend met de molenaars, de zoutwinners en alle schippers in de haven. Ik had de mooiste tuin van de Atlantische Oceaan.

Begin september 1914 waren alle jongemannen van het eiland

naar het slagveld vertrokken. Duitsland was België binnengevallen. Frankrijk mengde zich in de strijd.

Ik was net zo oud als zij, ik wilde met hen mee.

De moeder-overste van de abdij heette Elisabeth. Ze gaf me toestemming om te gaan. Ze dacht dat ik dan mijn wilde haren zou kwijtraken.

Ik nam de trein naar Challans. Vandaar ging ik naar Parijs en zocht daar de bisschop op. Ik vertelde hem dat ik een Italiaan was. Hij antwoordde me dat dat geen zonde was.

Hij had mensen nodig, dus nam hij me aan.

We verwachtten dat de oorlog snel voorbij zou zijn, en ik dacht dat ik de volgende zomer in Rome zou zijn om een paar dagen uit te rusten, te klauteren in de heuvels en te flaneren tussen de sinaasappelbomen van de Villa Bonaparte, waar vrienden van mij woonden. Daarna hoopte ik terug te keren naar mijn witte klooster met uitzicht op de Atlantische Oceaan, omringd door steeneiken, aardappelakkers en gebeden.

Maar twee jaar later was de oorlog vastgelopen in de loopgraven van Verdun, in Lotharingen, en ik zegende meer dode dan levende soldaten. We leefden onder de grond, onder een aanhoudende regen van granaten die in de modder insloegen, met epidemieën die snel om zich heen grepen, en met bebaarde mannen die honderd jaar ouder waren geworden en huilden als kinderen.

Ik was de aalmoezenier van de ratten.

Wanneer ik in mijn loopgraaf de mis las, wist ik niet of de arm van een van de gelovigen niet vóór het laatste kruisteken door een granaat zou worden afgerukt. Dat is nou oorlog, Vango.

Op 15 augustus werd de loopgraaf waarin ik zat door bommen dichtgegooid. Hoor je, Vango? Dichtgegooid! Mijn bataljon was verdwenen. Ik bleef gespaard. Samen met een jonge arts die ik graag mocht, ben ik weggegaan. Esquirol heette hij. Hij droeg een zwarte soldaat op zijn rug, Joseph, een tirailleur wiens buik door een granaatscherf was opgereten. Dat is oorlog, Vango.

Vlak bij het dorpje Falbas was een klein bos met middenin een open plek waar een grote, vijfhonderd jaar oude eikenboom stond.

Daar hielden we met z'n drieën stil.

Tussen de takken van die eik hing een vliegtuig; het leek net een stuk kinderspeelgoed. Een Duits vliegtuig. Het doek van de vleugels was niet eens gescheurd. Ik klom in de boom om te kijken of de piloot nog leefde. Hij was er niet, maar de motor was nog warm.

De dokter liet Joseph de tirailleur van zijn rug in het gras glijden. Het was prachtig weer. De ontploffingen leken ver weg. Esquirol haalde zijn spullen tevoorschijn om de soldaat dicht te naaien.

Een halfuur later lag Joseph buiten bewustzijn aan onze voeten. Hij had het gered. We legden hem in de schaduw neer en gingen twintig meter verderop liggen slapen.

Een man maakte ons wakker. Het was een Duitse officier in een pilotenuniform, de piloot van het vliegtuig in de boom. Hij richtte zijn pistool beurtelings op ons beiden. Joseph had hij niet gezien.

De Duitser was gewond. Zijn bovenbeen lag tot aan zijn knie open.

"Jij bent dokter," zei hij in het Frans tegen Esquirol. "Jij moet me verzorgen."

"Gooi eerst je wapen neer."

"Nee."

Esquirol maakte zijn instrumenten schoon. Hij opereerde het been met de loop van het pistool op zijn voorhoofd. Zo gaat het in de oorlog, Vango.

Maar dankzij Esquirol kon de Duitser direct weer staan.

Die avond werd de Duitser met blote handen ontwapend door Joseph, die hem van achteren overmeesterde. Die kerel, Joseph Puppet, heeft vuisten die zo hard zijn als granaatkoppen. Hij heeft er na de oorlog gebruik van gemaakt en tegen de grootste kampioenen gebokst.

Daar lagen we dan met z'n vieren onder de eikenboom: een Duitser, een Afrikaan uit Ivoorkust, een Italiaan in een soldatenpij en een

Franse arts, wezenloos, uitgeput, half invalide, niet wetend wat ons samen had gebracht en wat we gingen doen.

Toen de nacht viel, durfde een van ons zijn mond open te doen. Het was de Duitse officier. Hij heette Mann. Werner Mann. Hij sprak uitstekend Frans.

"Ik ben op zoek naar de naam van een straat in Parijs, vlak bij de Porte Saint-Denis, kennen jullie die buurt?"

Niemand gaf antwoord.

"Er is een cafeetje in die straat, het heet Chez Jojo."

De vraag leek van een andere planeet te komen. Een planeet met koperen tapkasten die glanzen en ruiken naar gemalen koffie, een planeet waar Jojo met zijn klanten kon praten over het mooie weer terwijl hij de kopjes afdroogde.

"Chez Jojo in de Rue de Paradis," zei Esquirol.

"Ja, dat is 'm. De Rue de Paradis."

Het lawaai van de gevechten was verstomd. Mann en Esquirol zwegen een hele poos. Maar omdat we geen van vieren sliepen ging Werner Mann verder:

"In die straat is een meisje dat bloemen verkoopt. Toen ik in Parijs studeerde had ik een kamer in de Rue Bleue, om de hoek, en ik vond haar een aardig meisje. Kent een van jullie haar misschien?"

Zo zijn de mensen. Als je in New York geboren bent en je bent op reis in een heel ver land, zal men je daar vragen of je een zekere Mike kent, een blonde kerel die ook in New York woont. En of je soms weet hoe het met hem gaat...

Esquirol keek alsof hij nog iets wilde zeggen. Ik geloof dat hij zich afvroeg of het wettelijk was toegestaan om met een Duitser te praten over een meisje dat bloemen verkocht naast café Chez Jojo. Er waren mannen voor minder gefusilleerd. Men noemde dat "heulen met de vijand". Het was een misdaad.

Hij probeerde dus zijn mond te houden, maar na een halfuur kon Esquirol zich niet langer inhouden en hij fluisterde: "Dat meisje heet Violette."

Dankzij die woorden, dankzij Violette, is het allemaal begonnen.

Opeens drong het tot ons door hoe absurd de oorlog was. Als soldaten elkaar konden ontmoeten aan de rand van een slagveld dat er als een omgeploegd kerkhof bij lag, en een herinnering met elkaar konden delen die zo kwetsbaar en zo vluchtig was als het gezicht van een meisje, dan was alles mogelijk.

De oorlog was niet iets onvermijdelijks.

We hebben de hele nacht gepraat.

En de volgende morgen was het project-Violette geboren.

We gingen allemaal terug naar onze linies. Mann naar de Duitse kant, wij naar de Franse. We hebben de oorlog als soldaten uitgediend, zonder elkaar nog tegen te komen. En nadat de vrede op 11 november 1918 getekend was, ben ik teruggegaan naar mijn witte klooster op het eiland Noirmoutier.

Ik was zo verzwakt, Vango, zo geschokt door de jaren aan het front, dat ik 's nachts doodsbang was voor het geluid van de golven achter de abdij. De nonnetjes bakten walnotentaartjes met gezouten boter voor me.

Hoewel ik nog niet helemaal was aangesterkt, vroeg ik de avond voor kerstmis 1918 drie dagen vrij om naar Parijs te gaan. Moeder Elisabeth liet me gaan.

En zo liep ik daar op 25 december aan het eind van de dag door de sneeuw in de Rue de Paradis. Iets te vroeg stond ik voor de deur van café Chez Jojo.

Twee jaar daarvoor hadden we op onze open plek in het bos bij Verdun met elkaar afgesproken dat we elkaar op die plaats zouden ontmoeten, de eerste kerst na de oorlog – ook al wisten we toen nog niet welk jaar dat zou zijn.

In het café waar alles mee begonnen was. Chez Jojo in de Rue de Paradis.

Joseph Puppet was er het eerst. Hij zag er als een prins zo mooi uit, met een zijden vest onder zijn colbert.

Ik floot naar hem. Hij keek naar mijn middeleeuwse uitrusting.

Bulderend van het lachen zei hij dat hij zijn kleren kocht bij Michel, aan de Boulevard du Temple, voor het geval ik op zoek was naar een kledingzaak.

We vielen elkaar in de armen.

Een man naast ons hield een krant omhoog.

"Bent u dat?"

Hij was het inderdaad, J.J. Puppet, die de avond daarvoor Kid Jackson, de kampioen van Liverpool, in de zevende ronde knock-out had geslagen.

Lachend zette Joseph zijn handtekening op de foto.

Toen kwam ook Esquirol binnen. Hij omhelsde ons. Ik herkende hem haast niet in zijn wollen jas met opstaande kraag en met zijn grijze hoed op.

Een voor een vertelden we over onze laatste oorlogsmaanden.

Esquirol keek vaak op zijn horloge. Mann kwam maar niet. Joseph probeerde een grapje te maken: "Hij ligt in de armen van zijn liefje Violette, in de straat hiernaast, wat ik je brom. Hij wilde haar eerst even opzoeken, hij komt vast nog wel."

Maar we wisten allemaal wat dat betekende.

Hij kwam niet.

In plaats daarvan stelde een man zich aan ons voor. Hij was een jaar of vijfenveertig. Hij was de vlieginstructeur van Mann geweest. Het vliegtuig van Mann was op de laatste dag van de oorlog in brand geschoten. De volgende dag was Man in zijn armen aan zijn brandwonden bezweken.

We waren diep verslagen. Onze vriend was dood.

Dankzij het project-Violette had ik me tijdens de oorlog staande kunnen houden. Het had geen zin meer als er geen Duitser in de club zat.

De man zei: "Werner heeft me gevraagd of ik hem wilde vervangen. Als jullie het goedvinden, doe ik met jullie mee. Mijn naam is Hugo Eckener."

Er hing een zweem van wantrouwen tussen ons.

Ik keek Eckener aan, die zijn besneeuwde muts nog steeds op zijn hoofd had. Esquirol was de eerste die hem een hand gaf en *"Will-kommen..."* zei.

We bleven tot laat in de avond bij Chez Jojo zitten.

Toen ik weer in mijn eentje op straat liep, moest ik aan Mann denken. Ik wilde langs het winkeltje van Violette lopen. De luiken waren gesloten. Ik vroeg de conciërge wat er van het bloemenverkoopstertje geworden was. Hij antwoordde me dat ze aan het eind van de zomer aan tuberculose gestorven was.

Joseph had dus gelijk. Mann lag inderdaad in de armen van Violette, ergens...'

Vango had geluisterd. Hij was langzaam naar de vijgenboom toe gekropen om in de schaduw te kunnen zitten.

Hij zag het verband niet tussen dit verhaal en de komst van een Franse commissaris naar het eiland Arkudah, meer dan vijftien jaar na die gebeurtenissen. Maar hij was ontdaan. Plotseling begreep hij beter hoe de oorlog was geweest. Het enige wat hij ervan had gezien, waren monumenten met bloemenkransen, medailles, vrouwen die hun enige zoon hadden verloren, trommels die één keer per jaar roffelden, mannen die een arm of een been misten.

De oorlog... Zefiro's herinneringen brachten mensen van vlees en bloed achter de woorden tevoorschijn.

'Twee maanden later ontmoetten we elkaar weer.

Het project-Violette was heel slecht van start gegaan.

Het was een padvindersplan, simpel en naïef... Het bestond uit twee woorden: afgelopen, uit. Voortaan moest elke oorlog worden bestreden voordat hij kon uitbreken. Elk conflict moest met wortel en tak worden uitgeroeid, voordat het de kans kreeg de kop op te steken. Dat was het enige wat ons te doen stond.

Maar er was iets aan de hand. De drakenkop groeide weer aan, precies op de plek waar hij was afgehakt. De wapenhandelaren en nog wat andere mensen wreven zich in de handen. Begin 1919 doemden ze alweer voor ons op, de oorlogen die in het verschiet lagen. Het verdrag dat in Versailles zou worden getekend, was als het ware een uitnodiging voor nieuwe veldslagen. Duitsland werd zo zwaar gestraft dat dit onvermijdelijk een reactie van haat en wraak zou oproepen.

Dankzij Hugo Eckener zagen we dat in. Hij wees ons op de kaarten hoe de nieuwe grenzen getrokken waren. Het was net een mijnenveld, en we hadden niet eens de tijd gehad om er iets tegen te doen. Wat konden vier brave kerels beginnen tegenover zo'n oorlogsmachine? Het project-Violette zou ten onder gaan zonder ooit het daglicht te hebben aanschouwd.

We hadden brieven en pamfletten in kranten geschreven, politici ontmoet die tegen ons glimlachten maar ons beschouwden als gevaarlijke pacifisten.

Ik herinner me dat Puppet na een succesvolle bokswedstrijd een toespraak wilde houden, maar dat hij door het geschreeuw van de menigte overstemd werd. Esquirol, die op de eerste rij tussen de toeschouwers zat, zei tegen hem dat het geen zin had. Zoals altijd nam het publiek de kampioen voor een zegetocht op de schouders zonder dat hij een woord kon zeggen. Iedereen die de krantenfoto's van die dag bekeek geloofde dat hij huilde van vreugde.'

Zefiro onderbrak zijn verhaal even. Wie herinnert zich niet de dag waarop hij zijn mooiste droom heeft opgegeven? De rest van zijn verhaal vertelde hij alsof het om een in memoriam ging.

'Met kerstmis 1919 werd het project-Violette bij een kop warme chocolademelk in café Chez Jojo met drie stemmen tegen één ten grave gedragen.

Er waaide een ijskoude wind over Parijs. Hugo Eckener leek met zijn bontmuts net een ijsbeer die op een stoel in het café was gestrand. Ik verzette me een paar minuten door te zeggen dat ik er nog in geloofde, dat ik een plan had.

Die dag durfden we elkaar nauwelijks in de ogen te kijken. Esquirol had net een prachtige huisartsenpraktijk in Parijs geopend. Eckener vestigde zich aan het Bodenmeer. J.J. Puppet had onlangs in een spectaculaire wedstrijd de neus van Joe Beckett gebroken. En nadat ik, zoals men gehoopt had, een wijze monnik was geworden, werd mijn naam bij de Heilige Vader in Rome genoemd.

We staarden allemaal naar onze chocolademelk. Joseph keek naar de klok. We namen afscheid van elkaar. Ik dacht aan wat Mann van ons vieren zou denken. We liepen nog een poosje met elkaar op door de Rue de Paradis. Toen we langs de ijzerwarenzaak kwamen, op de plaats waar de mooie Violette vroeger haar bloemen had verkocht, zag ik hoe Esquirol beschaamd aan de overkant van de straat ging lopen.

Misschien kwam het daardoor dat ik het nooit heb opgegeven. Ik ben in mijn eentje doorgegaan. Ik heb het spoor gevolgd dat ik had ontdekt, en elf maanden later was ik de biechtvader geworden van Viktor Voloj, een wapenhandelaar die voor de ergste oorlogshitsers werkte.

Europa en de hele wereld deden net alsof ze hem zochten, maar ondertussen sloten ze contracten met hem.

Om de drie maanden wisselde hij van identiteit, veranderde hij van gezicht en van nationaliteit. Hij was een Engelse lord geweest, een Spaanse koopman, een circusdirecteur en zelfs, naar men zei, de sterzangeres van een nachtclub in Istanbul. Veel mensen zeiden dat hij niet bestond.

Viktor was maar voor één ding bang: dat hij na zijn dood in de hel zou branden. Daarom zocht hij een biechtvader die hem gerust kon stellen. Ik bood mijn diensten aan om op die manier met hem in contact te komen. Hij sprak met me af in verlaten kerken, telkens een andere: bijvoorbeeld een campanile in de Italiaanse bergen of een kapel in de Franse Alpilles. Hij kwam altijd alleen.

In die tijd was Viktor Voloj hooguit vijfentwintig of dertig jaar oud. Hij was bijna altijd onherkenbaar. Hij sprak op de toon van een braaf kind. Hij beklaagde zich over een hoge baas die hij "de Oude" noemde. Hij zei dat de Oude te hard voor hem was, dat hij daar bang voor was. Hij sloeg wartaal uit.

Hij biechtte alleen maar zijn allerkleinste zonden aan mij op: een vlieg die hij bij het ontbijt in de honing had laten verdrinken, een scheldwoord dat hem was ontglipt. "O eerwaarde vader, wat ben ik toch slecht," zei hij dan, terwijl hij zich op zijn borst sloeg.

Huilend klemde hij zich met zijn vingers aan het hek van de biechtstoel vast. Onder het luisteren trok ik een toegeeflijk gezicht, maar in mij welde een hevige woede op.

Ik bereidde mijn plan voor.

In november 1920 schreef ik een brief aan Esquirol. Ik vroeg hem om commissaris Boulard van het hoofdbureau van politie in Parijs te waarschuwen dat Viktor Voloj vijf dagen later om drie uur 's middags in de Église Sainte-Marguerite in de Parijse wijk Faubourg Saint-Antoine te vinden zou zijn.

Ze konden hem niet missen.

Er werden honderd politieagenten ingezet. Alle straten in de Faubourg Saint-Antoine tot aan de Place de la Bastille werden bewaakt. Er zaten zelfs scherpschutters op de daken.

Om kwart over drie schonk ik Viktor Voloj vergiffenis voor zijn zonden en stapte hij uit het biechthokje. Achter elke pilaar stond een politieman. De kerk was omsingeld. En toch hebben ze hem niet gepakt. Ja Vango, ze hebben hem laten ontsnappen.

Sinds die dag heeft Viktor Voloj een prijs op mijn hoofd gezet. De wapenhandelaren wilden me dood hebben. Daar hadden ze heel veel geld voor over.

Ik had geen enkele kans om aan hen te ontsnappen.

Ik ben te voet door de bergen naar Rome gegaan en heb om een audiëntie bij de paus gevraagd.

De volgende dag stond in alle Franse en Italiaanse kranten het zwart omrande overlijdensbericht van padre Zefiro, priester, monnik, hovenier en imker, die in de leeftijd van zevenendertig jaar was overleden. De begrafenis zou in besloten kring plaatsvinden. Geen bloemen of kransen.

Terwijl Puppet, Esquirol en Eckener op de dag van de begrafenis samen met een paar monniken een te lichte doodskist droegen, zette ik voet aan wal op dit eilandje Alicudi, dat ik zijn Arabische naam heb teruggegeven: Arkudah.

Ik heb het klooster gesticht om verder te kunnen leven. Maar voor de rest van de wereld was en bleef ik dood.

Zelfs Joseph en Esquirol wisten niet waar het klooster lag. Ik heb het alleen aan Eckener verteld. Hij moet degene zijn die Boulard op mij af heeft gestuurd...'

'En de anderen?'

'Wie?'

'Broeder John, broeder Marco, Pierre, alle andere monniken van het klooster?' vroeg Vango. 'Waar komen die vandaan?'

'Degenen die bij ons wonen zijn geestelijken die goede redenen hebben om hier te zijn. Ze komen van overal.'

Toen begon Zefiro hun levensgeschiedenissen te vertellen. De geschiedenis van die mannen met wie Vango elke dag samenleefde, was de geschiedenis van hun eeuw.

Sommige monniken waren ontsnapt aan het fascistische bewind van Mussolini, anderen aan dat van Hitler, of aan dat van Stalin in Moskou. Er waren vijanden van alle mogelijke maffia's, infiltranten, bekeerlingen. Er waren zelfs twee Russische monniken die het hadden moeten opnemen tegen de wolven in Siberië nadat ze uit de goelag waren ontsnapt. Ze waren terechtgekomen bij een afgelegen kloostergemeenschap in de Finse bossen en hadden daar hun verhaal verteld. Men had hen aangehoord en vervolgens naar het kleine paradijs van Zefiro gestuurd, waar ze hun geloof beleden en ondertussen met het dagelijkse leven van alle monniken meededen.

Sommigen waren ontsnapt uit de helse strafkolonies van Lipari, het naburige eiland waar de tegenstanders van het fascistische bewind werden opgesloten.

Een ander, John Mulligan, was een Ierse priester die de zoon van Al Capone, de maffiakoning uit Chicago, had gedoopt. In het kantoor van Al Capone was Mulligans oog op iets gevallen wat hij niet had mogen zien: twee lijken, gewikkeld in de rood met wit geblokte tafellakens van een restaurant. Daarna had hij moeten verdwijnen.

'Al mijn broeders hier bestaan niet meer buiten dit eiland,' vatte Zefiro zijn verhaal samen. 'Ze zijn allemaal overleden of als vermist opgegeven. Daarom noemen we dit het onzichtbare klooster. Het is een schuilplaats voor spoken.'

De padre was geëmotioneerd. Hij wiegde langzaam met zijn hoofd heen en weer.

'Ja Vango, spoken.'

Hij keek hem aan.

En hij? Wie was hij nu eigenlijk? Waarvoor vluchtte hij?

De zon stond heel hoog aan de hemel. De vijgenboom boven hen rook naar suiker.

'En wat kwam Boulard hier vanmorgen doen?' vroeg Vango ten slotte.

'Boulard kwam me vertellen dat hij een zekere Viktor Voloj, die aan de Spaanse grens was opgepakt, gevangenhield. Ik moet naar Parijs gaan om hem te identificeren. Het is onmogelijk om die man met behulp van foto's te ontmaskeren. Hij is net een kameleon. Maar ik kan hem aan de geringste beweging die hij maakt herkennen. Ik heb op twintig centimeter afstand van hem gezeten, wanneer ik hem in de kerken ontmoette.'

'Gaat u naar Parijs?' vroeg Vango.

'Ja. Ik weet zeker dat hij het niet is.'

Vango keek Zefiro aan.

'Het is een valstrik om me uit mijn tent te lokken,' legde de padre uit. 'Viktor wil nagaan of ik nog leef. Hij heeft het op mij gemunt.'

'Waarom zou u er dan heen gaan?'

'Omdat Boulard mij gezworen heeft dat hij me, als ik er niet heen ga, zal komen halen met zijn mannen, en dan zal hij me arresteren wegens het niet aangeven van een misdrijf, deelname aan een criminele organisatie en medeplichtigheid aan wapenhandel als vriend en biechtvader van Viktor in de jaren 1919 en 1920. Als de politie hier komt, zullen al mijn broeders met mij ten onder gaan.'

Ze zwegen allebei en ook de bijen bleven stil.

'En jij, Vango? Hoe ken jij commissaris Boulard? Waarom ben jij bang voor hem?'

Vango zou maar al te graag net als Zefiro zijn levensverhaal hebben verteld. Zo'n heldhaftig verhaal waarin alles klopt, waarin zelfs de donkerste momenten door een paar woorden worden verlicht.

Maar ook al had hij kunnen praten, Vango's woorden zouden als fakkels in een bodemloze put zijn gevallen.

Zefiro stak hem zijn hand toe om hem overeind te helpen.

'Tot ziens, Vango. Ik ga. Maar ik kom gauw terug.'

'Ik ga met u mee.'

21
Romeo en Julia

'Hou je dan tenminste een beetje van me?'

Thomas Cameron zat naast Ethel in een loge van rode pluche. Het gonsde van de stemmen in het volle theater. Het was warm. Op de begane grond werd druk met waaiers gewapperd.

Een zinderende zomer hield Parijs in zijn greep. In de zaal stroopten de mannen hun mouwen op en knoopten hun vest los. De vrouwen lieten hun schouders bloot. Je waande je eerder onder de wilgen aan de oevers van de Marne dan in een deftige schouwburg.

Ethel boog zich over het balkon heen om geen woord van het schouwspel te missen.

Op een paar meter afstand zat een buitenlandse delegatie die een beetje luidruchtig was. In een loge aan de andere kant, speciaal uitgekozen om alles ongemerkt in de gaten te kunnen houden, trokken meneer en mevrouw Cameron elkaar de toneelkijker uit handen in een poging om een glimp van het jonge stel op te vangen.

'Hij praat tegen haar, kijk! Ze heeft de bloemen aangenomen!' zei Lady Cameron, vuurrood van opwinding.

Ethel was de enige die belangstelling had voor wat zich op het toneel afspeelde.

Het was de tweede akte van *Romeo en Julia*.

Romeo was zojuist verschenen in de tuin van de vijandige familie, de tuin van Julia. Je zag alleen de ogen van de knappe Romeo in de schaduw. Krekels, die in kooitjes in de coulissen hingen, tjirpten. En voor één keer werd Julia niet gespeeld door een oude actrice van dertig. Ze had lang, zwart haar dat reikte tot aan de jasmijnstruik onder haar venster.

'Hou je dan een beetje van me, tenminste?' fluisterde Thomas Ethel nogmaals toe. Hij veranderde iets aan de zinsvolgorde van zijn vraag om het over een andere boeg te gooien.

Ethel hield een vinger voor haar mond ten teken dat hij zachter moest praten. Maar de arme Tom praatte al heel zachtjes, met trillende stem.

Hij probeerde het nogmaals, haast onhoorbaar: 'Ethel?'

'Ja Tom,' fluisterde ze om van hem af te zijn.

Ze had meer oog voor Romeo, die naar het venster van Julia klom.

Wat kon ze anders zeggen tegen iemand die ze al haar hele leven kende, die niet ver van haar, op een naburig landgoed in Schotland was opgegroeid? Ze hield van Tom Cameron zoals ze hield van alles dat deel uitmaakte van het landschap van haar jeugd. Ze hield van hem net als van de witte wolken in de lucht boven de Highlands, de herinnering aan de spelletjes met Paul, het silhouet van een boot op Loch Ness, of de geur van een door Mary klaargemaakte schotel van gevulde schapenmaag. Niet meer en niet minder.

Sinds een paar jaar wist ze dat Tom veel meer van haar verwachtte.

Voor Ethel was het precies alsof een van de kronkelige haagbeuken achter het kasteel van Everland op een morgen bij haar aanklopte en om haar hand vroeg. Wat moest ze antwoorden? Ja, ze hield van die boompjes waaronder ze hutten bouwde, ze was er dol op. Maar of ze ermee zou willen trouwen?

Op het toneel hoorde je Julia tegen Romeo zuchten: 'Wie ben je, jij die zich onder de sluier van de nacht van mijn geheimen meester maakt?'

Ook al kende Ethel het stuk uit haar hoofd, ze had de indruk alsof ze het voor het eerst hoorde.

De buitenlanders in de naburige loge spraken Russisch. Maar één van hen zat gehypnotiseerd naar het toneelstuk te kijken. Het was een lange, blonde man. De anderen werden in beslag genomen door serieuzere zaken dan de liefdesperikelen van een Italiaans meisje uit Verona.

Ook vader en moeder Cameron liet Julia volkomen koud. Met hun ogen tegen de toneelkijker gedrukt loerden ze naar Ethels gezicht om te zien hoe ze reageerde.

'Aangeraakt,' piepte de vader. 'Hij heeft haar aangeraakt.'

Je zou haast zeggen dat hij het over een partijtje duiven schieten had.

Ja. Ethel was diep geraakt. Haar vingers betastten de margrietjes die Thomas haar had gegeven. Maar dat ze tranen in haar ogen had kwam omdat op het toneel Julia tegen Romeo had gezegd: 'Als ze je zien, zullen ze je vermoorden.'

Ethel hield van onmogelijke liefdes.

Ronald en Beth Cameron hadden altijd gedacht dat Ethel met hun Thomas zou trouwen. Het was een ideale verbintenis tussen twee families, twee landgoederen, twee oevers van Loch Ness. Voor de Camerons was de dood van de ouders van Ethel en Paul als het ware een vingerwijzing van het lot geweest. Ze hadden zich zeer begaan getoond met de twee weeskinderen. En dat is de beste manier om je een beetje de baas van iemand te voelen...

Zo heel gek was het overigens niet. De Camerons waren wonderlijk genoeg altijd bang geweest voor Ethels vader en moeder. Ze vonden hen een beetje onaangepast. Om dat niet toe te geven zeiden ze tegen elkaar dat Ethels ouders afstandelijk en overdreven waren, en zelfs: 'O ja, Ronald, laten we gewoon zeggen waar het op staat: zelfingenomen.'

Bij hun begrafenis had Lady Cameron haar man een opmerking toegefluisterd in de trant van: 'Dat viel te verwachten', alsof de overledenen zo onvoorzichtig waren geweest om te veel van het leven te genieten.

Door die plotselinge dood was er dus niets veranderd aan het voornemen van de Camerons om Tom en Ethel met elkaar te laten trouwen. Integendeel.

Als twaalfjarige erfgename was Ethel van de ene op de andere dag steenrijk, wat in de ogen van de Camerons geen nadeel was.

Inmiddels zat Toms moeder in haar loge te mijmeren over al die kleine Cameronnetjes die dit lieve paar haar zou schenken. Als ze haar ogen dichtdeed zag ze er al negen of tien voor zich. Ze hadden allemaal precies het gezicht van hun vader. Zelfs de meisjes.

Sir Ronald prees zichzelf gelukkig met zijn beslissing om Ethel voor de maand juli in Parijs uit te nodigen. Vaak streken ze 's zomers neer in een stad, zoals Wenen, Madrid of Boston. Dit jaar hadden ze een appartement tegenover de Eiffeltoren gehuurd, en ze woonden in een prentbriefkaart, tussen de grote warenhuizen, de Opera en de renbanen van Longchamp.

Voor Ethel kwam die uitnodiging als geroepen. Zo kon ze in Parijs zijn, onder de hoede van de Camerons, en haar zoektocht naar Vango voortzetten zonder dat haar broer Paul zich ongerust hoefde te maken.

Die was trouwens erg verbaasd geweest over het enthousiasme waarmee zijn zusje uit Schotland was vertrokken, want ze begon zich juist te distantiëren van Tom Cameron en ze stak haar afschuw van zijn ouders niet onder stoelen of banken.

Ethel had de reis niet samen met haar gastheer en gastvrouw gemaakt. Ze had gezegd dat ze liever haar eigen auto bij zich had, want eigenlijk wilde ze een uitstapje naar Duitsland maken om Hugo Eckener uit te horen.

Die had haar tijdens hun etentje aan het Bodenmeer niets verteld, geen enkele informatie losgelaten over waar Vango zich bevond, ook al had ze even het vermoeden gehad dat hij iets wist. Twee dagen later was ze in Parijs aangekomen.

Met bezoeken aan de schouwburg, musea en paardenrennen was Ethel aan het eind van haar derde week in Parijs gekomen. Ze sleepte Thomas mee naar dansfeesten, waar hij haar de hele avond niet zag.

In de nacht van 14 juli had ze heel Parijs doorkruist zonder de accordeonmuziek ook maar één moment niet te horen. In elke straat was wel een dansfeest aan de gang. Bij het krieken van de dag haalde ze Thomas op, die ergens op een bank in slaap was gevallen.

Men begon haar op te merken en men begon over haar te schrijven in de plaatselijke kranten. Een societyjournalist had de gewoonte aangenomen om zijn dagelijkse columns te eindigen met slotzinnen in de trant van: 'En weer was het mysterieuze meisje in de zaal...', of: 'Maar het deed er niet toe of het orkest vals speelde, want zij was er.'

Vader Cameron, die de Franse kranten las, had zijn zoon in bedekte termen aangeraden om de journalist in kwestie voor een duel uit te dagen. De zoon en de moeder leken dat niet direct nodig te vinden.

Ethel had er niets van gemerkt. Ze had het te druk met andere zaken.

Voordat ze de Highlands had verlaten, had ze de familie Cameron verteld dat ze zo nu en dan op stap zou gaan om een tante te bezoeken, die in het centrum van Parijs op het Île de la Cité woonde. Vader en moeder Cameron, die daar aanvankelijk ontstemd over waren, hadden dit initiatief aangemoedigd toen ze hadden vernomen dat de tante gefortuneerd, stokoud en kinderloos was.

Ethel had dus de bus genomen en zich gemeld op de Quai des Orfèvres, op een steenworp afstand van de Notre-Dame.

De oude tante heette Auguste Boulard.

Ethel wilde hem vragen of er nog nieuws was in de zaak-Vango.

Bij de commissaris had ze alleen inspecteur Avignon gesproken. Boulard was afwezig.

'Is hij er morgen weer?'

'Nee, juffrouw.'

Avignon had Ethel herkend. Hij had haar een stoel aangeboden in het kantoor van Boulard, maar ze was onmiddellijk weer opgestaan.

Ze liep door het vertrek en bekeek de stapels mappen en papieren en de foto's aan de muur.

'Waar is hij?'

'Dat kan ik u niet zeggen.'

'Wanneer is hij weggegaan?'

'Gisteren.'

'En waar is hij heen gegaan?'

'Ik zei u toch dat ik...'

Onzeker legde Avignon een hand op een map die ze wilde doorbladeren en sloeg die dicht.

'Alstublieft, juffrouw...'

'Meneer?'

Per ongeluk had hij zijn pink op die van Ethel gelegd. Ze deed niets. Hij begon verschrikkelijk te blozen. Toen hij bijna flauwviel van verwarring haalde ze haar vinger weg.

'Meneer Boulard is dus nog steeds met vakantie. Ik meen dat ik hem van de winter in een gestreept zwempak aan het Bodenmeer heb gezien.'

'Dat is allemaal voor zijn werk,' stamelde Avignon, die bij de gedachte alleen al aan zijn baas in een zwempak zijn ogen wijd opensperde.

'En waar zei u ook alweer dat hij nu was?'

'Ik heb u uitgelegd dat ik u dat niet kan zeggen.'

'Jawel, u hebt het me verteld.'

Avignon schrok op. Wat had hij gezegd?

'Ik maak maar een grapje,' proestte Ethel terwijl ze de spelden weghaalde waarmee een tekening op een prikbord was bevestigd. 'Hebt u dat nagetekend?'

'Ja.'

'Niet slecht.'

Het was het portret van de moordenaar, dat Ethel vijftien maanden geleden in de eetzaal van Het Dampende Everzwijn had getekend.

'Kan ik de commissaris binnenkort spreken?'

'Over twee weken.'

Van verbazing liet ze de tekening uit haar handen vallen.

'Twee weken! En als het dringend is?'

'Ook dan. U kunt over twee of drie weken terugkomen, juffrouw.'

Boulard was op zoek gegaan naar de enige getuige die in staat zou zijn om Viktor Voloj met zekerheid te herkennen. Voor hem was dat het dringendste wat er te doen stond. Hij was in zijn eentje op pad gegaan en had niemand willen vertellen waarheen. Zelfs zijn trouwe Avignon niet.

Ethel raapte het portret van het gezicht van de moordenaar van de grond op. De tekening bestond uit drie stukken. Ze keek Avignon vragend aan.

'Ja,' antwoordde de inspecteur, 'ik teken de snor en de haren op aparte blaadjes. Dat zijn de eerste veranderingen die een man die gezocht wordt kan aanbrengen. Zijn haren afknippen of zijn snor afscheren.'

Tamelijk trots op zichzelf haalde hij een doos tevoorschijn, waarin allerlei soorten kapsels, baarden of bakkebaarden zaten, die met compositietekeningen van verdachte personen gecombineerd konden worden.

'Kijkt u maar, het is heel simpel. Ik doe het altijd zo.'

Ze legde de blaadjes op het bureau en speelde even met het snorretje van de Rus door het toe te voegen en weg te halen.

'Dat hebt u heel slim bedacht, inspecteur,' zei ze.

Hij bloosde weer. Ze liep naar de deur.

Avignon liep met haar mee. 'Wilt u een boodschap voor de commissaris achterlaten?' vroeg hij.

'Nee, ik kom wel terug. Dank u.'

Ze gaf hem een ferme handdruk.

Toen Avignon weer aan zijn bureau ging zitten moest hij glimlachen bij het zien van het portret van de moordenaar, die ze twee lange meisjesvlechten en het sikje van een oude Chinees had gegeven.

Hij bleef een poosje mijmeren. Dat meisje leek zo uit een boek te komen. Zelfs haar geur leek verzonnen.

Toen ze op de Quai des Grands-Augustins in de bus ging zitten, haalde ze een flinterdunne bruine map uit haar tas tevoorschijn, die ze op een plank in de kamer van Boulard had gevonden. Een map waarop twee woorden geschreven stonden: DE MOL.

En daaronder stonden nog twee woorden, met rood onderstreept: 'Doodlopend spoor.'

Dat was het enige dossier dat haar interessant had geleken. Toevallig het dossier van een meisje dat zich ook erg voor Vango interesseerde.

Ze sloeg de map open. Hij was leeg.

In de schouwburg was de derde akte bijna afgelopen. Ethel hoorde Julia's vader zweren dat zij, zijn dochter, zou trouwen met degene die hij voor haar had uitgekozen, of ze wilde of niet. Julia wilde niet. Ze had haar hart aan Romeo verpand.

Zo glad als een aal was Ethel aan Toms hand ontglipt toen die de hare wilde vastpakken. Ze keek naar Julia, die voor haar vader stond.

Vader Cameron maakte ondertussen tevreden gebaren naar zijn zoon. Thomas Cameron probeerde te glimlachen, maar hij klemde zich vast aan zijn stoel om niet in de orkestbak te springen. Ze hield niet van hem. Hoe moest hij daaroverheen komen? Hoe moest hij het aan zijn ouders vertellen?

'Jij zorgt dat je aanstaande donderdag klaarstaat om in de kerk te trouwen, anders sleep ik je er zelf naartoe!' bulderde Julia's vader.

In de loge naast die van Ethel en Tom was het weer stil geworden. De blonde man bleef het toneelstuk aandachtig volgen.

Hij heette Sergej Prokofjev. Tijdens die zomer van 1935 werkte hij aan de muziek van een ballet dat op het verhaal van Romeo en Julia geïnspireerd was. Hij had gehoord dat het toneelstuk in Parijs werd opgevoerd en hij had toestemming gekregen om het te gaan zien. Maar hij werd geen moment alleen gelaten, en de volgende dag zou hij onmiddellijk naar de Sovjet-Unie worden teruggebracht.

Het doek viel. De kroonluchters gingen aan. Het was pauze.

Driekwart van de mensen in de schouwburg was direct opgestaan, alsof dat het enige moment was waar ze op wachtten. Veel toeschouwers gaan naar de schouwburg vanwege de pauze.

'Ga je mee om iets te drinken, Ethel?'

'Nee, dank je. Ik blijf hier.'

Thomas stond op, bevend bij de gedachte aan wat hij zijn vader zou moeten vertellen.

Ethel wierp een blik op de blonde man. Hij had zich niet verroerd. Hij keek naar het toneelgordijn alsof hij erachter nog schaduwen kon zien bewegen. Iemand had zich naar hem toe gebogen en fluisterde hem iets in zijn oor. Ethel zag die tweede man alleen maar op zijn rug. Toen hij zich omdraaide, voelde ze haar hart bonzen.

Voor haar stond de schutter van de Notre-Dame.

Hij had zijn snor afgeschoren, maar het portret dat ze een paar dagen geleden op het hoofdbureau van politie had gezien stond Ethel nog zo scherp voor de geest dat er geen twijfel mogelijk was.

Boris Petrovitsj Antonov had Ethel niet hoeven zien.

Hij was daar om kameraad Prokofjev, de componist, te begeleiden. Er waren ook twee medewerkers van de ambassade en meneer Potemkin, de ambassadeur zelf. Daarnaast waren er nog vier mannen die op hun veiligheid moesten letten. Een zware verantwoordelijkheid.

Hij had Ethel dus niet hoeven zien, maar de ogen van de componist kruisten die van het meisje precies op het ogenblik dat Boris naar de componist keek. Toen deed zich een soort pingpongeffect voor. Bij het zien van Ethels verblufte gezicht verscheen er een uitdrukking van nieuwsgierigheid op dat van de componist. En dat werd weer opgemerkt door Boris, die zich vervolgens omdraaide en Ethel ontdekte, die een paar meter van hem vandaan met een bosje bloemen in haar hand in de bijna verlaten schouwburg zat.

Ze keken elkaar aan.

Even dacht Ethel dat hij de benen zou nemen. Ze was bereid om hem achterna te gaan. Ze had al spijt van de jurk die ze had aangetrokken en waarin ze niet goed zou kunnen rennen. Hij was nog van haar moeder geweest. Een zwarte jurk waarmee Ethel zich in haar slaapkamer had verkleed in de jaren dat ze om haar ouders had gerouwd, toen ze nog een klein meisje was en de jurk een lange, smartelijke sleep om haar heen vormde.

Ethel begon het jasje al los te knopen dat tot aan haar heupen reikte en dat haar hinderde. Dit keer zou ze die man geen seconde uit het oog verliezen. Plotseling verstarde ze.

De rollen waren omgedraaid.

Nee, de man zou er niet vandoor gaan. Boris Petrovitsj Antonov keek haar doordringend aan. Hij had Ethels vastberadenheid opgemerkt. Hij wist dat ze hem altijd achterna zou zitten, hem zou beletten om zijn werk te doen. Hij had dus besloten om haar uit de weg te ruimen.

'Een ogenblik alstublieft, kameraad Prokofjev,' zei hij met een beleefde glimlach.

In de zaal, die nu helemaal leeg was, had hij het woord gericht tot de componist, die hem direct daarna de loge zag verlaten.

'Nou?'

Twee verdiepingen lager, in de foyer van de schouwburg, te midden van de menigte toeschouwers, stond Thomas lijkbleek tegenover zijn ouders. Sir Ronald Cameron had een fles champagne in zijn hand en schonk de glazen in.

'Waar drinken we op, Junior?'

Tom had er een hekel aan als zijn vader hem Junior noemde.

Lady Cameron zag vuurrood van de emotie en wachtte vol spanning op het grote nieuws dat haar zoon ging vertellen.

'Nou?' vroeg ze nogmaals.

'Nou, ik heb met haar gepraat...'

'En?' ging zijn vader grijnzend van de opwinding verder.

'En ze heeft me gezegd...'

Plotseling ging het licht uit. De mensen om hen heen gilden van paniek.

Vlak daarvoor was Boris in Ethels loge opgedoken. Ze stond voor hem. Hij had een mes in zijn hand, met het lemmet in de mouw van zijn jasje verstopt.

'U bent indiscreet juffrouw, maar dat zal niet lang meer duren.'

Hij deed een stap naar voren, en op dat moment ging het licht uit.

Zonder zich van zijn doel af te laten brengen stak hij met de precisie van een straatvechter toe.

Toen het licht tien seconden later weer aanging slaakte Boris Antonov een kreet van woede, die verloren ging in het geroezemoes dat in de gangen klonk. Hij had alleen het rode pluche van de stoel doorboord. Ethel was verdwenen.

Aan de bar van de schouwburg klonk een zucht van opluchting toen het licht weer aanging. Onmiddellijk klonk er weer glazengerinkel.

De Camerons hervatten hun verhoor.

'Waar was ik?' zei Tom.

'Ze heeft je gezegd...' herhaalden de ouders tegelijkertijd.

'Ze heeft me gezegd...'

Hij haalde diep adem en sloot zijn ogen. Hij moest weer denken aan de rebelse vingers van Ethel die de zijne ontglipten.

'Ze heeft ja tegen me gezegd,' loog Tom. 'Ethel heeft me gezegd dat ze het goedvindt, maar dat ze nog wat tijd nodig heeft om het aan haar broer te vertellen. Haar broer is erg eenzaam. Ze wil niet dat we erover praten voordat ze met hem gesproken heeft, zelfs niet met haar.'

De ouders vielen elkaar loeiend in de armen. Het was niet om aan te zien. Zonder dat ze het in de gaten hadden goten ze allebei hun champagneglas over elkaars rug leeg. Ze slaakten kreetjes. Ze stonden bol van trots. Ze maakten geen enkel gebaar naar hun zoon.

Het was hún overwinning.

Ethel was vanaf haar loge op het balkon daaronder gesprongen en vervolgens de trap af gerend. Wie had precies op dat moment de stroom uitgeschakeld? Ze was lukraak door de gangen gerend en uitgekomen bij de hal waar de ingang was, maar daar stond Boris Antonov al voor de deur om zijn mannen instructies te geven. Ze had de serveersters opzij geduwd en was meteen weer teruggerend.

Aan het eind van een gang met een rode loper werd een deur bewaakt. Ethel bracht haar kleren weer in orde en liep onverschrokken op die uitgang af. Het was de enige manier om bij de coulissen te komen.

'Ik zou graag meneer Romeo spreken,' zei ze met haar mooie accent tegen de bewaker.

'Nooit in de pauze. Komt u na de voorstelling maar terug. Dan ontvangen de acteurs in hun loges.'

'Ik kom uit het noorden van Schotland om meneer Romeo te zien; ik heb bloemen voor hem.'

De man keek naar het miserabele bosje margrieten.

'Ik kan zien dat u een reis achter de rug heeft!' grinnikte hij. 'Maar zoals ik al zei, komt u na de voorstelling maar terug!'

Achter zich hoorde ze geluid in de gangen. Haar achtervolgers kwamen eraan.

Ethels hart bonsde in haar keel.

Toen klonk er een stem in de coulissen: 'Laat haar door, ik ken haar.'

De portier ging opzij. Ze ging naar binnen. Met zijn schouder tegen de muur geleund keek een kleine kale man haar aan.

'Het spijt me dat ik niet uw Romeo ben, juffrouw.'

Ethel kende hem niet. Het was de journalist Albert Desmaisons, degene die haar al een paar dagen in de krant ophemelde.

Ze aarzelde.

245

'Ga maar gauw, kleine lady. Ik heb de indruk dat u iemand wilt zien. De pauze is bijna voorbij.'

Ethel gaf hem haar bloemen en kuste hem op zijn linkerwang.

'Dank u wel, meneer. Dank u wel.'

Luisterend naar het geluid van de lichte hakken die zich verwijderden bleef de journalist ademloos, met zijn hoofd in de wolken achter. Hij merkte niet eens hoe drie woedende mannen, nadat ze de portier opzij hadden geduwd, in volle vaart langs hem stormden en op zijn voeten en zijn bloemen trapten.

Tijdens de laatste akten haalden Boris en zijn handlangers de coulissen ondersteboven. Ze vonden niets. Twee uur later, toen het toneelstuk was afgelopen, brachten ze de componist Prokofjev terug naar de ambassade in de Rue de Grenelle.

Ethel zat op het dak van de schouwburg. Parijs lag aan haar voeten, in het witte schijnsel van de maan.

Ze viel om van de slaap.

Een meisje van een jaar of vijftien, dat als een engel hoog tussen de hanenbalken zat, had vanuit de coulissen naar haar gefloten.

'Hierheen! Kom!'

Ze had haar langs allerlei ladders naar boven laten klimmen en daarna door een onzichtbare buis laten kruipen. Dat meisje had haar leven gered.

Nu zaten ze dicht tegen elkaar aan tussen twee schuine zinken daken, in de zomernacht.

'Wie ben je?' vroeg Ethel.

'Ik ben degene die de stroom heeft uitgeschakeld.'

'Was jij dat?'

'Ik hou die Rus al een jaar in de gaten.'

'Hoe heet je?'

'De Mol.'

22

De valstrik

Parijs, zeven dagen later

Viktor Voloj zat op een stalen stoel die in de grond was verankerd. Hij sloot zijn ogen.

Zijn handen en voeten waren met leren banden aan de stoel vastgebonden. Een brede metalen riem belette zijn bovenlijf om te bewegen.

Hij had een kalme en zelfverzekerde uitdrukking op zijn gezicht, een tamelijk mooi, haast onverschillig gezicht in het schijnsel van het licht dat loodrecht op hem scheen.

Aan een draad vlak boven zijn hoofd hing een schijnwerper. Viktor Voloj haalde rustig adem. De schijnwerper bungelde heel licht heen en weer en wierp griezelige schaduwen op zijn gelaatstrekken. De rest van het vertrek was donker.

Dit speelde zich af in de kelders van het hoofdbureau van politie.

In het donker sloeg Boulard het tafereel door een ruit gade. Hij was vijf dagen geleden in Parijs teruggekomen. Staand op zijn korte benen doopte hij een stuk stokbrood met boter in een kop koffie die haast zo groot was als een po. Het was een uur of vier 's middags.

Boulard wachtte op Zefiro. Hij wist aan welk gevaar hij de monnik blootstelde, die al zo zijn best had gedaan om Viktor te vangen. Hij wist dat elke voorbijganger, de onschuldigste ijscoman op de kade voor het politiebureau, een handlanger van Viktor Voloj kon zijn, die wachtte totdat Zefiro uit zijn hol tevoorschijn zou komen om hem te herkennen en achterna te gaan.

247

Boulards veiligheidsdiensten hadden Zefiro voorgesteld om hem vanaf de haven van Marseille met een geblindeerde vrachtauto naar Parijs te brengen, maar hij had het aanbod afgeslagen en laten weten dat hij op eigen gelegenheid zou komen. Men wist niet op welke dag, noch op welk tijdstip dat zou zijn: hij had toegezegd dat hij zich vóór de laatste dag van juli zou melden.

Nog een paar uur, en dan was die maand juli voorbij.

'Nog geen bericht van Z?' vroeg Boulard aan zijn rechterhand, die zijn ogen niet van de vermeende Viktor kon afhouden.

'Nee,' antwoordde Avignon.

'Als hij niet komt, weet ik niet wat ik ga doen.'

'U zei dat u vertrouwen had in die meneer Z.'

De commissaris knikte.

'We kunnen Viktor in elk geval niet langer vasthouden,' zei hij. 'Als Z niet komt opdagen om hem te identificeren, is het afgelopen. Dan is hij morgen op vrije voeten. Er wordt nu al enorme druk uitgeoefend om hem vrij te krijgen.'

'Er is vanmorgen nog namens de minister gebeld.'

'Ik weet het. Ze zijn allemaal bang voor Viktor Voloj.'

Avignon voegde eraan toe: 'De adviseur van de minister zei nog te weten dat een handelaar in beverhuiden, een zekere Gaston Balivert, per abuis aan de Franse grens was aangehouden, en dat de Canadese autoriteiten eisen dat hun landgenoot wordt vrijgelaten.'

Van woede verslikte Boulard zich bijna in zijn stuk stokbrood.

'Hij heet geen Balivert! Hij heet Viktor! En Canada heeft helemaal niets gevraagd. Ik heb het bewijs dat zijn paspoort een vervalsing is. De echte Gaston Balivert is twaalf jaar geleden overleden aan de gevolgen van een val in zijn badkamer. Ik ben ervan overtuigd dat de man die hier voor ons zit, Viktor Voloj is. De minister is daar net zo zeker van als ik. Maar aangezien Viktor de helft van de leiders van deze wereld met smaragden en robijnen uit Antwerpen omkoopt, zijn ze bang dat ze volgend jaar niet met vakantie kunnen gaan...'

Viktor Voloj zat achter drie dikke lagen glas. Hij kon dit gesprek niet horen. Toch had hij een glimlachje om zijn mond en keek hij precies in de richting van Boulard, die zich in het donker stond op te winden.

Ethel zat met haar handen op haar knieën in de grote wachtruimte van het hoofdbureau van politie.

Het wemelde van de mensen en het was een chaos. Doordat Viktor Voloj in het gebouw was, moesten er talloze controles worden uitgevoerd. Men raakte geïrriteerd. Alle afspraken liepen vertraging op.

Ethel keek om zich heen.

Tussen de vele anderen die te midden van dit kabaal zaten te wachten, zag ze een vrouw met drie kinderen, een advocaat die op een perzikenpit zoog, een kaartjesknipper van de metro, een man met rood haar die zat te lezen met oorpropjes in om niet gestoord te worden, een metselaar die een roze oproep in zijn hand hield en iedereen vroeg om hem voor te lezen wat erop stond, toeristen die hun koffers kwijt waren, welgestelde Parijzenaren bij wie was ingebroken, weduwen van vermoorde echtgenoten, oude krakkemikkige mannetjes die er al sinds de vorige eeuw leken te zitten, en zelfs een knappe man in een keurig kostuum met een koffer voor zijn voeten waarop stond '*Dood aan de ratten. Hygiëne en ongediertebestrijding*'.

Ethel wierp een blik op de klok. Ze had haar gastvrouw en gastheer verteld dat ze weer op bezoek ging bij haar oude tante op het Île de la Cité.

De Camerons waren erg veranderd sinds de gedenkwaardige avond in de schouwburg. Ze hadden niets gezegd over haar plotselinge verdwijning tijdens de pauze van *Romeo en Julia*. Ze had bij wijze van uitleg alleen maar hoeven zeggen dat ze zich niet lekker had gevoeld en daarom op de hoek van de straat een extra zoet glas limonade was gaan drinken.

Toen ze dat vertelde, hadden de ouders Cameron geknipoogd naar hun zoon en gezegd: 'Het was misschien de emotie.'

En Tom Cameron had doodsbleek naast Ethel gestaan en gewenst dat hij voor altijd van deze aardbodem zou kunnen verdwijnen.

Ethel had zich bij de receptie gemeld. Ze wist dat Boulard terug was. Dat was haar door de politieman achter de balie verteld.

Die had overigens zojuist een naam omgeroepen. Telkens wanneer dat gebeurde haalde de man met het rode haar zorgvuldig de propjes uit zijn oren, stond op, legde het opengeslagen boek op zijn stoel neer om die bezet te houden en om te weten bij welke bladzijde hij was gebleven, en liep naar de politieagent.

'Wie zei u?'

'Mevrouw Poirette!'

'O. Dat ben ik niet. Dank u wel.'

En dan ging hij weer zitten en stopte de waspropjes weer in zijn oren.

De man met de koffer van de rattenbestrijding zat vlak naast Ethel. Ze glimlachten tegelijkertijd, alsof ze naar een poppentheater zaten te kijken.

De man had niet bepaald het hoofd van een rattenbestrijder.

Er kwam nog een politieagent binnen die een rondje door de wachtruimte maakte op zoek naar iemand. Hij bleef precies voor Ethels buurman staan.

'Bent u de meneer van de rattenbestrijding?'

'Ja, dat ben ik.'

'U wordt over tien minuten gehaald. De commissaris is boos. Hij zegt dat het niet de afgesproken dag is en dat hij er bovendien niet van op de hoogte was. Maar ík ben erg blij dat u er bent.'

Hij boog zich naar hem toe en fluisterde: 'Het wemelt ervan, hierbeneden, moet u weten. Alle ratten uit de Seine zoeken 's zomers bij ons de koelte op. Ik heb tegen de commissaris gezegd dat u niet zou storen. Ik zal u begeleiden.'

'Prima. Ik ben zo klaar. Ik heb een nieuw middel en het werkt pijlsnel.'

Ethel zag haar kans schoon en wenkte de politieagent. 'Weet u of meneer Boulard vandaag ontvangt? Ik heb hem laten weten dat ik op hem zat te wachten. Ik heb nog niets gehoord.'

'Hij is op dit moment niet in zijn kantoor. U wordt nog wel geroepen.'

Ethel zat al minstens een uur te wachten. De politieagent liep weg.

'Misschien moet ik ook maar ratten gaan verjagen,' zei ze tegen de rattenbestrijder. 'Dat werkt beter.'

'Ja, ik heb de indruk dat ik eerder dan u aan de beurt zal zijn. Het spijt me reuze.'

De man was bijzonder aardig. Hij had van nature iets elegants over zich. Alleen zijn verweerde handen verraadden dat hij zijn leven niet in deftige kringen had doorgebracht, maar dat hij had rondgezworven voordat hij in de rattenbestrijding was gegaan.

Een van de drie kinderen van de vrouw, die in de hoek vlak bij het raam zat, begon te spelen met de wandelstok van een oud mannetje en imiteerde een film van Charlie Chaplin die op dat moment in de bioscoop draaide.

'Doe niet zo raar.'

De moeder pakte Kareltje bij zijn oor. Hij gaf de wandelstok terug, kwam braaf weer naast haar zitten en verstopte zijn gezicht in zijn moeders rokken.

Ethels buurman had het tafereel ook gadegeslagen. Ze vonden het allebei jammer dat het toneelstukje ophield.

Met haar voet gaf Ethel een zetje tegen de koffer van de man.

'Vertelt u mij eens, u bent toch niet echt van de rattenbestrijding?'

Hij begon te lachen en zei toen, alsof hij haar iets vertrouwelijks vertelde: 'Welnee, m'n kind, dat is een vermomming... Om je de waarheid te zeggen ben ik een monnik die leeft als een kluizenaar en die jacht maakt op wapenhandelaren!'

Allebei begonnen ze te lachen. Ethel nam hem aandachtig op.

'Misschien bent u inderdaad niet wat u lijkt,' mompelde Ethel. 'Wie bent u?'

251

De man leek in verlegenheid gebracht.

'Wie bent u?' vroeg Ethel plagerig. 'Wie bent u?'

Hij zweeg.

Zefiro lette overal op. Hij probeerde zich niet door zijn nieuwsgierigheid te laten afleiden. Het was toch een vervreemdende situatie. Na vijftien jaar belandde hij van een rots ergens midden in de Middellandse Zee weer in de bewoonde wereld. Maar hij had te veel met dat meisje gepraat. Hij moest op alles bedacht zijn. De levens van de onzichtbaren hingen daarvan af.

Het zou het beste zijn geweest als hij samen met Vango bij het hoofdbureau van politie naar binnen was gegaan. Met z'n tweeën zouden ze minder snel zijn opgevallen. De rattenbestrijder en zijn assistent. Viktors spionnen keken waarschijnlijk uit naar een man alleen.

Hoe Zefiro bij de ingang ook zijn best had gedaan om uit te leggen dat hij dit werk niet alleen kon doen, de veiligheidsofficier was onverbiddelijk geweest: de assistent moest buiten blijven.

Ten slotte had Zefiro tegen Vango gezegd dat hij om de hoek bij de vogelmarkt moest wachten in hun auto, waarop in gouden letters op een zwarte ondergrond *Dood aan de ratten* stond.

Hij was blij dat hij die jongen had meegenomen. Vango had zo aangedrongen dat hij niet lang had tegengestribbeld. Met hem erbij had hij tenminste nog een kans om het klooster te waarschuwen als het mis zou lopen. Want als Viktor de padre gevangennam zou het onzichtbare klooster onmiddellijk moeten worden opgeheven.

In de boot had Zefiro tegen Vango gezegd: 'Niemand kan zeggen of ze er niet in zouden slagen om me aan de praat te krijgen. Ik weet niet hoe lang ik mijn mond kan houden. Misschien dat ik uiteindelijk het geheim van Arkudah zou prijsgeven.'

Daarom liet Zefiro zijn aandacht in de wachtruimte van het politiebureau geen moment verslappen.

Hij lette vooral op de lezer met de propjes in zijn oren. Die vertrouwde hij niet. Misschien was dat voor die man een goede manier om in de wachtruimte te blijven zitten en alles in de gaten te houden.

Van het meisje rechts naast hem weigerde hij te geloven dat ze bij de vijand kon horen. Zelfs een monnik die al dertig jaar trouw aan zijn geloften was en die de charmes van vijftig nonnen in het witte klooster op Noirmoutier had weerstaan, moest erkennen dat deze jonge vrouw onweerstaanbaar was.

Hij voelde dat ze hem met haar elleboog aanraakte.

'Ik geloof dat u aan de beurt bent,' zei ze.

Maar het was voor haar.

'Zie je wel, m'n kind. Jij mag eerst.'

Vlak voordat ze de deur uit liep vroeg ze nogmaals vanuit de verte, geluidloos haar lippen bewegend: 'Wie bent u?' Ze glimlachte.

Zefiro had niet begrepen wat de achternaam van het meisje was, maar haar voornaam die door de agent met een Frans accent werd uitgesproken had hij wel verstaan: Ethel.

Eerst dacht hij dat de politieman '*Est-elle?*' zei, 'is zij dat?', en hij bedacht dat je niet anders kon dan jezelf die vraag stellen en je in je arm knijpen wanneer zij ergens binnenkwam.

'Ik heb heel weinig tijd,' zei commissaris Boulard toen Ethel voor hem ging zitten. 'Ik zit op iemand te wachten. Ik kan ieder moment worden geroepen.'

Hij zag er zenuwachtig uit.

'De vorige keer gedroeg u zich meer als een gentleman, commissaris. U moet trouwens de hartelijke groeten hebben van ons kamermeisje Mary.'

Boulard gaf geen antwoord.

Hij probeerde onder tafel de juiste positie voor zijn benen te vinden.

Mary, het kamermeisje dat hij op Everland had ontmoet, schreef hem brieven in het Engels. Hij las ze 's nachts met een loep en een woordenboek en verstopte ze in de voering van de gordijnen wanneer zijn moeder zijn kamer opruimde.

Hij was te verlegen om terug te schrijven.

Mevrouw Boulard hield de conciërge, mevrouw Dussac, staande als die de post boven bracht. Dan stonden ze uren op de trap te praten. Wanneer er van die brieven met een Engels poststempel en de geur van verwelkte rozen waren gekomen, legde Marie-Antoinette Boulard aan de conciërge uit dat haar zoon een briefwisseling onderhield met Scotland Yard, het puikje van de Britse politie.

Dat had Boulard haar verteld als verklaring voor de regelmaat waarmee de brieven kwamen.

De moeder en de conciërge keken dus eerbiedig naar de envelop en zagen in gedachten de trotse gedaante van Sherlock Holmes in een wolk van tabaksrook aan zijn schrijftafel zitten en zijn stempel op de envelop zetten.

'Het is een hele meneer, die zoon van u,' concludeerde mevrouw Dussac.

En als er op de achterkant een hartje getekend was, zagen ze daar niets anders in dan een bewijs van de befaamde sentimentele aard van de Engelsen.

'Hebt u nieuws voor mij?' vroeg Boulard aan Ethel.

'Jazeker. Mary maakt het goed, ze...'

'Ik doel op de zaak-Vango Romano,' onderbrak de commissaris haar blozend.

'En u?' vroeg Ethel. 'Hebt u nieuws?'

'Bar weinig. Ik denk dat hij momenteel heel ver weg is.'

Boulard vergiste zich. Vango was nog nooit zo dichtbij geweest. Hij was zojuist een paar meter boven hen op het dak gesprongen.

'U wil me toch niet vertellen dat een jaar onderzoek niets heeft opgeleverd,' zuchtte Ethel.

Boulard wreef over zijn wang.

'Ik moet bekennen dat ik momenteel een paar belangrijke zaken onder handen heb.'

'Een jongen van negentien jaar die de avond voordat hij tot priester wordt gewijd een oude pater doodt en vervolgens in het bijzijn van duizenden mensen in het hartje van Parijs onder schot genomen wordt, is dat geen belangrijke zaak?'

De commissaris stond op. 'Nee, juffrouw, helemaal niet,' barstte hij uit. 'Die moord is niet belangrijk! Wat kan mij die moord schelen! Die moord en driekwart van de misdaden van Parijs zijn rimpels in een vijver, een deuk in mijn hoed, juffertje van me. Wat wél belangrijk is, is dat we te weten komen waar die jongen vandaan komt, die iedereen kent terwijl niemand ook maar iets van hem afweet.'

Hij liep druk gebarend door de kamer heen en weer en gaf nu eens een klap op een stapel dossiers en dan weer op een meubelstuk.

'De identiteit van Vango Romano, díé is belangrijk. Dat mysterie interesseert me. Dat mysterie is de enige reden waarom ik dit onderzoek, dat stinkt als oude camembert, niet opgeef. Er worden in deze stad elke dag genoeg moorden gepleegd om zesendertig commissarissen Boulard bezig te houden. Begrijpt u, juffertje van me? *Zesendertig* commissarissen Boulard! Maar zo iemand als Vango Romano ben ik nog nooit tegengekomen.'

'Ik ben uw juffertje niet,' zei Ethel, die op het punt stond om in huilen uit te barsten.

'Het spijt me, ik...'

Boulard liet zich in zijn stoel vallen, bovenop zijn hoed.

'Ik ben een beetje overspannen...' ging hij verder. 'Ik wilde u niet...'

De commissaris keek haar aan. Er verschenen tranen als zachtpaarse bloemetjes in haar ooghoeken. Ethel huilde echt.

'Als er zesendertig commissarissen Boulard zouden zijn, zou ik ter plekke uit het raam springen,' zei ze tussen de snikken door.

Ze bleven allebei een poosje stil.

Boulard trok een la open en haalde er een grote, smetteloze katoenen zakdoek uit. Hij had altijd een paar op zondagmiddag door zijn moeder gestreken exemplaren klaarliggen voor degenen die in zijn kantoor kwamen.

Er was de afgelopen veertig jaar heel wat afgehuild in dit vertrek. Boulards beroep was gebaseerd op het verdriet van andere mensen.

Soms had hij de indruk dat hij zijn leven doorbracht met baantjes trekken in dit grote meer van tranen. En het ergste was nog dat Boulards bestaan zonder die drama's, dat verdriet, die verwoeste levens geen zin zou hebben en dat hij dan moederziel alleen, droogzwemmend op de vloer, zou achterblijven.

Ethel pakte de zakdoek aan.

Op dat moment klonk er een geluid dat leek op een ontploffing.

Met een geweldige klap knalde Boulards deur open.

23
Dood aan de ratten

Inspecteur Avignon kwam het bureau binnenstormen.

Toen hij Ethel zag probeerde hij zijn kalmte te herwinnen. Hij wendde zich tot Boulard.

'Commissaris... Commissaris, hij is beneden...'

'Wie?'

'De... de... de rattenbestrijder...'

Boulard probeerde de boodschap te doorgronden. Hij kneep zijn ogen samen.

'De rattenbestrijder?'

'Degene... degene die u verwacht...'

Avignon keek de commissaris strak aan. Zou hij het eindelijk begrijpen?

'Ja, degene die u verwacht... De man die u hebt gevraagd om...'

'Mijn hemel,' zei hij, en hij sprong overeind. 'Ik kom eraan.'

Hij liep naar de deur. Ethel was verbijsterd. Zij was niet de enige op wie de rattenbestrijder veel indruk maakte.

'Een spoedgeval. Het spijt me, juffrouw. Tot ziens.'

Hij verzocht Avignon om haar uit te laten. En weg was hij.

Eenmaal buiten liep Ethel langs de kaden tot aan de Pont Neuf, waar ze halverwege de brug, aan de kant van warenhuis La Samaritaine, onder een lantaarnpaal bleef staan. Ze klom over de reling heen en ging op het randje boven de Seine staan.

Ze hurkte neer.

Ethel was bedroefd en keek naar het water dat onder haar voorbijstroomde. Verderop, vlak bij de Pont des Arts, waren mensen aan het zwemmen.

'Vertel op,' vroeg de Mol, die daar op haar zat te wachten.
'Er valt niets te vertellen.'

In de kelders van het politiebureau was de rattenbestrijder naar een door een kelderraam verlicht kamertje gebracht.

Boulard kwam binnen en deed de deur achter zich dicht.

Ze keken elkaar aan.

'Bedankt voor uw komst, padre Zefiro.'

'Ik doe het niet voor u.'

'Dat weet ik.'

'Waar is hij?'

'Aan het eind van de gang, komt u maar met me mee.'

'Wacht. Ik wil dat alles duidelijk is. Is er behalve u nog iemand anders hier die weet wie ik ben..?'

'Augustin Avignon. Ik vertrouw hem.'

'Dat is er al één te veel.'

Boulard keek naar de koffer met het opschrift *Dood aan de ratten*. Hij stamelde: 'U gaat mijn assistent Avignon toch niet uit de weg ruimen?'

'Nee. Maar verder wil ik er geen enkele andere getuige bij hebben. Niemand. Voor iedereen blijf ik de rattenbestrijder.'

'Goed.'

'Is het donker in de ruimte waar we straks zijn?'

'Ja.'

'Viktor Voloj mag niet weten dat ik nog leef.'

'De verdachte wordt verblind door een schijnwerper. U loopt geen enkel risico. Dat is mijn verantwoordelijkheid.'

'Nee, de mijne. Het lot van tientallen mensen ligt in mijn handen. Als ik word gezien, betekent dat het einde van mijn klooster.'

'Niemand zal u zien.'

'Ik zal u alleen maar zeggen of het Viktor is. Daarna zal ik het identificatieformulier met een kruisje tekenen, en weer gaan zoals ik gekomen ben.'

'Hoe dan?'

'Door de deur, meneer de commissaris. Of vliegen rattenbestrijders vaak door het raam naar buiten?'

'Nee, daar hebt u gelijk in.'

'Ik wil dat alles volkomen normaal lijkt. U moet zelfs zorgen dat het geld voor de rattenbestrijding wordt betaald aan *Dood aan de ratten*, onderdeel van de firma Aurouze in de Rue des Halles. Je weet het maar nooit. De schurken met wie we te maken hebben, weten alles, houden alles in de gaten, kijken ieder document na.'

'Goed.'

Zefiro pakte Boulard bij zijn jasje vast en zei ernstig tegen hem: 'Nu moet u goed naar mij luisteren, commissaris. Vader Zefiro is hier nooit geweest. Begrepen? Hij is hier nooit geweest omdat hij dood en begraven is, aan de voet van de steeneiken van het witte klooster, met uitzicht op de Atlantische Oceaan. Als bewijs daarvan liggen er in mijn graf zelfs botten die bij het Antropologisch Museum zijn gekocht. Ik laat niets aan het toeval over.'

'Ik snap het,' zei Boulard, die de ernst van de situatie begon in te zien.

Hij had zich nooit kunnen indenken dat het zo ingewikkeld was om dood te zijn.

De padre deed zijn koffer open en begon stinkend poeder langs de muren te strooien.

'Wat doet u?'

'Ik doe aan rattenbestrijding, meneer de commissaris. U begrijpt er werkelijk niets van!'

'Ja, natuurlijk, neemt u me niet kwalijk.'

Zefiro pakte zijn spullen weer in.

'Vooruit. U gaat eerst kijken of de gang leeg is. Daarna controleert u de cabine waar we gaan zitten. En dan komt u me halen.'

Zefiro bleef een ogenblik alleen. Hij haalde diep adem. Hij herinnerde zich zijn ontmoetingen met Viktor Voloj. Zes maanden had hij hem om de tuin kunnen leiden. Maar telkens wanneer hij in het hokje van een biechtstoel, in een kapel in de Dolomieten of in Bretagne, op zijn verschrikkelijke boeteling zat te wachten, verwachtte hij dat een pijl zich door het houten maaswerk heen in zijn hart zou boren. Elke seconde speelde hij met zijn leven.

Hij had gedacht dat hij die ervaring niet meer zou hoeven meemaken, en dat de angeltjes van zijn goudgele bijen op Arkudah de enige pijlen waren die hem nu nog bedreigden.

Boulard duwde de deur open. 'Komt u maar, de kust is veilig,' zei hij.

Zefiro pakte zijn koffer en liep achter de commissaris aan. Toen hij achter de ruit plaatsnam, zag hij onmiddellijk de man vastgebonden aan zijn stoel zitten. Ineens liep het koude zweet tappelings langs zijn rug.

Hij had verwacht dat hij slechts een lokaas zou aantreffen, een man die zich voor Viktor Voloj liet doorgaan om Zefiro uit zijn tent te lokken.

Maar hij was het zelf. In eigen persoon.

Viktor Voloj had besloten om zélf als lokaas te dienen.

In het donker merkte Auguste Boulard niets van de reactie van de padre.

'Is hij het?' fluisterde Boulard.

Viktor had nog steeds een griezelige grijns op zijn gezicht.

'Hij is het,' antwoordde Zefiro.

Ze bleven zeven of acht tellen doodstil zitten. Luttele seconden, waar Zefiro voor altijd spijt van zou hebben. Als hij zich onmiddellijk had omgedraaid en was weggegaan, was alles anders gelopen.

Maar voordat de monnik en de commissaris ook maar een vinger konden verroeren, rekte Viktor Voloj zijn lichaam zover mogelijk uit, gooide hij zijn nek naar achteren en met een bovenmenselijke kracht stootte hij met zijn hoofd tegen de kap van de schijnwerper die vlak langs zijn haren streek. De lichtbundel schoot als een schommel voor hem uit omhoog en scheen lukraak in het duister. Het licht zwenkte rond en tijdens een tweede slingerbeweging verlichtte de peer met de precisie van een cameraflits Zefiro's gezicht.

Het beeld van dat gezicht, dat door het licht werd verblind, grifte zich in Viktor Volojs oog.

Hij verroerde zich niet meer. Bij zijn haarwortels kwam een beetje bloed tevoorschijn.

Viktors lippen bewogen. En als de schijnwerper op hem had geschenen, had men op zijn lippen de woorden kunnen lezen van een liedje dat Nina Bienvenue in Montmartre zong en dat iedereen dat jaar nazong:

Welkom in Parijs, knappe vent...
Wat een geluk dat je in leven bent...

Het was een liedje over een beminde soldaat die terugkwam van de oorlog, maar uit Viktors mond klonk het als Zefiro's doodvonnis.

Vader Zefiro slaakte een kreet, greep Boulard in zijn kraag en sleurde hem de gang op.

Hij drukte hem tegen de stenen muur en stamelde: 'U had me gezworen... U had me gezworen dat u mij geen enkel risico zou laten lopen...'

Boulard zag lijkbleek.

'Ik begrijp niet wat er gebeurd is. Heus. Avignon had alles gecontroleerd.'

Zefiro liet hem los.

'Gaat u maar weg,' zei Boulard naar adem snakkend. 'Maakt u zich geen zorgen. We houden hem vast. We laten hem niet gaan. Niemand krijgt hem te spreken. Niemand zal te weten komen dat u leeft.'

'Dat zegt u.'

'Hij zal de rest van zijn leven in een cel creperen, en u...'

Er ging een snerpende sirene af.

'Wat is dat?' vroeg Zefiro.

'Het alarm. Ik... ik begrijp er niets meer van. Er zal iemand zonder toestemming het politiebureau zijn binnengekomen. Nu worden alle deuren afgesloten.'

Witheet van woede gaf Zefiro een trap tegen de *Dood aan de ratten*-koffer, en toen zei hij tegen Boulard: 'Ik raad u aan om Viktor Voloj niet te laten vertrekken. Anders zult u er uw leven lang voor boeten.'

Hij rende ervandoor. Hij was niet meer de bedaarde vakman, die zich opmaakte om door de hoofduitgang naar buiten te lopen. Hij was weer Zefiro, de illegaal.

Hij zou het politiebureau als een rat uit glippen.

Toen ze langs de vogelmarkt kwamen bleven Ethel en de Mol staan. Ethel zag het zwarte bestelbusje van de firma *Dood aan de ratten, Ongediertebestrijding sinds 1872* staan. Ze liep ernaartoe en keek door het raampje naar binnen. Er zat niemand in de auto.

Ze zou de man uit de wachtruimte graag nog even gesproken hebben.

'Wat doe je?' vroeg de Mol.

'Ik wilde een vriend gedag zeggen.'

Het bestelbusje stond een beetje in de weg. Leveranciers die bij de markt spullen moesten afleveren, hadden onder de ruitenwisser een briefje met verwensingen achtergelaten, omdat ze geen mondelinge tirade konden afsteken... Een Parijse traditie die even oud was als de uitvinding van het wiel.

Ethel pakte het papier, haalde er een streep doorheen en schreef met een glimlach op haar gezicht drie keer dezelfde vraag op: 'Wie ben je?'

Daarna ondertekende ze het met haar voornaam, 'Ethel'.

De Mol keek hoe ze het papier weer onder de ruitenwisser stopte.

Eindelijk had ze iemand ontmoet die nog onvoorspelbaarder was dan zijzelf. Ethel verraste haar voortdurend. Met die impulsieve

Schotse naast zich vond ze zichzelf opeens heel verstandig. Dat gaf haar een goed gevoel.

De Mol beschouwde zichzelf als de wijste van dit superduo. Daardoor groeide ze zienderogen.

Ze had zelfs aan Ethel verteld dat ze een verloofde had die André heette. Meer had ze er niet over losgelaten om er niet bij te hoeven zeggen dat hij niet eens van haar bestaan wist, dat zijn naam eigenlijk Andrej was en dat hij een baas had, die Boris Petrovitsj Antonov heette.

De twee meisjes hadden besloten de handen ineen te slaan om degene te vinden die ervoor had gezorgd dat hun wegen elkaar gekruist hadden: Vango.

Inspecteur Avignon trof zijn baas op de rand van een zenuwinzinking aan.

Tierend als een ketter liep Boulard over de binnenplaats.

'Wie heeft het alarm laten afgaan?'

De bezoekers in de wachtruimte waren opnieuw voor een controle naar een overdekte galerij gebracht. Niemand mocht het politiebureau verlaten. Zelfs de vuilnismannen, die bezig waren om de vuilnisbakken van de kantine op te halen, mochten er niet uit. Een geur van rottend afval verspreidde zich door de gangen en drong de kantoorruimten binnen. De stank was niet te harden.

'Wie heeft het alarm laten afgaan, vraag ik!'

'Bat bas ik,' zei Avignon.

'Jij? Avignon?'

'Er was iebad id uw kadtoor,' ging de inspecteur verder, terwijl hij zijn neus stijf dichtkneep. 'Juffrouw Darboh heeft heb gezied.'

'Wie?'

'Juffrouw Darboh.'

'Laat je neus los, imbeciel!'

'Juffrouw Darmon.'

'Heeft hij iets meegenomen?'

Tien dagen geleden was een onbelangrijk dossier in de zaak-Vango Romano op onverklaarbare wijze verdwenen. Dat was het dossier van de getuige de Mol.

'Ik geloof dat hij niets heeft meegenomen.'

'Zelfs niet Darmon?'

'Zelfs die niet,' zei Avignon, die niet durfde te glimlachen.

'Jammer. Zeg tegen juffrouw Darmon dat ik haar in mijn kantoor wil spreken.'

Juffrouw Darmon zou over drie maanden met pensioen gaan. Ze was de secretaresse van de commissaris, die zich al vierenveertig jaar uitstekend zonder haar kon redden. Hij had nooit geweten wat hij haar moest laten doen. En dus maakte ze al vierenveertig jaar kruiswoordpuzzels, las ze keukenmeidenromans en de liefdesrubrieken uit de krant, en dat zou ze nog een paar weken volhouden.

Juffrouw Darmon kwam met haar haren in een knot van vier verdiepingen op haar torenhoge hakken het kantoor binnen.

Ze ging tegenover de commissaris zitten.

'Hoe zag hij eruit?' blafte die.

'Heel knap,' antwoordde ze met knipperende wimpers. 'Heel jong.'

'En verder?'

'Hij was heel beleefd.'

'Heeft hij u niets misdaan?'

'Nee,' zei ze met een zweem van spijt in haar stem.

'Hoe is hij weggegaan?'

'Daarlangs.'

Ze wees naar het raam. Het was een zijraampje dat uitkwam op een binnenplaatsje dat als lichtschacht diende voor het glazen dak helemaal beneden. Het raam van Boulards kantoor was het enige in de vier muren van de binnenplaats. Er zat geen enkel uitsteeksel op die muren.

'Had hij een touw bij zich?' vroeg de commissaris.

'Nee. Hij is naar de muur tegenover het raam gesprongen en toen naar boven geklommen.'

Avignon en Boulard wierpen een blik op de spekgladde muur die zich op een afstand van drie à vier meter van het raam en vijftien meter van de grond bevond.

Walgend van de penetrante vuilnisstank deed Avignon het raam dicht

'Goed, goed, goed, goed...' zei Boulard zachtjes.

Avignon en hij keken elkaar even aan. Juffrouw Darmon had een zeer levendige fantasie. Op een dag had ze verteld dat de filmster Clark Gable aan het eind van de middag in haar tuintje in de buurt van Bagnolet was opgedoken om een partijtje croquet te spelen.

Boulard liep te ijsberen door de kamer. Zijn dossiers lagen allemaal nog precies op hun plaats. Schijnbaar was alles in orde. Poeslief zei hij tegen zijn assistent: 'Dus meneer Avignon heeft het hele politiebureau op stelten gezet omdat juffrouw Darmon in mijn kantoor een romantische ontmoeting heeft gehad met een jonge god, die als een hagedis langs de muren klimt? Heb ik dat goed begrepen?'

'Ik dacht dat...'

'Eruit!' bulderde hij. 'Wegwezen, nu!'

Avignon en Darmon wilden net de kamer uit lopen toen Boulard fluisterde: 'Juffrouw, wilt u me waarschuwen wanneer uw geveltoerist u na uw pensioen in Bagnolet brieven stuurt?'

Juffrouw Darmon bleef staan.

'O ja, dat was ik bijna vergeten. Ik heb nog iets voor u.'

Ze stak haar hand in haar boezem en haalde er met tegenzin een blaadje uit, dat acht keer was dubbelgevouwen.

'Dit moest ik van hem aan u geven.'

Boulard pakte het haastig aan en vouwde het open.

Een brief. Ondertekend door Vango Romano.

Vango had zijn kleren niet eens gekreukt.

Hij was zojuist ontsnapt via de daken van het Paleis van Justitie en langs de Sainte-Chapelle weer naar beneden geklommen.

Een jonge rechter had hem loodrecht langs zijn raam zien komen,

naar een ander had Vango zelfs even gezwaaid en in het voorbijgaan had hij zich verontschuldigd voor de overlast. Omdat ze zich
schaamden over hun hallucinaties repten ze er geen van beiden ooit
met een woord over.

Vlak nadat Ethel om de hoek van de straat was verdwenen, kwam
Vango de vogelmarkt uit gelopen.

In een volmaakte wereld zou een welwillende hand de een even
hebben tegengehouden en de ander juist een zetje hebben gegeven
zodat ze allebei op hetzelfde moment voor de zwarte bestelbus van
Dood aan de ratten hadden gestaan. In een volmaakte wereld zou er
in de verte muziek hebben geklonken en zou er een zonnestraal op
de stoep hebben geschenen.

Maar zou je, zelfs in een volmaakte wereld, die twee levens een
andere wending hebben moeten geven, zou je ze moeten behandelen
als pionnetjes die je een vakje naar voren of naar achteren schuift, alleen maar om te kunnen genieten van een weerzien dat zich in slow
motion voor je ogen zou afspelen?

Vango stapte dus alleen in de bestelbus.

De dingen waren niet gelopen zoals gepland. Vango had tegen
Zefiro gelogen. Sinds hij de Eolische Eilanden had verlaten, had hij
een geheim plan. Hij wilde nu eindelijk eens met Boulard praten om
hem alles uit te leggen wat hij wist en hem te wijzen op andere sporen dan het zijne. In het bijzijn van Zefiro hoefde hij nergens bang
voor te zijn. Commissaris Boulard zou naar hem luisteren.

Maar ze hadden hem bij de ingang tegengehouden. Hij had gedaan alsof hij zich daarbij neerlegde en was via de gevels en de daken
naar binnen gegaan.

Boulard en Zefiro waren echter niet in Boulards kantoor geweest.

Uiteindelijk had hij een brief, die hij in allerijl had geschreven,
moeten toevertrouwen aan een secretaresse die hem verliefd had
aangekeken voordat ze alarm had geslagen.

Vango startte de auto.

Zefiro had tegen hem gezegd dat hij niet op hem moest wachten als het fout zou lopen. Ze zouden elkaar later in een stationgebouw treffen.

Er zat een papiertje op de voorruit van de auto. Vango stapte uit om het weg te halen. Terwijl de motor ronkte las hij het achter het stuur even door.

Het was alsof de negentien waterstofzakken van de Graf Zeppelin een voor een in zijn borst klapten.

Vango las drie woorden die een paar keer herhaald werden, en een voornaam. De woorden zouden zijn leven veranderen. De voornaam droeg hij sinds zijn veertiende al in zijn hart mee. Het was een kans van één op een miljard dat die woorden en die voornaam op die plaats en op dat moment op dat papier bij elkaar waren gekomen.

Wie ben je?
Wie ben je?
Wie ben je?
Ethel.

Diezelfde avond werd er in het aardedonker bij de vuilstortplaats van Sainte-Escobille aan de rand van Parijs een vuilniskar op een berg afval omgekiept. Een vuilnisman verspreidde de vuilnisresten met een riek.

'Jullie zijn de laatsten,' zei hij tegen de oude man met een muts op zijn hoofd, die de kar had gebracht.

'Ze hebben ons vier uur lang op het politiebureau vastgehouden. Ze hadden de deuren vergrendeld. Joost mag weten waarom. Ik ga pitten.'

De vuilnisman hielp hem om zijn kar bij de andere karren te zetten.

'Ajuus.'
'Ajuus.'
Het werd weer stil.

Je hoorde alleen nog het geritsel van de ratten.

Even later begon de stinkende massa te bewegen. Er kwam een man uit de afvalberg tevoorschijn. Hij ging staan, trapte een rat weg en veegde met zijn hand over zijn smerige gezicht.

'Mijn god,' zei hij.

Een paar uur geleden droeg hij nog een koffer waarop '*Dood aan de ratten. Hygiëne en ongediertebestrijding*' stond... Zefiro was erin geslaagd om te ontsnappen.

Hij zocht in de zak van zijn jasje naar zijn horloge. Hij had nog genoeg tijd om naar het Gare d'Austerlitz te gaan, waar hij Vango zou ontmoeten.

Toen hij naar buiten kwam en langs de muur van de vuilstortplaats liep, had hij er geen flauw idee van dat de oude man met de muts hem op vijfentwintig meter afstand in de duisternis volgde.

Deel drie

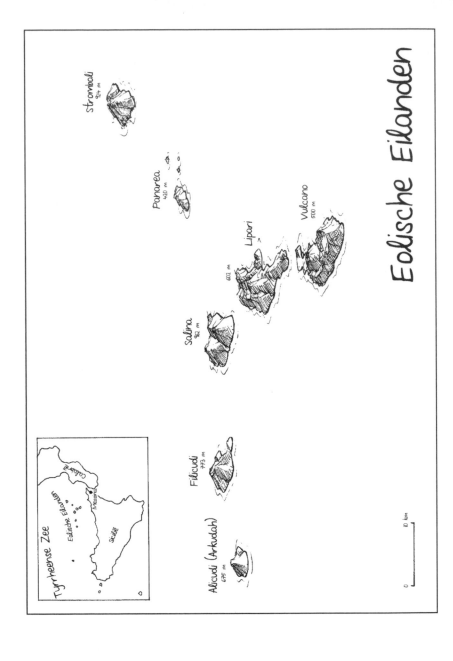

Eolische Eilanden

Stromboli
924 m

Panarea
420 m

Lipari
602 m

Vulcano
500 m

Salina
962 m

Filicudi
773 m

Alicudi (Arkudah)
675 m

Tyrrheense Zee

Eolische Eilanden

Sicilië

Messina

Calabrië

0   10 km

24
De overlevende

Sotsji, een paar dagen later, augustus 1935

'Setanka! Ik heb geen zin meer.'

Setanka gaf geen antwoord. Ze zat verstopt in het hoge gras op een duin, vlak boven de anderen.

Het jongetje was haar al bijna een uur aan het zoeken. Het huilen stond hem nader dan het lachen.

'Waar ben je nou?'

Waarom vond Setanka de picknicks in de zomer, aan de kust van de Zwarte Zee steeds minder leuk? Tijdens het eindeloze verstoppertje spelen liet ze haar neefje vlak langs haar lopen zonder zich te laten zien.

'Setanka, Setanotsjka...'

Terwijl ze languit in het gras lag te mijmeren, voelde ze hoe de sprinkhanen over haar huid kropen. Ze keek naar de silhouetten die in groepjes in de zon zaten.

Er waren veel mensen, net als vroeger. Grootvader, grootmoeder, oom Pavloesja, het echtpaar Redens met hun kinderen, oom Aljosja Svanidze en tante Maroesja, die operaliederen zong... Als Setanka zich een klein beetje omdraaide kon ze haar vader zien, die half liggend tegen een dode boom aan het praten was met een man die ze niet kende. Een handjevol bewakers die her en der in het riet of in het water stonden, hield het gezelschap in de gaten.

Tot haar zesde jaar, toen haar moeder nog leefde, waren die picknicks voor Setanka altijd het summum van geluk geweest. De liede-

271

ren klonken toen vrolijker, de zon leek stralender en de lieve woorden die oom Pavloesja haar op zijn hurken toefluisterde hadden niet de droevige ondertoon die ze er nu in hoorde. Wanneer ze eind augustus terug moesten naar Moskou omdat het schooljaar begon, vond ze het altijd verschrikkelijk om weg te gaan van de datsja in Sotsji.

Maar nu hing er een angst in de zomerlucht, ondanks de hilariteit die de eeuwige kibbelpartijen van de grootouders veroorzaakten, ondanks de aria's van tante Maroesja. Een angst die zich nergens door liet verjagen.

Setanka, die nog maar net negen jaar was, kon niet weten waar die angst vandaan kwam, maar ze voelde hem overal, nog plakkeriger dan haar jurk op haar zwetende schouders.

Soms dacht ze aan al die mensen die plotseling niet meer bij hen over de vloer kwamen en over wie nooit meer gesproken werd. Waar waren ze gebleven, de knappe Kirov en alle anderen? Waar waren ze gebleven?

Ze had er geen idee van dat haar vader Jozef Stalin, die een schrikbewind in zijn land voerde en die er net voor had gezorgd dat er hongersnood in de Oekraïne was uitgebroken, zijn eigen familie niet zou sparen. Over een paar maanden zouden Aljosja en Maroesja worden gearresteerd; oom Pavloesja zou op zijn kantoor aan een merkwaardige hartaanval sterven; het jaar daarna zou oom Redens worden gefusilleerd en zijn vrouw worden gedeporteerd...

'Waarom liet je je niet zien? Ik ben je al een uur aan het zoeken.'

Eindelijk had het jongetje Setanka gevonden. Hij veegde de sporen van de tranen die op zijn wangen gedroogd waren van zijn gezicht.

Setanka trok aan zijn hand. Hij hurkte naast haar neer.

'Ben je dapper?' fluisterde ze.

'Ja,' antwoordde de ander, een beetje bang.

'Kom dan mee,' zei Setanka.

Ze begonnen door het hoge gras te kruipen, Setanka voorop. Zij was de oudste van de twee. Niemand lette op die twee kleine slangen die over het duin dichterbij kwamen. Door al dat kruipen kreeg het jongetje groene vlekken op zijn knieën en ellebogen.

'Niet zo snel,' zei hij.

'Sst, stil... We zijn er bijna.'

De kinderen verstopten zich achter een liggende boomstam. Aan de andere kant hoorden ze stemmen.

Ze waren vlak bij de dode boom waar Setanka's vader tegenaan zat. Ze luisterden.

Iemand had het over 'goed nieuws', en heel snel daarna hoorde Setanka het langverwachte woord.

'De Vogel...'

Haar hart sprong op.

'De Vogel is in Parijs opgedoken,' zei een man. 'Hij heeft een brief aan de politie gegeven.'

Setanka drukte haar gezicht tegen de grond. Ze hoorde haar vader iets zeggen wat ze niet begreep.

'Nee,' antwoordde de man. 'Ze hebben hem niet gevangen.'

Er volgde een drukkende stilte.

'Is dat het goede nieuws waar je op doelde, kameraad?'

'In die brief legt de vluchteling aan de politie uit dat hij wordt achtervolgd, maar dat hij niet weet door wie en waarom...'

Opnieuw een stilte. Aan het meer kon je tante Maroesja horen zingen.

Setanka drukte zich nog platter tegen de grond toen ze de kille woede in haar vaders stem hoorde: 'En jullie hebben je nog een keer laten beetnemen?'

De ander stamelde: 'Kameraad, ik heb de hele brief kunnen lezen...'

'Wat er in die brief staat is niet waar, imbeciel!'

'Maar...'

'Tot ziens.'

Setanka hoorde geritsel van kleren, ze dook nog dieper in het gras, boven op het gezicht van haar neefje.

'Zorg dat jullie hem vinden!'

De bezoeker was opgestaan.

'Het spijt me dat ik u gestoord heb, kameraad.'

Stalin liet hem weglopen, maar toen floot hij hem terug.

'Je vertelde me over de vrouw die hem heeft grootgebracht. Hoe noemde je haar ook alweer?'

'De vogelaarster. Ze is niet gevaarlijk. Daarginds, in Italië, zegt iedereen dat ze zich niets meer kan herinneren...'

'Berg haar ergens op waar ze geen gevaar meer voor ons vormt.'

'Wilt u dat...'

'Ja.'

'U...'

'Neem haar mee! En hou je ogen open. Misschien is dat het moment waarop de Vogel zal besluiten om zich te laten zien. Mensen zijn vaak erg verknocht aan dat soort vrouwen.'

Setanka dacht aan haar eigen kleine kinderjuffrouw, Alexandra Andrejevna, die vanaf haar geboorte met oneindige goedheid voor haar zorgde. Na de dood van haar moeder was Setanka er dankzij Alexandra's liefdevolle zorgen weer bovenop gekomen.

'Zo'n operatie, in het buitenland...' wierp de man timide tegen.

'Doe het netjes.'

'Ik dacht...'

'Ontferm je over die vrouw en kom me niet meer op zondag lastigvallen.'

Setanka en haar neefje bleven nog een paar minuten plat op de grond liggen, zonder iets te zeggen. Bijna vielen ze met hun ogen half dicht in het gras in slaap toen ze merkten dat er een kolossale schaduw boven hen opdoemde en ze het verschrikkelijke gegrom van een beer hoorden.

Gillend rolden ze opzij.

De beer rook naar tabak. Hij had de bruine ogen van oom

Pavloesja. Hij had ook zijn lange benen, zijn beige kostuum, dat door een goede modeontwerper in Berlijn was gemaakt, en zijn weemoedige lach.

De twee kinderen stortten zich op de oom die hen zo had laten schrikken.

Het spel duurde niet lang. Het was slechts een poging van de ontgoochelde Pavloesja om de kleintjes te herinneren aan de zomers van vroeger, toen grootvader deed alsof hij een beer was of Setanka's moeder schaterend in het water gooide.

Aan de andere kant van de dode boom keek kameraad Stalin naar Pavloesja en de kinderen, die languit op de grond lagen.

Over een paar uur zou het bevel uitgaan om de kinderjuffrouw van Vango te ontvoeren en voor altijd op te bergen.

Salina, Eolische Eilanden, op hetzelfde ogenblik

Mademoiselle kwam haar huis binnen en begreep onmiddellijk dat iemand haar voor was geweest. Wanneer je alleen woont worden voorwerpen heel belangrijk. Je oog raakt eraan gewend. Ze bevinden zich op de plaats waar jij ze hebt neergezet, en iedere verandering, hoe klein ook, is net zo verbijsterend als voetstappen op de maan.

Het kopje dat op tafel stond was van plaats veranderd. Het was niet alleen minstens een duimbreedte verplaatst, het was ook een halve slag gedraaid. En die halve slag was wat Mademoiselle het meeste opviel. Die kleine draai van een kopje deed haar net zo opschrikken als het waarschuwingssignaal van een scheepshoorn in de stilte van het eiland.

Het opmerkelijkste was dat het oor van het kopje naar rechts was gedraaid. Dat kun je een detail noemen, maar voor Mademoiselle was het een aardverschuiving. Ze was linkshandig en ze pakte nooit een kopje met haar hele hand vast, dus het was onmogelijk dat dit kopje zo stond zonder dat iemand anders het had aangeraakt... Iemand die rechtshandig was, of in het ergste geval iemand die linkshandig was maar die zo slecht was opgevoed dat hij een kopje niet bij het oor vastpakte.

Uit voorzichtigheid liet ze niets van haar verrassing merken. Ze liep gewoon met haar mand vol verse kappertjes naar het stenen aanrecht.

Mademoiselle dacht wel dat ze op een dag zouden terugkomen. De laatste keer hadden ze niet gevonden wat ze zochten. Deze keer zouden ze haar geen kans geven.

Ze begon de kappertjes te sorteren. De grootste at ze liever zelf; de kleinste zouden meer opleveren.

Kappertjes zijn de bloemknoppen van de kapperstruik. Mademoiselle maakte twee hopen op een plank die wit uitgeslagen was van het zout. De oogst liep ten einde. Ze liet altijd een rij struiken op de heuvel ongemoeid om hun grote witte bloemen te zien uitkomen. Die bloemen bloeiden maar één dag. Eén zo'n bloem had ze die dag in haar haren gestoken.

Mademoiselle stond met haar rug naar de kamer toe. Ze had geen zin om te vluchten.

Toen ze bij haar huis aankwam had ze gezien dat Mazzetta niet in zijn grot was. Ze had zelfs haar pas versneld uit angst dat hij de frivole bloem in haar haren zou zien.

De dokter had haar dikwijls voorgesteld om bij haar te komen wonen, als ze beducht was dat er nog eens indringers langs zouden komen. Ze antwoordde steevast dat ze nergens bang voor was.

Dat was waar, ze was nooit ergens bang voor geweest, behalve dan voor Vango. En nu hij zijn vleugels had uitgeslagen, voelde Mademoiselle een pijnlijke rust over zich komen.

Het raadsel van Vango's afwezigheid, het feit dat hij niets van zich liet horen, hield haar soms 's nachts uit haar slaap. Dan praatte ze een beetje tegen hem, alsof hij nog in de hoek van de kamer in het kinderbed lag. Ze vertelde hem verhalen. Ze vertelde hem over een grote witte boot met fonkelende lichtjes die over de zeeën voer, met tientallen dolfijnen in zijn kielzog.

Haar stem brak aan het eind van elke zin.

Vaak kon ze het niet opbrengen om de verhalen af te maken.

Maar Vango liet haar één keer per jaar weten dat hij nog leefde en dat het goed met hem ging. Eén brief per jaar, vlak na Pasen.

Een paar krullen van dat onbeholpen handschrift dat ze herkende. Dat was alles wat ze vroeg.

Mademoiselle ging met haar hand onder het aanrecht. Ze had een weerschijn in het wit van het aardewerk gezien. Er was iemand achter haar. Een donkere gestalte die uit de slaapkamer was opgedoken en nu in het vertrek stond waar zij was.

Onder het stenen aanrechtblad had ze een klein herdersmes verstopt. Ze pakte het in haar hand. Het lemmet was zo dun en scherp als een grasspriet.

Mademoiselle raapte al haar moed bij elkaar. Met haar linkerhand bleef ze kappertjes sorteren terwijl ze haar rechterhand om het mes klemde.

De man bewoog niet. Ze neuriede. Het was slechts een wazige gedaante in de wandtegel, maar ze zag dat hij niet erg groot was.

De weerschijn leek op een inkttekening. Smalle schouders: misschien was de man nogal jong of zag ze hem een beetje van opzij.

Ze kon hem overmeesteren.

Ze moest hem overmeesteren. Anders zou ze nog eerder het leven laten dan die bloem.

Mademoiselle wachtte. Hij moest nog iets dichterbij komen.

Ze besloot tegen hem te praten zonder zich om te draaien, zodat hij naar haar toe zou lopen. Ze sprak hem in het Russisch toe: 'Jullie krijgen hem niet te pakken. Ik weet wat hij heeft doorstaan.'

Toen zei ze nog de volgende merkwaardige woorden: 'Hij heeft de kracht van de overlevenden.'

Achter haar bewoog de gestalte een beetje en leunde tegen de muur, alsof hij wankelde.

'Jullie krijgen hem niet te pakken!' riep ze.

De man sprong op haar af.

Ze haalde haar rechterarm tevoorschijn en draaide zich abrupt om. De witte bloem viel uit haar haren. Het lemmet van het mes flitste door de lucht maar miste de bezoeker, die het op het nippertje wist te ontduiken en schreeuwde: 'Mademoiselle!'

De vingers van de kinderjuffrouw ontspanden zich. Het mes plantte zich in het dikke tafelblad en doorboorde de bloem van de kapperstruik.

De vrouw deed haar ogen open.

Hij was het. De overlevende.

'Vango! Evangelisto! Vango!'

Hij viel op zijn knieën voor haar neer.

'Mademoiselle.'

Zijn armen klemden zich om haar middel.

25

Een lichtje op de golven

Ze moest zo huilen dat ze niets meer kon zien. Ze hield Vango's hoofd stevig vast en raakte zijn gezicht aan om er zeker van te zijn dat hij het inderdaad was.

'Evangelisto, jij bent het,' zei Mademoiselle.

Voor het eerst hoorde Vango weer die stem, en die naam die hij bijna was vergeten: Evangelisto. Ze had hem altijd Vango genoemd, maar op belangrijke momenten noemde ze hem opeens bij zijn volledige voornaam, alsof er meer letters nodig waren om ruimte te bieden aan alles wat ze wilde zeggen.

'Ga weg, Vango.'

'Wie verwachtte u, Mademoiselle? Tegen wie praatte u?'

'Ze zoeken je.'

'Wie?'

'Dat weet ik niet. Ga weg.'

'Ik zal niet lang blijven. Ik ben gekomen om u iets te vragen.'

In zijn zak voelde Vango aan het papiertje van Ethel. De boodschap was in zijn handen terechtgekomen, door een onmerkbare adem naar hem toe geblazen.

Het briefje stelde hem een vraag die hem niet meer zou loslaten: 'Wie ben je?'

Vango zag zijn leven en alle raadsels daaromheen weer aan zich voorbijtrekken.

Er zijn gesloten deuren die je niet eens meer ziet, omdat je te bang bent om ze open te doen. Je hebt er meubels voor geschoven, je hebt het sleutelgat dichtgestopt. Alleen kinderen zullen misschien op handen en voeten naar dat streepje rood licht onder de deur gaan zitten kijken en zich afvragen wat daarachter is. Maar Vango was altijd bang geweest voor die gloed. Liever koesterde hij zich buiten in het zonlicht.

Nu had hij alleen nog maar oog voor dat geheim. In nog geen vijf dagen tijd was hij vanuit Parijs hierheen gesneld om van zijn kinderjuffrouw een antwoord te krijgen.

'Mademoiselle, vertel me alles wat u weet. Zeg me wie ik ben.'

De vrouw richtte haar hoofd op.

'Wat bedoel je?'

Ook dit keer had ze het heel goed begrepen.

'Zeg me wie ik ben.'

'Jochie,' fluisterde ze met haar gezicht in Vango's haren, 'jij bent mijn jochie.'

Hij ging staan en keek haar strak aan. Smekend zei hij: 'Zeg het me.'

Nu voelde ze dat ze begon te weifelen.

Ze bleven elkaar een paar minuten lang aankijken. Mademoiselle was gaan zitten. Haar gezicht was onherkenbaar. Het werd door talloze herinneringen overspoeld. Een continue stroom die door geen woord werd onderbroken. Haar gezicht was als een vlag die strakgespannen wapperde in de wind, gedragen door de kracht van alles wat weer bovenkwam.

De wind van de herinnering bracht een heel leven met zich mee. Vreugde en verdriet hadden geen tijd om halt te houden. Ze werden voortgeblazen als zandkorrels door de sirocco.

Mademoiselle had nog niets gezegd, maar Vango had zijn leven al herkend, dat in stilte op dat gezicht voorbijtrok.

'Ik zal je vandaag niet alles kunnen vertellen. Ik kan niet goed meer onderscheiden wat ik weet en wat ik heb gedroomd. Ik heb een beetje tijd nodig.'

'Ik héb geen tijd!' riep Vango uit.

Met haar vinger bewoog ze het lege kopje dat voor haar stond. Dat draaiende kopje dat de voorbode was geweest van Vango's komst.

'Ik zou bij het einde willen beginnen,' ging ze verder. 'Bij de laatste nacht. Laat me bij de laatste nacht beginnen.'

Hij haalde de zijden zakdoek, die hij altijd bij zich had, achter zijn riem tevoorschijn. Het blauwe lapje met de grote V, zijn naam en die paar verkreukelde woorden: 'Hoeveel koninkrijken hebben geen weet van ons...'

Mademoiselle stond op en pakte de zakdoek aan. Ze hield hem heel stevig in haar handen, vlak bij haar mond, en toen stak ze van wal: 'Het was de hele dag mooi weer geweest.'

Ze herhaalde het om zichzelf op gang te helpen: 'Het was de hele dag mooi weer geweest... De boot was een klein paradijs wanneer het mooi weer was. De schaduwen van de rotanparasols vormden cirkels op het dek. De drie masten wiegden langzaam heen en weer. Op de brug werden oosterse tapijten uitgerold. De stoommotor werd uitgezet. Het was warm. Vanaf het dak van de boot doken ze in het water.

Ze sprak zachtjes, glimlachte.

'Ik zie je nog voor me, Vango. Je ligt op een houten, bijna zwarte ligstoel. De zon schittert in druppeltjes om je heen. Ik herinner me een stem die aan het zingen is.'

Ze zong de eerste woorden van een wiegeliedje in het Grieks, net zo indringend als het gezang van de sirenen.

'Wie was er aan het zingen?' onderbrak Vango haar met tranen in zijn ogen.

Mademoiselle deed alsof ze hem niet hoorde.

'Het was mooi weer geweest totdat het avond werd. Jij lag in je blauwe pyjama op de ligstoel.'

'Wie was er aan het zingen?' vroeg hij nogmaals.

'Gun me alsjeblieft de tijd, Vango.'

Ze vouwde haar handen op tafel in elkaar.

'In het donker glom de boot als een goudstuk. Er hingen slingers van lichtjes tussen de staggen van de mast, op de brug brandden fakkels. Het was een grote boot van bijna tweehonderd voet, met maar zes matrozen aan boord. Toen het donker was geworden, stak de wind op. Na de warmte overdag was die wind aangenaam. Hij bracht de zee in beweging. De regen viel op de tapijten op de brug. We gingen schuilen in de kajuit.'

'Wie ging er schuilen, Mademoiselle?'

'Jij, ik...'

Ze sloot haar ogen en liet het lied van de sirenen in haar hoofd weerklinken om moed te verzamelen.

'En je moeder...' zei ze ten slotte.

Er klonk iets van geritsel naast Vango. Door de tocht gleed er een grassprietje over de vloer. Fluisterend ging Mademoiselle verder: 'En je vader...'

Bij die laatste woorden waren de pupillen van haar ogen gaan glanzen. Ze vertelde verder: 'We zaten in de kleine salon in de boot. Er stak een storm op. We waren niet bang. Het was de veiligste boot ter wereld. Hij was over woeste zeeën naar Denemarken gevaren. Het was de veiligste boot die er bestond. Dat zei je vader altijd.'

Ze glimlachte weer.

'Hij had vast en zeker gelijk. Je moeder zong nog wat, zodat je in slaap zou vallen. Hij sliep ook, met zijn hoofd op de knieën van zijn vrouw. Hij hield van haar. Hij had de oude naam van de boot van de boeg verwijderd, en hij had er een kleine ster op geschilderd, een ster met vijf punten, omdat zij Nell heette, wat "schittering" betekent. Ik bewonderde je vader. Hij praatte tegen me alsof ik een dame was, terwijl ik maar een eenvoudige Franse kinderjuffrouw was en hij in alle opzichten op een prins leek.'

Het werd donker in het huis in Pollara. In gedachten was Vango al vertrokken. Hij keerde terug naar een verleden waarvan hij alles was vergeten. In zijn buik voelde hij opnieuw de deining van het schip tijdens die nacht in oktober 1918.

'De matrozen waren binnengekomen om voor de regen te schuilen. We hoorden ze in hun hut voor in het schip praten. Daardoor is het gebeurd. Je moeder wilde niet dat ze buiten in de regen bleven. Ze had tegen ze gezegd dat ze naar binnen moesten komen en naar hun hut moesten gaan. Ze had hun warm water gebracht.'

Vango dacht aan de handen die de waterketel droegen. Zijn moeder. Wat heerlijk om dat verboden woord te horen... Zijn moeder heette Nell. De ster.

Vango had zijn ogen gesloten.

'Ik zat naast een patrijspoort,' legde Mademoiselle uit. 'Ik was de enige die iets vreemds opmerkte. Op een gegeven moment zei ik: "Ik zie een lichtje buiten op de golven." Je vader ging even naar buiten. Hij kwam terug en stelde me gerust. Hij had niets gezien. Hij zei dat er heel weinig kans bestond dat een schip dat in de storm uit koers was geraakt op deze plek op zee tegen ons aan zou botsen. Hij liet me een punt op de kaart zien: "Daar zijn we." Ik weet het nog goed.'

Ze legde een vinger op de blauwe zakdoek, die uitgespreid voor haar lag.

Vango voelde de ramp aankomen, maar hij klampte zich vast aan het beeld van die vingers op een kaart, aan de warmte van de kajuit, aan het zingen van zijn moeder. Nog even, dacht hij. Nog even genieten voordat de wereld vergaat...

'Je bent samen met je moeder in slaap gevallen. Door de patrijspoort keek ik naar de regen die de golven geselde en het witte schuim dat in het rond vloog. Toen klonk de eerste knal.'

Vango opende zijn ogen.

'Je vader stond op. Ik geloof dat hij het meteen doorhad. Het was geen klap geweest. Het was alleen een ontploffing aan de voorkant. Daarna klonk nog een knal. En daarna klonken er nog veel meer. Je moeder stond op en vroeg: "Is dat een rots? Een boot?" Je vader antwoordde niet. Hij liep naar een la en begon erin te rommelen. Je moeder vroeg wat hij zocht. "Een wapen," zei hij. "Ik zoek een wapen." Dat was er niet. Jij lag nog in mijn armen. Je sliep. Je moeder wilde jou overnemen, maar op dat moment ging de deur open.'

Ze beschreef hen alsof ze daar voor haar stonden, zeventien jaar later.

'Ze waren met z'n drieën, gewapend met jachtgeweren. Drie opgewonden mannen. Ze spraken een mengelmoes van Siciliaans en Italiaans, ze vroegen waar het geld was. Ik vertaalde het voor je ouders. Een van hen zag eruit alsof hij gek was. Een ander probeerde hem een beetje te kalmeren. En de derde zei niets. Je vader zei tegen ze dat er geen geld aan boord was. Toen deed hij zijn horloge af, zijn gouden halsketting en de vier ringen die hij droeg. De gek pakte ze aan en smeet ze lachend op de grond. En toen...'

Mademoiselle begon te huilen.

'Ja?' vroeg Vango.

'Hij...'

'Wat deed hij?' fluisterde Vango.

'Hij schoot.'

Ze huilde nog steeds.

'Hij schoot met zijn geweer. Hij wist wat hij deed. Hij wilde je vader niet vermoorden voordat hij had wat hij wilde hebben. Aangezien ik jou in mijn armen had, schoot hij ook niet op mij... Nee... Hij schoot... En je moeder viel op de grond.'

Vango liep naar Mademoiselle toe, knielde bij haar neer en drukte zijn wang tegen die van zijn kinderjuffrouw.

'Je werd er niet eens wakker van,' zei ze. 'Je lag te slapen in mijn armen. Het is mijn schuld. Als je in de armen van je moeder had gelegen, had ze het misschien overleefd... Een kind moet in zijn moeders armen liggen. Waarom nam ze jou niet in haar armen? Waarom?'

'Maar dan zou u er niet meer zijn.'

Ze had de blauwe zakdoek op de tafel opgevouwen en staarde er onafgebroken naar. Ze wankelde.

Vango pakte Mademoiselles hand vast.

'Ze trokken je vader van het lichaam van zijn vrouw af. Toen dwongen ze ons alle drie om naar buiten te gaan...'

Ze viel flauw.

Ze duwden hen naar de voorkant van de boot.

Een zilte regen viel met bakken uit de hemel op hen neer.

De drie piraten wisten niet wat ze aan het doen waren.

Geen van hen had de dag ervoor vermoed dat ze plotseling tot zo'n doldrieste daad zouden overgaan. Ze waren boeren of vissers. Een van hen had een vrouw en drie dochters in Santa Marina. Een ander had een oude vader die aan wal, aan de andere kant van Salina, op hem zat te wachten.

Wie zou hebben geloofd dat ze het zouden wagen om met hun zwartgeblakerde jachtgeweren een boot te enteren, een bloedbad aan te richten, de bemanning koelbloedig uit de weg te ruimen en de passagiers te beroven?

Ze wisten niet eens of er ook maar een cent in het ruim te vinden was.

Alleen Gio, de aanvoerder van het stel, toonde zijn ware aard.

De kruitdamp steeg hem naar het hoofd. Hij zag eruit alsof hij een rol speelde, hij sprak op een overdreven manier, schoot in het wilde weg om zich heen.

De twee anderen hadden de situatie volstrekt niet meer in de hand. Ze waren meegesleept door Gio in een wanhopige poging om door middel van geweld datgene te pakken te krijgen wat ze nodig hadden om van dit afgelegen eiland af te komen en net als de anderen naar het grote Amerika te gaan. Amerika! Ze hadden brieven en foto's gekregen. Daarginds speelde zich het echte leven af. Maar met het eerste geweerschot was er een nachtmerrie begonnen waaruit ze nooit zouden ontwaken.

'Laat ons zien waar het geld is,' zei Gio.

Onder het praten hield hij de fakkel bij zijn gezicht. De regen siste toen de druppels de vlam raakten.

De vader van het kind droeg nog steeds huiskleding. Blootsvoets, met een rode kozakkensjaal om zijn nek en met druipende haren drukte hij zijn slapende zoon tegen zijn borst.

Het jongetje leek betoverd te zijn, omgeven door een stolp van slaap waardoor hij nergens iets van merkte. Hij glimlachte en zijn handje omklemde een blauwe zakdoek.

De man zei een paar woorden.

De vrouw vertaalde het: 'Hij zal u meenemen als u geen van ons drieën iets zult aandoen. Zweer het.'

De piraten keken elkaar aan.

'Zweer het,' herhaalde ze.

Gio zwoer als eerste terwijl hij zijn medaillon aanraakte. Zijn ogen waren bloeddoorlopen.

De man dacht even na. Wat was het erewoord van een krankzinnige waard?

De twee anderen maakten een kruisteken.

Ten slotte gaf de man het kind voorzichtig aan de vrouw over.

Hij drukte een kus op de haren van zijn zoon. Hij liep achteruit weg om hem zo lang mogelijk te kunnen zien. Hij hield zijn hand nog naar hem uitgestrekt. Zijn doorweekte, met gouddraad geborduurde vest glom in het schijnsel van de lampen. Op zijn lippen waren de woorden 'ik kom terug' te lezen, die hij onophoudelijk prevelde. Ten slotte verdween hij in het duister, aan het eind van de achterplecht, gevolgd door Gio en een van de anderen.

Ze hadden de vrouw en het kind achtergelaten bij degene die vanaf het begin nog geen woord had gezegd. Het was een grote en brede man die een hes droeg van grof afgeschraapte varkenshuid, waarop nog slierten zwart varkenshaar zaten. Schuin over zijn schouder droeg hij het touw waarmee hij aan boord van het schip was geklommen.

Op dat moment werd het kind wakker. Het keek naar de man, die zijn blik afwendde.

'Ga nog maar even slapen,' zei de vrouw. 'Slaap maar, engeltje van me.'

Er gingen een paar minuten voorbij.

Ze zaten samen op een stapel bijeengebonden roeiriemen en latten.

Af en toe wierp ze een blik naar die grote kerel met zijn haren tot op zijn schouders, die haar leven in zijn handen hield.

Hij was hun enige hoop.

'Jouw vriend gaat ons vermoorden,' zei ze. 'Je weet dat jouw vriend ons gaat vermoorden.'

De man richtte zijn geweer op de vrouw. Ze sprak Italiaans, zoals men dat in de steden in het noorden deed.

'Hij heeft gezworen,' blafte hij.

Ze antwoordde: 'Hij heeft gezworen op Maria, terwijl het bloed van een andere moeder nog aan zijn handen kleeft.'

De man keek haar verstijfd aan.

'Wanneer hij heeft wat hij hebben wil,' ging ze verder, 'zal hij de vader van dit kind vermoorden. Straks hoor je het geweerschot achter in het schip en dan is het te laat. Daarna zijn wij aan de beurt.'

'Hou nu je mond.'

'Zo zal het gaan.'

'Hou je mond!'

Het jongetje luisterde naar wat er gezegd werd. Hij zat kaarsrecht. Hij had zijn lippen op elkaar geklemd om niet te laten zien dat hij klappertandde.

De man voor hem zag eruit als een reus. Zijn zweet vermengde zich met de regen. Hij spitste zijn oren.

'Luister,' zei ze.

De wind ging langzaam maar zeker liggen.

Na een poosje klonk er een geweerschot.

Met een schreeuw sprong de piraat overeind.

Hij duwde de vrouw en het kind opzij, bukte zich naar de grond, slaagde erin om de stapel houten latten op te tillen, liep ermee naar de rand van de brug en wierp ze als een vlot in zee. Het hout botste tegen de romp.

De reus liet de vrouw aan het touw naar beneden zakken. Hij nam het jongetje in zijn armen en gooide het in de golven. Zijn kinderjuffrouw greep zijn handje voordat hij in het zwarte water zou verdwijnen. Met haar andere arm klampte ze zich aan het houten vlot vast.

De reus keek hen na.

Ze werden door een golf meegevoerd.

Op hetzelfde ogenblik kwamen de anderen tevoorschijn met een verwilderde blik in hun ogen. Gio droeg een plunjezak, die bijna propvol zat. Zijn lichaam schokte krampachtig en hij lachte. Ze zagen er allebei uit alsof ze ladderzat waren, maar ze hadden niets gedronken. Ze konden nog geen woord uitbrengen.

Gio klampte zich vast aan de kleren van de reus om niet te vallen.

'Moet je kijken!'

Trillend maakte hij de zak open en stak er zijn fakkel in.

'Moet je kijken!' schreeuwde hij opnieuw.

Ze deden alle drie een stap achteruit.

De zak glinsterde van het goud en de edelstenen. Regendruppels vielen er als vlammende parels tussen.

'Moet je kijken! Moet je kijken!'

Een schat. Een schat, net als in de sprookjes.

Krijsend keek Gio ernaar.

Hij stak zijn hand er tot aan zijn schouder in.

'En die vent?' vroeg de reus. 'Waar is die vent?'

Gio wees alleen maar op de kozakkensjaal die hij om zijn hals had geknopt, een donkerrode sjaal met zilveren franje.

'Die had hij niet meer nodig,' zei hij. Hij schudde zijn hoofd als een krankzinnige heen en weer.

Gio barstte in lachen uit. Hij vroeg niet eens waar de twee gijzelaars gebleven waren en liep wankelend en brabbelend met de zak over zijn schouder in de richting van de roeiboot. Met zijn vuist daagde hij de hemel uit.

In zijn dromen vertoefde Gio al elders, heel ver daarvandaan.

Hij had het over een met diamanten bezette brug die hij zou gaan bouwen tussen de haven van Malfa en Manhattan.

Toen ze eenmaal in het vissersbootje zaten, kwam Gio weer een beetje tot bedaren en hij riep tegen de reus die naast hem begon te roeien: 'Wat zit jij nou zuur te kijken!'

Toen wierp hij een volle olielamp in het schip, die op een stapel opgerolde henneptouwen kapotviel, en hij gooide zijn fakkel erachteraan.

Op de achterplecht greep het vuur om zich heen.

Gio maakte een handgebaar alsof hij het schip zegende. Hij wierp een handvol goudstukken naar het vuur alsof hij een vertrekkend passagiersschip uitzwaaide.

'Goeie reis!'

De twee anderen, die vlak naast hem zaten, keken vol afschuw toe.

Slechts één kant van de boot had de tijd om uit te branden. Weldra baande het water zich een weg door de romp. Als laatste verdween de ster die op de voorsteven was geschilderd. Voordat het te laat was verzwolgen de zee en de storm, door medelijden overmand, de fonkelende vlammen en de herinneringen.

Gio bleef maar lachen. Een laatste keer, voordat alles op zee uitdoofde, weerklonk zijn stem toen hij tegen de roeier riep: 'Hé joh! Waarom kijk je zo zuur? Jullie gaan een ander leven krijgen, jij en die ezel van je!'

26
De roddels van Beëlzebub

Arkudah, 20 september 1935

Toen de zeppelin op een dag boven de jungle vloog, die bij Rio de Janeiro in Brazilië pal aan zee grensde, was hij zo dicht langs de toppen van de bomen gevlogen dat Vango een van de aapjes met bakkebaarden die hem niet-begrijpend aanstaarden, had kunnen pakken.

Het dier, dat aan zijn staart naar die grijze wolk was opgetrokken, vroeg zich af waar hij was. Hij had zich verstopt in een van de pannen van Otto de kok. Een paar uu r lang was hij het troetelkind van de bemanning en de passagiers geweest.

Toen ze op de terugweg opnieuw over Rio vlogen, had Vango hem weer laten zakken in de doolhof van lianen en takken op de kegelvormige berg die boven de baai uitrees.

Marco, de keukenbroeder van het onzichtbare klooster, leek sprekend op dat aapje. Hij danste heen en weer achter zijn fornuis en trok een bang gezicht, maar ondertussen dreef hij heimelijk overal de spot mee.

Het was elf uur.

Marco stond in de keuken van het klooster met Vango te praten.

Het schort van broeder Marco was gemaakt van het glimmende wasdoek dat op de tafels van zijn vaders trattoria in Mantua lag. Hij liep op een soort roze dansslofjes, die speciaal voor het keukenballet ontworpen leken te zijn. Zijn vingers zaten altijd onder de vlekken van de specerijen. Hij stroopte zijn mouwen op en maakte ze vast met lepeltjes die hij als klemmetjes omboog.

Ten slotte had hij een bril op zijn neus, die zijn beste tijd had gehad en die bij elkaar gehouden werd door touwtjes en plakband, een geradbraakte, uitgeputte, afgematte bril die er net zo opgelapt uitzag als een fiets die een poging had gedaan om de Tour de France te rijden met een koe op de bagagedrager.

'Dus Zefiro is niet op de afgesproken tijd bij het Gare d'Austerlitz komen opdagen?' vroeg hij, Vango met grote ogen aankijkend.

Marco praatte nooit met lege handen.

Dit keer stond hij, ondanks de ernst van het moment, in een vis te knijpen.

'Zefiro is wel gekomen,' zei Vango.

'Maar waar is hij dan? Waar is hij?'

Het klonk gepijnigd. Sinds Zefiro's vertrek had broeder Marco de leiding over het onzichtbare klooster op zich genomen. Hij stond te popelen om de sleutels weer aan de baas te overhandigen.

'Waar is hij heen gegaan?' vroeg Marco nogmaals.

De arme vis had het zwaar te verduren.

Vango was zojuist in het klooster aangekomen. Hij had Mademoiselle in haar huis in Pollara achtergelaten. Nadat ze haar verhaal van de laatste nacht had verteld, was ze ingestort. Hij had haar op haar bed gelegd.

Ze had Vango om respijt gevraagd en hem beloofd dat ze hem de volgende dag de rest van het verhaal zou vertellen.

'Alsjeblieft, Vango,' zei ze. 'Ik zal je vertellen wat ik weet.'

'En mijn vader? Zeg me dat dan alleen... Is hij ook...?'

Met neergeslagen ogen, nat van de tranen, knikte ze van ja.

Vango bleef een hele poos met zijn voorhoofd tegen het kussen zitten voordat hij opstond. Nu wist hij het.

Eindelijk had hij de deuren naar het verleden opengeduwd. Dat ging gepaard met een mengeling van opluchting en smart. Maar voor hem was ieder verdriet beter dan de onzekerheid.

Vango kon zich iets meer voorstellen uit welke wereld hij afkomstig was.

Nu moest hij nog het belangrijkste te weten komen: de dagen en de jaren die zich daarvoor hadden afgespeeld. De levensgeschiedenis van zijn ouders vóór die stormachtige nacht. Waar kwamen ze vandaan? Waar gingen ze heen? Dat zou Mademoiselle wel weten.

Ze had hem niets verteld over de drie piraten, die mannen die ongetwijfeld in de archipel waren opgegroeid. Wat had hun misdaad hun opgeleverd? Viel er iets te halen op dat schip? Er waren zeventien jaren voorbijgegaan. Misschien waren ze inmiddels dood. Misschien ook niet.

Gij zult niet wraakzuchtig zijn.

Voor Vango had dit gebod geen enkele betekenis meer.

Geschokt beloofde hij Mademoiselle dat hij de volgende avond zou terugkomen, en hij verliet het gehucht van Pollara. Hij zou het onzichtbare klooster een pijnlijke boodschap moeten brengen.

'Ik zal je de waarheid vertellen, broeder Marco. Ik heb Zefiro wel degelijk op het Gare d'Austerlitz gezien, maar we zijn daar niet samen weggegaan.'

'Waarom niet?' vroeg Marco terwijl hij de houtoven opendeed. 'Hoe konden jullie nou zo stom zijn?'

Broeder Marco tilde de vis met zijn twee makakenhandjes op.

Het was Vango opgevallen dat de kok de beesten altijd in de ogen keek voordat hij ze in de oven stopte. Dat was een vluchtig eerbetoon aan alle schubbige, harige of gevederde broeders, die hij in grote hoeveelheden braadde.

'Er is iets vreemds gebeurd,' ging Vango verder.

'Geef mij het zout eens aan.'

Zwijgend gaf hij het zout aan. Toen hun blikken elkaar kruisten verloor Marco zijn zelfbeheersing.

'Wat is er? Ik weet dat je vindt dat ik er te veel op doe!' riep hij.

'Nou en? Ik ben geen kookwonder, hoor! Ik ben nog van de ouderwetse prak.'

'Ik zei niets, broeder Marco,' antwoordde Vango.

'Dan denk je te veel hardop! Waar is de padre? Waar is hij dan?'

En hij legde twee houtblokken op het vuur om zijn ergernis te laten blijken aan Vango, die zwaardvis altijd op een zacht vuur gaarstoofde.

'Ik weet het niet,' legde Vango uit. 'Toen ik Zefiro zag... herkende hij me niet.'

De keukenbroeder slaakte een kreet.

Hij had zich gebrand.

'Wat zeg je?'

'Zefiro... Zefiro herkende me niet.'

Marco verbleekte.

'Mijn god.'

Een paar honderd meter daarvandaan kon broeder Mulligan niet geloven wat hij zojuist had gezien.

Elke zondag was John Mulligan de kardinaal van het zuiden. Er waren altijd vier kardinalen op het eiland. De monniken wisselden elkaar af op die post. Om beurten zetten ze de kardinaalsmuts op. Ze werden zo genoemd omdat ze de kardinale punten, ofwel de vier windstreken – het noorden, het zuiden, het oosten of het westen – in de gaten moesten houden.

Iedere kardinaal had zijn vaste dag en wachtte met een zeker ongeduld op het ogenblik waarop hij een hele dag in eenzaamheid oog in oog met de onafzienbare watervlakte zou doorbrengen. Er waren kardinalen die voor zich uit zaten te dromen, kardinalen die in vervoering raakten en kardinalen die in slaap sukkelden. Maar Mulligan behoorde tot de hengelaars.

Hoog op een rots gezeten, met het gebedenboek op zijn schoot en de hengelstok tussen zijn voeten, had John Mulligan bij zonsopgang zijn positie ingenomen. Bij wijze van refrein tussen de psalmen die hij opzei, tuurde hij om de dertig seconden de horizon af en verplaatste hij vervolgens de dobber van zijn hengel.

Eerst zag hij met zijn blote oog een zwarte streep die zich pijlsnel op volle zee verplaatste, gevolgd door een spoor van witte schuim-vlokken.

Toen hij zijn verrekijker pakte kon hij een uitroep niet onderdruk-ken.

Het was een motorboot met drie cockpits en een buitenboord-motor, net zo snel als de Hackercrafts die hij had gezien in New Eng-land, waar hij geregeld in het gezelschap verkeerde van Al Capone en de maffia, die op de stranden van Cape Cod of Nantucket vakantie vierden.

De speedboot schoot in een kaarsrechte lijn over het water.

In Europa kwam je zulke boten alleen maar tegen in de lagune van Venetië, of op de grote meren in Zwitserland en Noord-Italië. Er waren altijd vrouwen aan boord die met wapperende haren op leren bankjes zaten, en meneren met brillantine in hun haar die een witte broek en een spencer droegen.

Maar de vier mannen in de speedboot zagen er niet uit als de passagiers van een luxejacht. Ze droegen elk een tommygun met een trommelmagazijn, die broeder Mulligan goed kende omdat hij ze maar al te vaak had gezien in de kleerkasten van zijn parochie-leden in Chicago, toen het verboden was om sterkedrank te verko-pen.

De vier mannen zagen eruit als koppensnellers voor wie de ergste handlangers van Al Capone zich uit de voeten zouden maken.

Toen hij zag dat de boot zonder vaart te minderen passeerde en om het langgerekte eiland Filicudi heen voer om koers te zetten naar Salina en de krater van Pollara, maakte broeder Mulligan zich verder geen zorgen meer over dit visioen.

Hij had de vorige maand een potvis voorbij zien zwemmen, en een hele poos geleden had hij midden in de nacht nog een luchtschip gezien.

De Heer heeft wonderen aan mij verricht...

John Mulligan concentreerde zich weer op zijn gebedenboek en op zijn dobber.

Een uur later sprak Marco de broeders toe die bij de ochtendmis voor hem stonden.

Hij moest uitleggen dat Zefiro nog een poosje in Frankrijk werd opgehouden. Marco begon het ene argument na het andere aan te voeren. Hij leek wel een stationschef want hij had het over een onvoorziene vertraging, over een betreurenswaardig voorval... Er was geen touw aan vast te knopen.

Zijn bericht werd met een teleurgesteld gemompel verwelkomd.

'Hij zal zo snel mogelijk weer in ons midden zijn. Hij denkt aan jullie. Hij omhelst jullie gebroederlijk.'

Bij die woorden raakte Marco het gebarsten glas van zijn bril aan. Die was een beetje beslagen. Hij keek even naar Vango. Hij wilde nog niet vertellen dat hun padre zich wellicht geen van hun gezichten herinnerde, dat hij de kluts was kwijtgeraakt en dat hij ergens in de wijde wereld rondzwierf.

Marco trok zich terug in Zefiro's cel met de mededeling dat hij niet gestoord wilde worden. Leunend tegen de muur deed hij langzaam zijn bril af.

Broeder Marco was niet tegen deze nieuwe taak opgewassen. Hij liet zijn blik door het kamertje gaan. Drie boeken en een matras. Dat was alles wat er van Zefiro over was. Hoe moesten ze het zonder hem stellen?

Aan een haak zag hij de klepel van de grote kloosterklok hangen. De klok bevond zich in een rots die boven de kapel was uitgehakt, maar de klepel, een druppelvormig stuk brons, bleef in de cel van de kloostervader. Niemand mocht eraan komen.

Elke dag, van de metten tot de completen, werd er een stille klok voor de mis geluid om niet de aandacht van de naburige eilanden te trekken.

Hij duwde met zijn hand tegen het bronzen voorwerp dat het symbool van dit onhoorbare en onzichtbare klooster was geworden.

Dertig monniken... dacht Marco.

Hij had het gevoel dat zijn schouders niet breed genoeg waren om zo'n grote familie te dragen.

Hij moest denken aan een stormachtige nacht, toen Zefiro hem voor een paar uur de klepel had meegegeven. Marco had die avond gehoord dat zijn jongere zusje Giulia, die hij al tien jaar niet had gezien, was gestorven. Hij zou niet eens naar haar begrafenis kunnen gaan. Zijn familie, die in het noorden woonde, in Mantua, dacht dat hij nooit meer zou terugkomen.

Daarom was Zefiro in de storm naar de keukenbroeder toe gekomen.

Hij had hem de klepel aangereikt.

'Vooruit. Ga de klokken luiden. Zorg dat ze je tot in jouw stad kunnen horen.'

Alle monniken hadden horen zeggen dat padre Zefiro dat deed wanneer een van de broeders ongelukkig was en het hard genoeg onweerde om het geluid van de klokken te overstemmen.

Op die bewuste nacht had Marco dus zelf de klepel in de reusachtige klok gehangen en daarna had hij twee uur lang, te midden van de bliksemschichten en de huilende wind, uit alle macht de klok geluid. Hangend aan het touw zweefde hij bij elke slinger van de klok twee tot drie meter boven de grond. De klok huilde voor hem.

Het was een herinnering die hij nooit zou vergeten.

Marco zette zijn bril weer op. Hij miste zijn Zefiro als een vader, maar hij moest het onmogelijke proberen: doen alsof hij de kloostervader was terwijl hij zich wees voelde. Hij ging naar buiten en liep naar de keuken.

Na Marco's aankondiging liep Vango de kapel uit en volgde hij Pippo Troisi naar de konijnenhokken.

Pippo beklaagde zich.

Tijdens Zefiro's afwezigheid was het zijn taak om voor de konijnen te zorgen. Hij vond het een beproeving. Uitgerekend hij, die ze jarenlang had verfoeid, moest zich nu over vierentwintig wilde konijnen ontfermen. Hij vermagerde zienderogen. 's Nachts had hij er nachtmerries van, alsof hij een astmalijder was die in een kippenhok was gegooid.

'Rotbeesten,' zei hij toen hij het eerste hok opendeed. 'Er zijn nog een paar van die knagers geboren. Waarom laten ze me niet voor de bijenkorven zorgen? Ik ben heus niet bang voor bijen!'

Vango hielp hem om de jonkies in het gras te zetten.

Twee konijntjes probeerden langs de pijpen van Pippo's broek omhoog te kruipen.

'Je zou zweren dat ze van je houden...' zei de jongen glimlachend.

Pippo gromde iets onverstaanbaars terwijl hij een konijn van zijn bovenbeen probeerde los te maken.

Vango had gelijk... Ze waren gek op hem.

De konijnen merkten het al van verre als Pippo Troisi eraan kwam. Zodra hij er was sprongen ze op hem af. Je zag grote mannetjes met elkaar vechten om bij hem in de buurt te komen. Er vonden heftige duels plaats. De konijnen vormden trossen om hem heen. De allerkleinsten dachten dat hij hun moeder was en schurkten hartstochtelijk tegen zijn enkels aan.

Hoe hard hij ook om zich heen schopte, het hielp niets. Ze hielden van hem!

De twee mannen deden de afrastering weer dicht en liepen naar beneden om de emmers water te gaan halen die tegen een steen waren blijven staan.

Pippo begon er eerst zijn handen in af te spoelen.

Vango keek naar hem. Hij voelde dat het moment was aangebroken.

Langs zijn neus weg vroeg hij:

'Pippo, jij was er toch bij toen ik op het strand van Scario bij Malfa werd gevonden, toen ik drie jaar oud was?'

Pippo kwam overeind.

'Ik was er niet alleen bij, jongen... Ik heb je gevonden.'

Hij tilde even opschepperig zijn kin omhoog en veegde zijn handen aan zijn mouwen af. De konijnen was hij vergeten.

'Ik, Pippo Troisi,' zei hij, terwijl hij zich op de borst sloeg. 'Eerst vond ik je kinderjuffrouw. Toen ben ik de anderen gaan halen. En even later haalden we jou tussen de rotsen vandaan.'

Vango knikte.

Vanaf het moment dat hij terug was op Arkudah had hij Pippo Troisi al vragen willen stellen.

Voordat hij naar Mademoiselle terugging wilde hij er meer van weten.

'Ik heb nooit geweten waar je zo opeens vandaan kwam,' zei Pippo zachtjes. 'Maar sinds we hier zijn heb ik de indruk dat je als een geschenk uit de hemel op mijn weg bent gekomen. Regelrecht en zonder tussenstop. Dat is alles wat ik weet, heus waar.'

Vango drong aan: 'Is er niets gebeurd op het eiland, kort daarvoor of daarna? Heb je niets gemerkt?'

'Niets.'

'Probeer je het te herinneren, alsjeblieft.'

'Wat zou er gebeurd moeten zijn?'

'Iets, ik weet het niet...'

'Maar wat dan?'

'Een verandering... een ongeluk...'

'Een konijneninvasie?' probeerde Pippo zich er met een grapje van af te maken.

'Ik vroeg me af...'

'Niets, zei ik je toch. Ik weet van niets. Begrepen?'

De toon was te scherp om eerlijk te zijn. Ze liepen terug naar de omheining.

Pippo wijdde zich weer aan zijn taak en gooide een van de emmers in een hok leeg om het schoon te schrobben.

'In die tijd maakte ik nooit zoveel bijzonders mee,' zei hij bij wijze van verontschuldiging.

Ze zetten de kleine konijntjes weer bij hun moeder in het hok. Pippo foeterde op een arm beestje dat zijn vingers likte, en op een ander dat stiekem in zijn zak was gekropen. In een hoek legde hij het schillenafval uit de keuken op een hoop. Toen hij op het punt stond om weg te gaan bleef Pippo plotseling staan en zei, alsof hij het tegen zichzelf had: 'Eén ding, misschien. Ik denk dat het de bewuste herfst was waarin Bartolomeo is gestorven.'

'Wat bedoel je?'

'Toen jij op het eiland kwam...'

'Wie is er gestorven?'

'Bartolomeo. Dat was een kerel met een beeldschone vrouw en drie dochtertjes die in Santa Maria woonde. Hij is thuis door een geweerschot om het leven gekomen. Mijn vrouw dacht er het hare van.'

Die zin was hem onwillekeurig ontsnapt. Hij maakte een kruisteken, alsof hij het over de duivel in eigen persoon had. Altijd wanneer hij zijn vrouw ter sprake bracht maakte hij dat bijgelovige gebaar.

'Wat dacht ze dan?'

'Ze dacht er het hare van.'

Hij sloeg weer een kruis.

'Ze had over iedereen zo haar gedachten.'

Pippo liep weg in de richting van het klooster.

'Maar van Bartolomeo, wat dacht ze daar dan van?'

'Ze dacht dat hij iets op zijn kerfstok had...'

Hij hield er niet erg van om de oude roddels van zijn vrouw op te rakelen. Dat bracht misschien ongeluk.

'Vertel.'

Pippo zuchtte.

'Een akkefietje met een bende... Een van zijn handlangers zou hem hebben neergeschoten om zijn aandeel te stelen.'

Vango hield zijn hand boven zijn ogen om zijn vriend ondanks de zon aan te kijken.

'Een bende?'

'Ja, een bende. Drie kerels. Ik weet niet meer zeker hoe ze heetten. Ze wilden emigreren, maar ze hadden geen cent. Misschien dat ze

299

een kruidenierszaak op het vasteland hadden overvallen. Geen grote buit in elk geval...'

'Zijn ze weggegaan van het eiland?'

Bartolomeo is gestorven, de stakker, maar een van hen is meteen naar Amerika vertrokken. Regelrecht en zonder tussenstop. Ik ken zijn naam niet... En de ander is gebleven. Die grote, je kent hem wel.'

'Wie?'

'Die er als een beest uitziet. Die grote kerel, je weet wel...'

'Wie?'

'Die grote kerel die zijn huis heeft afgestaan.'

'Wie?' vroeg Vango nog een keer. Hij kon het niet geloven.

'Die grote kerel met zijn ezel.'

'Mazzetta?'

'Die ja, Mazzetta.'

Vango bleef staan. Pippo Troisi keek hem vorsend aan.

'Ik heb je geweer nodig,' was het enige wat Vango zei.

27
Wraak

Salina, de krater van Pollara, de volgende nacht

Vango had zich verstopt in een bosje van aardbeibomen, met het geweer dicht tegen zich aan gedrukt. Het hol van Mazzetta bevond zich op vijftig meter van hem vandaan. Zelfs de ezel had hem niet horen aankomen. Het was een donkere nacht. Geen wolken, geen wind, geen maan.

De tijd leek stil te staan in deze laatste zomernacht.

Vango was niet naar Mademoiselle gegaan om uit haar mond te horen dat het waar was wat Pippo Troisi had gezegd. Dat kwam later wel.

Van meet af aan had ze alles geweten. Nooit had ze ook maar één naam genoemd. Ze was niet verantwoordelijk voor wat hij ging doen.

Dat was zijn eigen zaak. Zijn wraak.

Hij schaamde zich niet eens voor dat woord. Wraak.

Hij had geleerd dat je je linkerwang moest toekeren als je op je rechterwang werd geslagen. Maar dit keer werd er niet op zijn wang geslagen. Er waren twee onschuldige harten met kogels doorzeefd.

Het was een kwestie van leven of dood. Een wet van zuivere mechanica. Vango dacht dat hij door zijn daad zijn ouders weer een beetje tot leven kon wekken.

Daarna zou hij alleen nog de laatste schuldige hoeven te vinden. Mazzetta.

Hij was er al in zijn vroegste jeugdherinneringen.

Dat silhouet op de bergkam, die schaduw in zijn hol, die gestalte van gestolde lava op steenworp afstand van hen. Jarenlang hadden ze nooit een woord met elkaar gewisseld. Maar Vango wist dat Mazzetta alle dagen van hun leven in Pollara over hen had gewaakt.

Het zilveren muntje bij elke nieuwe maan, waardoor ze weer in hun levensonderhoud konden voorzien, kwam van hem. De klimranken die na een storm weer waren opgebonden, dat was zijn werk. De schorpioen die op tien centimeter van zijn gezicht was doodgeslagen, toen Vango vijf jaar was en onder een vijgcactus lag te slapen, dat was zijn werk. De wijnstokken die als enige op het eiland niet ziek werden, dat was zijn werk. En zelfs het stro van Mademoiselles hoed dat er altijd weer als nieuw uitzag nadat ze hem per ongeluk 's nachts buiten had laten liggen, dat was zijn werk. Bij geen van die dingen had degene die ervoor gezorgd had zich kenbaar gemaakt. Het muntje, de schorpioen, de klimranken, de vernieuwde hoed en al het andere... Engelbewaarders laten geen sporen achter.

Maar Vango had altijd Mazzetta's schim herkend.

En over drie minuten zou hij met zijn geweer voor hem staan.

Gebukt liep Vango naar de stenen muur voor het hol waar Mazzetta al bijna twintig jaar woonde. Hij zag dat er een lamp brandde. De oude baas had waarschijnlijk zijn ezel naar binnen gehaald, net als in de winter.

'Kom naar buiten, Mazzetta.'

Vango wilde hem niet overrompelen.

'Ik ben het, Vango. Kom naar buiten, Mazzetta!'

Hij hoorde in het halfduister iets bewegen.

'Ik weet dat je er bent. Vooruit. Al het andere weet ik ook. Kom nu naar buiten.'

Een paar minuten gingen voorbij.

Hij hoorde nog steeds een zacht geluid in de grot. Gekras over de grond, gezucht.

'Ik weet wat je gedaan hebt, Mazzetta.'

Vango besloot het hol in te gaan. Hij liep naar de opening, bukte zich en keek naar binnen.

Het eerste wat hij zag was het dode lichaam van de ezel op de grond. Zijn enorme leren halster zag zwart van het bloed. Toen zag hij Mazzetta met uitgespreide armen en zijn hoofd op het achterlijf van het dier liggen. Hij was stervende. Haastig knielde Vango op de grond naast hem neer.

'Ma...az...'

Hij stamelde iets.

'Elle... Ma...az...elle...'

Vango boog zijn oor naar hem toe.

'Ma...azelle.'

Hij vloog met zijn geweer naar buiten.

Mademoiselle.

Hij rende naar het huis.

Hij haalde zijn benen aan de doornen open, zonder iets te voelen.

Hij rende naar de westkant van het huis, waar twee ramen in de muur zaten. Het eerste was van de woonkamer. Hij aarzelde niet, spande de haan van zijn geweer en sprong met zijn hoofd naar voren, dwars door de glazen ruiten heen. Hij rolde op de blauwe plavuizen in de kamer, kwam onmiddellijk overeind en draaide met het geweer in het rond.

Het was angstaanjagend stil en leeg.

Een waaklampje bij de haard stond op het punt om uit te doven. Het eeuwige kopje op de tafel was kapotgeslagen en verbrijzeld; er was niets meer dan een hoopje gruis over.

Vango rende naar de slaapkamer. Niets.

'Mademoiselle!' schreeuwde hij.

Hij ging in het donker naar buiten, naar het terras.

'Mademoiselle!'

Uit de diepte van de krater kwam de echo terug. Hij doorzocht het andere huisje, achter de olijvenboom. Daarna rende hij terug naar Mazzetta, die nog ademde.

Vango drukte de loop van het geweer tegen het voorhoofd van de stervende man.

'Waar is ze?'

'Ier... mannen...'

Mazzetta bewoog met zijn hand en drukte zijn duim tegen zijn handpalm om het cijfer vier aan te geven.

'Vier?' vroeg Vango. 'Vier mannen?'

Mazzetta's ogen knipperden uit alle macht van ja.

'Hebben ze haar gedood?'

'Nee.'

'Meegenomen?'

Hij knikte en er ging een stuiptrekking door zijn lichaam. Hij strekte zijn arm uit om zich aan het halster van de ezel vast te houden. Vango maakte de vingers van de leren halsriem los.

'Waar? Waar hebben ze haar mee naartoe genomen?'

Deze keer bewoog Mazzetta alleen nog met zijn lippen. Vango haalde zijn geweer weg en drukte zijn oor tegen Mazzetta's mond. Hij liet hem drie keer herhalen wat hij zei.

Mijn ezel. Dat had hij gezegd: mijn ezel.

Even later stierf de man op de knieën van Vango. Die begon te huilen.

Een paar uur eerder, toen het nog licht was, had broeder John Mulligan, net toen hij zijn zuidwester wilde afdoen, de speedboot in omgekeerde richting zien langskomen. Maar ditmaal had hij door zijn verrekijker een vrouw gezien, die achter in de boot stond en zich voortdurend omdraaide naar Salina. Bij het zien van het gezicht van de vrouw, haar grijze haren die aan haar gezicht plakten en de wapens die op haar gericht waren, had hij begrepen dat er iets aan de hand was.

Voordat de nacht ten einde liep, groef Vango twee diepe kuilen op de top van de klif.

In de ene kuil begroef hij Mazzetta, in de andere de ezel.

Het lukte hem niet om het halster los te maken. Daarom begroef hij dat ook.

Op de grond legde hij bloemen van wilde venkel in de vorm van twee kruizen.

Vango bleef een poosje op de klif voor de twee hopen verse aarde staan. Hij wist dat Mazzetta was gestorven omdat hij Mademoiselle had verdedigd.

Toch was Vango's haat daardoor niet verdwenen.

Hij voelde alleen een instinctief respect voor het stoffelijk overschot van de overledenen, dat wonderlijke respect dat alle beschavingen voor het menselijke wezen tonen, als het tenminste niet meer ademt.

Vroeger, in het karmelietenklooster, zei vader Jean tegen Vango dat als er in de geschiedenis van de mensheid ook maar één gebied was geweest waar de levenden net zo gerespecteerd zouden worden als men de doden eerde, het heerlijk moest zijn om daar te leven!

Bij het krieken van de dag ging Vango nogmaals langs Mademoiselles huis.

In het licht van de dageraad zocht hij naar sporen van de ontvoerders. Hij vond niets. Even verderop, bij Mazzetta, waren zelfs de kogels waarmee de ezel en zijn meester waren vermoord, als sneeuw voor de zon verdwenen. De moordenaars hadden de zaak keurig afgewerkt.

Vango sloot het huis af alsof hij met vakantie ging. Het slot ging een beetje stroef. Ze hadden het nooit gebruikt. Hij verstopte de sleutel in het gat in de olijvenboom. Met zijn hand ging hij door de bladeren, en hij voelde overal olijven hangen.

Toen zag hij op de grond, tussen de wortels, het propje van blauwe zijde liggen. Hij raapte het op. En tussen zijn vingers ontvouwde zich de zakdoek uit zijn kindertijd. De blauwe zakdoek die alles wist maar niets zei, niets anders dan verhalen van raadselachtige koninkrijken.

Vango's oog viel op de ster. Hij was geborduurd boven de opgaan-de streep van de grote V. Die had er daarvoor niet gezeten. Het bor-duurwerk leek niet klaar te zijn. De vijfde punt van de ster was niet af. Er hing nog een stukje goudgele draad aan.

Mademoiselle had de herinnering aan Vango's moeder op het zij-den lapje willen aanbrengen: Nell.

De komst van de mannen had haar werk onderbroken. De zak-doek was tussen de kronkelige wortels op de grond gevallen.

Vango liep langs de slingerende weg naar boven en daalde aan de andere kant van de heuvel tussen de oude wijngaarden van Malfa af. Aan de horizon zag hij de zwarte rook van de Stromboli, het ei-land Panarea, de contouren van Filicudi en nog verder, boven op een reusachtige kei, het onzichtbare silhouet van zijn klooster. Hij zou er voorlopig niet terugkeren.

Hij arriveerde in de haven op het uur waarop de mannen van het vissen terugkwamen. Snel liep hij tussen de opgehangen netten, de voorbijgangers en de schippers door en begaf zich rechtstreeks naar een hutje van verroest plaatijzer.

Vango klopte op een plank, alsof hij op de deur van een arbeiders-huisje tokkelde.

Een in lompen geklede vrouw was bezig om eierschalen te verpul-veren.

'Dat zijn stukjes voor in de soep,' zei ze. 'Dat is tenminste iets. Dan hebben je tanden wat te doen.'

'Bent u mevrouw Giuseppina?'

'Mevrouw Pippo Troisi,' verbeterde ze hem.

'Ik heb uw man lang geleden gekend. Hij was een goed mens.'

'Ja.'

Dat had ze op een heel lieve toon gezegd.

'En ken ik u soms?' vroeg ze.

'Nee,' haastte Vango zich te zeggen voordat ze zou doorvragen. 'Ik kom net aan en met de volgende boot vertrek ik weer.'

'Over vier minuten!' zei Giuseppina, die de vaartijden kende van alle boten die haar geliefde bij haar zouden kunnen terugbrengen.

Aangezien Vango niets zei, verbeterde ze zichzelf: 'Over drie minuten en vijfenveertig seconden.'

Om haar hals had ze een mooi horloge dat de dokter haar had gegeven.

'Ik wil u een heel oud verhaal vertellen,' zei Vango.

'Dat komt goed uit.'

'Waarom?'

'Ik hou alleen maar van oude verhalen.'

'U herinnert zich nog het begin van de herfst van 1918.'

'Ja,' zei de vrouw. 'Toen heeft het een paar keer flink gestormd.'

'Er is toen een man vermoord.'

'Bartolomeo Viaggi, negentwintig jaar oud. Drie dochters. Er is er nog maar eentje over. En zijn vrouw is ook gestorven, heel kort daarna.'

'Dat is droevig.'

'Ja. Het is droevig als er mensen weggaan.'

'Men zegt dat u iets over Bartolomeo weet.'

'Wie? Wie heeft je dat gezegd?'

Giuseppina's ogen glansden. Ze had er ooit maar met één persoon over gesproken.

'Ik wil weten wie hem vermoord heeft,' zei Vango.

'Wie heeft je daarover verteld?'

'Geeft u mij alstublieft antwoord.'

Ze keek Vango heel aandachtig aan.

'Ik zal je antwoord geven over Bartolomeo. Mazzetta heeft hem niet gedood, ook al hoorde hij erbij. Het was de ander, de derde.'

'Zijn naam...'

'Wie heeft met jou over mij gesproken? Ik ken jou...'

'Zegt u me hoe de derde heette.'

'Hij heette Cafarello, Giovanni Cafarello. Hij is naar Amerika vertrokken, naar New York. Hij heeft zijn vader daarboven in de bergen aan zijn lot overgelaten. Zijn vader, die het afgelopen voorjaar moederziel alleen is gestorven. Hij was honderd jaar oud.'

Giovanni Cafarello. Die naam werd voor altijd in Vango's geheugen gegrift.

Hij keek naar de vrouw die hem ingespannen aanstaarde. Hij bedankte haar.

'Ga niet weg,' zei ze. 'Zeg me wie je bent. Zeg me dat je niet zo lang geleden Pippo Troisi hebt gezien.'

Vango liep weg. De boot lag klaar. De menigte dromde samen op de kade. Giuseppina was op haar knieën op de grond gezakt, als een vrouw voor haar tent in de woestijn. Ze smeekte: 'Alsjeblieft. Zeg het me. Leeft Pippo? Ik herken je. Ik weet wie je bent. Vango!'

Vango bleef staan. Hij liep weer naar haar toe en zei zachtjes: 'Hij leeft.'

Toen welden er echte vreugdetranen in haar ogen op.

Vango sprong in de boot.

Een man hielp de vrouw om op te staan.

'Hou je maar aan mij vast, Pina. Rustig maar.'

Hij was zojuist uit dezelfde boot gestapt en kwam terug van het eiland Lipari.

Hij glimlachte.

Het was maandag. Zijn geluksdag. De mooiste dag van de week. Hij had zichzelf opgedoft met zijn rode das. Hij danste.

Dokter Basilio ging lunchen bij Mademoiselle.

'Zeg eens... is het iets aan de hand, Pina?' vroeg hij.

'Pippo leeft,' fluisterde ze.

De dokter glimlachte. Deze vrouw, Pina Troisi, was de enige die hij volkomen begreep. Ze hadden allebei gekozen voor een onbereikbare liefde. Zij hield van een man die er niet meer was. Hij hield van een vrouw die hij niet kende.

'Wie heeft je verteld dat je man nog in leven is?'

'Vango, de wilde jongen uit Pollara.'

'Waar is hij?' vroeg de dokter, en hij kwam abrupt overeind.

'Daar gaat hij.'

De brave dokter Basilio rende over de zwarte stenen van het havenhoofd.

De boot was al ver.

Hij zag Vango op de brug staan. En Vango zag hem ook.

Ze bleven allebei roerloos staan.

Even later stond de dokter bij Mademoiselle voor een dichte deur.

Zijn hoop was vervlogen.

28
De paardendief

Everland, Schotland, oktober 1935

Het vliegtuigje scheerde nogmaals langs de toren. Maar nu zag de piloot duidelijk hoe de man naar de stallen rende. Een vrouw zat hem op de hielen. Ze was gekleed in een witte nachtjapon die ze tot op haar dijen had opgestroopt om harder te kunnen rennen.

'Zeg me dat ik droom,' fluisterde hij tegen zichzelf.

Hij had het niet gedroomd. Het was Mary, het kamermeisje.

Paul liet het vliegtuig opstijgen en begon een omtrekkende beweging te maken zodat het leek alsof hij wegvloog.

Het vliegtuig was een Sirius, het kleine eenmotorige toestel waarmee Charles Lindbergh alle records boven de Stille Zuidzee had verbroken. Paul bezat een van de vijftien exemplaren die er ooit waren gemaakt.

Hij vloog in de richting van het water van Loch Ness en had vaart geminderd. Hij zag de rand van een bos dat al geel kleurde, en afgelegen schaapskooien in de heuvels.

Paul moest lachen, maar hij begreep er niets van.

'Mary! Mary!' zei hij met grote ogen van verbazing.

Hij verzon allerlei verklaringen voor het tafereel dat hij zojuist bij toeval had gezien. Hij begon zich een dubbel, driedubbel of vierdubbel leven van Mary voor te stellen, die achter haar voorkomen van een ietwat romantische oude vrijster misschien de lichtzinnigste vrouw van de Highlands was.

Mary was bij de geboorte van Paul in dienst van de familie gekomen, dat wil zeggen zesentwintig jaar geleden. Hij kon zich maar moeilijk voorstellen dat ze haar losbandige leven zo lang had verborgen achter haar blozende wangen, haar moederlijke genegenheid en haar dikke wollen kousen.

'Nee... Dat kan gewoon niet.'

Plotseling zwenkte hij om, waardoor de vleugel van zijn watervliegtuigje loodrecht kwam te hangen, en hij zette weer koers naar het kasteel. Binnen een paar seconden vloog hij over de door stenen muurtjes doorsneden weilanden en kwam hij bij de grote oprijlaan.

Bij de stal was alleen nog Mary te bekennen. Met gespreide armen gebaarde ze wanhopig naar het vliegtuig.

Vlak voordat hij weer opsteeg om over het donkere dak van het kasteel heen te vliegen zag Paul de staldeur plotseling opengaan en een zwart paard in volle galop naar buiten komen. De man had niet de tijd genomen om het te zadelen. Hij zat gewoon op de rug, hield zich alleen maar vast aan de band van het halster en gaf het paard bruusk de sporen.

De piloot en de ruiter kruisten elkaar.

Toen hij een paar meter verderop achteromkeek, zag Paul hoe de ruiter over een eerste muur heen sprong.

Het was duidelijk dat die man niet een van Mary's minnaars was.

Hij had zojuist een paard gestolen.

Boven het kasteel zette Paul het vliegtuig op zijn staart.

Hij ging de ruiter achtervolgen.

Vol bewondering keek Mary, die op haar knieën in haar nachtjapon was neergevallen, naar de acrobatische toeren van haar held.

Eerst vloog hij loodrecht omhoog, een heel eind de lucht in, totdat je alleen nog een zwart stipje met een rookwolk zag. Het geluid van de motoren was haast niet meer te horen. Paul vervolgde zijn looping, liet het vliegtuig ruggelings verder vliegen en daarna in een volmaakte cirkel recht op de grond af duiken. Vlak voordat het de grond raakte, trok het vliegtuig langzaam weer op.

Mary hield haar adem in. Ze deed alsof ze haar ogen schreeuwend van angst achter haar handen verborg, maar ondertussen gluurde ze trots tussen haar vingers door naar het virtuoze optreden van de jonge jachtvlieger.

De looping van het vliegtuig eindigde rakelings boven de heidestruiken, waar het in een zacht paarse wolk overheen scheerde. Nu vloog het, vlak boven de grond, recht op de ruiter af, en de ruiter galoppeerde naar hem toe. Geen van beiden weken ze van hun koers af.

Op het laatste nippertje zette Paul eindelijk de gashendel open, waardoor het paard tussen de twee drijvers van het vliegtuig door draafde. De piloot kon niet zien wie de man was, want die was met zijn gezicht in de manen van zijn paard gedoken.

Toen hij weer op het kasteel af vloog besefte Paul eindelijk dat wat hij aan het doen was geen enkele zin had.

Hij was niet van plan om dat paard, waar hij dol op was, op te offeren, noch om die man van wie hij niets wist, te onthoofden, en al helemaal niet om een watervliegtuig dat alleen maar op water kon landen aan de grond te zetten.

Paul moest toegeven dat indruk maken op een vrouw van een jaar of zeventig die in het gras zat en wil gebarend haar armen naar hem omhoogstak, zijn enige doel was.

Behalve de ongrijpbare Ethel, die zo vaak weg was, was Mary de enige die hij nog kon verbluffen. Zelfs op de avond dat hij de jongste luitenant-kolonel van de Royal Air Force was geworden, had hij in zijn eentje in zijn grote kasteel gegeten.

De ruiter verdween in het bos.

Het vliegtuig maakte nog een laatste rondje om de ovatie van het publiek in ontvangst te nemen.

Toen hij op het meer landde, kwam hem al een bootje tegemoet. Mary stond voorin.

Ze sloeg haar stevige armen om Paul heen. Ze had geen nachtjapon meer aan, maar dat wat ze haar zondagse pak noemde, dat wil zeggen de zwarte jurk en het schort die ze sinds haar dertiende verjaardag, ruim een halve eeuw geleden, elke dag aandeed. Maar als pronkstuk droeg ze een soort witte kraag, waardoor ze vond dat ze er, althans in de piepkleine spiegel op haar kamer, op haar zondags uitzag.

'Het was prachtig. Maar ik heb doodsangsten uitgestaan.'

Je zou denken dat ze het tegen een trapezewerker had, na afloop van een circusvoorstelling. Ze omhelsde hem.

'Bravo... Bravo...'

'Vertel eens,' zei Paul.

Plotseling schoten haar eigen avonturen haar weer te binnen.

'O, het is afschuwelijk,' zei ze.

'Vertel maar.'

'Ik ben je komen halen in plaats van Peter. We vertrouwen het niet meer. Hij houdt samen met zijn zoon de wacht.'

Het was moeilijk om op zondag iemand op het landgoed te vinden. Op die dag gaf Paul iedereen verplicht vrijaf. Het personeel speelde dan verstoppertje in het kasteel om zich niet te laten zien. En Mary sliep uit.

'En? Wie was het?' vroeg Paul.

'Hij kwam via het raam naar binnen toen ik in de gang op de tweede verdieping was... Je moest eens weten hoe ik geschrokken ben. Ik had mijn nachtkleding aan... Ik ging net naar de... Nou ja...'

'Maar wat wilde hij?' onderbrak Paul haar om niet de details van haar wc-bezoek te hoeven horen.

Ze boog zich naar hem toe en fluisterde in zijn oor: 'Het is een kruimeldief.'

Ze fluisterde midden op het meer, alsof de oude karpers of het monster van Loch Ness zouden kunnen horen wat ze te vertellen had.

'Wat heeft hij dan gestolen?'

Ze keek naar links, toen naar rechts, haalde diep adem en zei nog zachter: 'Niets.'

De volgende nacht verliep rustig. Paul was 's avonds in de buurt van het bos gaan kijken. Hij had sporen van hoeven aangetroffen, maar die verdwenen in de struiken.

Toen ze de volgende morgen wakker werden, stond het zwarte paard te grazen op het grasveld voor het kasteel.

'Moet je nou eens kijken,' zei Mary toen ze de gordijnen van Pauls kamer opentrok.

De paardendief had dus niet eens een paard gestolen.

Mary was een beetje teleurgesteld.

'En als hij nu eens namaak is?' opperde ze.

Paul rekte zich uit voor het grote raam. 'De dief?' vroeg hij.

'Nee, het paard.'

'Het paard?'

'Ja. Stel dat het een namaakpaard is.'

Paul krabde zich op zijn hoofd.

'Een namaakpaard?'

'Dat hij in plaats van jouw paard een namaakpaard heeft teruggebracht.'

'Waarom?'

'Om dat van jou te stelen.'

Paul boog zich uit het raam. Hij probeerde zijn gezicht in de plooi te houden.

'Het ziet er in elk geval goed uit. Voor een namaakpaard.'

De hele dag hield Mary het dier in de gaten, dat met een halster-riem aan het bordes was vastgebonden. Zelfs 's avonds bleef ze de wacht houden. Ze had het gevoel alsof ze te maken had met het paard van Troje, dat midden in de nacht zou opengaan en de vijand binnen zou laten.

De spanning was ondraaglijk. Maar de volgende ochtend konden ze constateren dat het paard zich alleen maar had ontdaan van een paar verse vijgen.

Een week later, toen ze het voorval alweer bijna vergeten waren, ving Paul de dief.

'Dat is hem,' zei Mary opgewonden.

Paul had hem betrapt terwijl hij in de kelders van het kasteel rondsnuffelde. Het was nog maar een jongen, en hij sprak nauwelijks Engels. Paul nam hem mee naar boven naar de eetzaal en deed de deur op slot.

Een stuk of tien mensen brachten de ochtend voor de deur door, nieuwsgierig naar de toestand waarin meneer Paul de dief die niets had gestolen zou laten gaan.

Mary had al medelijden met de jongen.

'Ik hoop dat Paul hem niet te hard aanpakt. Dat joch zwerft maar wat rond. Hij wist niet wat hij deed. Paul is erg streng geworden nu hij officier is, moeten jullie weten.'

Maar ze was bijna teleurgesteld toen Paul alleen naar buiten kwam en door het op de overloop samengedromde groepje heen liep om tegen Mary te zeggen: 'Geef hem werkkleren. Hij blijft hier en hij gaat voor de paarden zorgen.'

'Maar... Paul...'

'En geef hem te eten, Mary. Hij heeft de afgelopen twee weken in de bossen gebivakkeerd.'

Paul ging weg.

Mary wist niet hoe snel ze naar de dief moest gaan. De omstanders waren afgedropen.

'Hoe heet je?' vroeg ze bruusk.

Hij antwoordde met twee lettergrepen, die ze vertaalde in een voornaam die haar vertrouwder in de oren klonk.

'Andrew. Goed. Kom maar mee, Andrew. En hou je gedeisd.'

Ze bleef staan om aan de schouders van de jongen te voelen.

'Je bent niet bepaald dik. Er zijn nog oude kleren van Paul die je wel zullen passen, maar ik zal de mouwen moeten verstellen. En doe die schoenen eens uit, je maakt m'n parketvloer vuil.'

De jongen haastte zich om te doen wat ze zei. Zonder een spier te vertrekken pakte ze de modderige schoenen aan, net als die was-vrouwen die hun leven lang in de vuiligheid van anderen leven. Het kon haar niet schelen of haar vingers schoon bleven, als het geboende parket maar glom.

Ze sloegen een ellenlange gang in. De jongen liep op kousenvoeten achter haar aan.

'Waar kom je vandaan?'

'Uit het Oosten,' antwoordde hij.

Ze keek uit het raam die kant op. Hij kwam waarschijnlijk uit Nethy Bridge of Grantown, ergens die kant op... Voor haar was iedereen die buiten het landgoed was opgegroeid hoe dan ook verschrikkelijk te beklagen.

'Ach, uit het Oosten...'

'Ja, uit het Oosten,' herhaalde de jongen.

'En houden ze daar van rosbief?'

Een heerlijke geur kwam hen tegemoet. Mary duwde de deur van de keuken open.

Ze was vrij gauw te vermurwen als er iemand met droevige ogen en modderschoenen voor haar stond.

Twee weken later arriveerde Ethel in het holst van de nacht.

De koplampen gleden langzaam over de weg die naar het slapende kasteel leidde. Een uil vloog heel laag boven de grond voor haar uit.

Sinds haar verblijf in Parijs, midden in de zomer, was ze maar een paar dagen op Everland geweest. Paul had het opgegeven om haar nog langer te verwijten dat ze zo vaak weg was. De tijd die ze samen konden doorbrengen was te kort om niet van elk moment te genieten.

Ze parkeerde haar auto in de garage, naast de stal. Ze was heel langzaam aan komen rijden, zodat niemand haar zou horen.

De auto stopte.

In het schijnsel van de koplampen had Ethel iemand achter in de garage gezien.

De jongeman hield zijn hand voor zijn ogen. Hij was uit de voederbak geklommen, die hij als bed gebruikte. Wat ze de garage noemden, waren in feite een paar paardenboxen die aan het begin van de eeuw voor de auto's waren aangepast.

Ethel zette de motor af, maar liet de koplampen branden. Ze deed het portier open.

'Goedenavond,' zei ze.

'Goedenavond.'

'Wat doe je hier?'

'Ik heet Andrew. Ik zorg voor de paarden.'

Andrej had de twee zinnen gezegd die hij accentloos kon uitspreken.

'Ben jij een Rus?'

'Ja. Ik kom uit Moskou.'

Hij schermde zijn ogen nu met zijn onderarm af. Hij werd verblind, net als een konijn op de weg.

'Haal je arm weg, zodat ik je kan zien.'

Hij gehoorzaamde.

'Heeft Paul je gevraagd om voor de auto's te zorgen?'

'Nee. Voor de paarden.'

Andrej had het gezicht van het meisje nog niet kunnen zien, maar hij wist dat zij het was.

Ethel. Hij zat al een maand op haar te wachten.

'Als je voor de paarden zorgt, hoe komt het dan dat je handen er zo uitzien?'

Hij keek naar zijn vingers, die onder de wagensmeer zaten. Eindelijk deed ze de koplampen uit.

Hij gaf geen antwoord.

Ze deed een paar stappen over de tegelvloer en knipte een elektrisch peertje boven een werkbank aan.

Eindelijk zag hij haar.

Ze droeg een donkerblauw broekpak met witte strepen, bestaande uit een kort jasje en een wijde broek, en onder haar arm hield ze een met leer gevoerde regenjas.

Ze droeg haar haar in een paardenstaart. Ze zag er heel moe uit.

Ethel had vanaf Londen twaalf uur aan één stuk door gereden, en de afgelopen drie nachten had ze doorgebracht op plaatsen waar meer werd gedanst dan geslapen.

Ze keek Andrej met half dichte ogen aan, terwijl ze haar hand op de lichtschakelaar hield.

'Nou? Waarom zien je handen er zo uit?'

Andrej was zenuwachtig. Dat meisje zag alles.

Ze vermoedde iets. Dat wist hij zeker.

'Ik hou van machines,' zei hij.

'Waarom heeft hij je in dienst genomen?'

'Ik heb een paard gestolen.'

Ook die zin had Mary hem laten herhalen, zoals een schooljuffrouw een kind dat iets stouts heeft gedaan dat eindeloos laat opschrijven. Ik heb een paard gestolen. Ik heb een paard gestolen. Andrew heeft een paard gestolen.

'Denk je dat dat een goede reden is?' vroeg Ethel.

Hij wist niet wat hij daarop moest antwoorden. Ze liep naar iets waar een zwart zeil overheen lag. Andrej trilde een beetje, maar dat was niet te zien onder de wijde kleren van Paul, die door Mary waren ingenomen.

Met het gebaar van een tovenares trok ze het zeil opzij.

'Ik hoop dat je je niet met de auto van mijn vader vermaakt.'

'Ik hou van machines,' herhaalde Andrej.

De auto van Ethels vader was een witte Rolls-Royce Silver Ghost uit 1907. De mooiste auto ter wereld. De afgelopen tien jaar was de auto onder een laag stof bedekt geraakt. Andrej gebruikte zijn nachten om hem weer als nieuw te maken. Hij had elk onderdeel van de motor schoongemaakt. Hij startte meteen.

'Wie heeft je gevraagd om dat te doen?'

'Niemand.'

'Doet hij het?'

'Ja.'

Andrej deed een stap naar de auto toe. Hij wilde haar zijn werk laten zien. Met dat doel had hij het allemaal gedaan. Mary had hem verteld hoezeer Ethel aan die auto gehecht was. Daarom was Andrej aan het werk gegaan.

Boris Petrovitsj Antonov had hem opdracht gegeven om Everland in de gaten te houden, in de hoop dat Vango daar op een dag naartoe zou komen.

Om zijn missie te laten slagen moest hij Ethels vertrouwen winnen. Hij legde zijn hand op de motorkap.

'Hou op!' beval ze. 'Haal je hand daar weg.'

Haar ogen waren bijna gesloten. Ze had een brok in haar keel.

'Ik waarschuw je. Als je nog één keer aan die auto komt, kan je gaan.'

Ethel liep de slaapkamer van Paul binnen en deed het vuur oplaaien door er nog een houtblok op te leggen. Hij sliep.

Ze ging in een stoel zitten.

Op een dag zou ze de deur van die kamer niet meer midden in de nacht mogen opendoen. Dat wist ze. Ze hoopte zelfs dat die dag snel zou komen. Dan zou Paul een gezin krijgen. Ze zouden op de deuren moeten kloppen, privévertrekken in het kasteel moeten maken, de spelregels moeten aanpassen.

Eindelijk zou er iets veranderen.

Ze strekte haar benen tot vlak bij de vlammen uit.

Op de dag dat hun ouders waren omgekomen, was de wereld voor hen tweeën stil blijven staan.

Om hen heen werden de mensen ouder, maar zij lieten niets of niemand binnen. Hun wereld was met een donkere sluier afgedekt, net als de Rolls-Royce Silver Ghost. Niemand mocht eraan komen.

Alles bleef zoals het was. Het vliegtuig van Paul was een kopie van het modelvliegtuigje waarmee hij als kind speelde. En de kleine Ethel zat al jaren geleden op haar vaders knieën achter het stuur.

Niets nieuws onder de zon.

Eén meteoor had deze lange ijstijd voor haar doorkruist. Dat was Vango. Ze hield van hem. Ze hield van hem met heel haar hart.

Wanneer ze tot 's morgens vroeg bleef hangen in cafés die blauw zagen van de rook, wanneer ze zich verloor in de gezichten om haar heen, in de muziek, in de jachtige drukte, wist ze dat ze vluchtte voor het gemis dat ze voelde.

Hij was te snel voorbijgekomen om hem te kunnen vastpakken, zodat de wereld om haar heen eindelijk weer warm zou worden.

Toen Paul wakker werd zag hij Ethel in de stoel zitten. Hij tilde voorzichtig haar voeten op en legde die op een stoel.

Algauw deed ze haar ogen open.

Hij glimlachte naar haar. In de kleine, aangrenzende werkkamer had hij muziek opgezet.

'Ik wilde je niet wakker maken,' zei hij.

'Ik jou ook niet.'

Ze raakte zijn voorhoofd met haar vingers aan.

'Ik heb je pilotenvrienden in Londen gezien,' zei ze.

'Ze boffen maar dat ze jou zo vaak zien, Ethel.'

'Ze vragen zich af wat je aan het doen bent.'

'Niets, zoals je ziet. Ik doe niets. En jij?'

'Ik probeer te leven.'

'Je ziet er bedroefd uit, Ethel. Denk je aan hem?'

'Aan wie?'

Ze zwegen even, en toen zei ze: 'Je pilotenvrienden zeggen dat je niet van feesten houdt.'

De muziek stopte. Hij haalde zijn schouders op.

'Ieder zijn meug,' zei Paul.

Hij stond op om de plaat in zijn werkkamer om te draaien.

Vliegen tussen de wilde eenden, met een vliegtuig bij de vuurtoren van Duncansby onder de bogen van de steile rotsen door schieten, te paard diepe rivieren oversteken... Dat was voor hem een feest.

Hij hoorde Ethels stem vanuit zijn slaapkamer: 'Wie is die Rus die de paarden verzorgt?'

'Een zwerver,' zei hij terwijl hij uit zijn werkkamer kwam.

Ze keek Paul aan.

'Een zwerver?'

'Een zwerver die op zoek was naar werk.'

'Vind je het niet vreemd dat een Russische zwerver hier ronddoolt?'

Hij begon te lachen.

'Daar gaan we weer... Misschien is het een spion! Een spion van zeventien die uit het koude noorden is gekomen om twee weeskinderen in de gaten te houden.'

Een maand geleden had Ethel al dit soort verdenkingen gehad. Ze zei dat iemand van haar afwezigheid gebruik had gemaakt om 's nachts haar hotelkamer in Edinburgh te doorzoeken. Haar broer had haar geantwoord dat ze dan maar moest zorgen dat ze 's nachts in haar hotelkamer was.

'Je ziet mensen die er niet zijn, Ethel, en je bent niet eens in staat om degenen te zien die er wél zijn. Kijk Tom Cameron eens om je heen draaien!'

Glimlachend fluisterde ze: 'Daar moet hij dan maar eens mee ophouden, anders raakt hij nog van slag.'

De laatste bezoeken van de Camerons hadden inderdaad tot bizarre taferelen geleid. Pa en ma kwamen in een staat van opperste opwinding aanzetten. Ze deden altijd geheimzinnig. Ze ratelden maar door en hadden het steeds over 'datgene wat we niet geacht worden te weten' of 'datgene waar we zogenaamd nog niet van op de hoogte zijn'. En doordat de ouders maar om de hete brij heen bleven draaien, kreeg de zoon het zo te kwaad dat hij ineendook en zich achter zijn hoed verstopte.

Meestal was Ethel er niet en moest Paul zich in zijn eentje zien te redden. John de butler had de gewoonte aangenomen om hem, als ze onverwachts op bezoek kwamen, op luide toon de komst aan te kondigen van 'het gesticht van de overkant'.

Ze kwamen binnen.

Telkens wist Paul een goede reden te verzinnen om uit te leggen waarom zijn zusje op reis was. Lady Cameron antwoordde altijd: 'Ja natuurlijk! Laat ze nog maar even van haar vrijheid genieten!', alsof ze het hadden over een kip die voor de braadpan bestemd is en die je nog even vrij laat rondlopen. Ze pakte schilderijen van de muur om van dichtbij te zien door wie ze gesigneerd waren, ze telde de kristallen luchters en ze woog het zilverwerk op haar hand.

Ethel rekte zich uit in haar leunstoel voor het vuur.

'Echt,' drong Paul aan, en hij pakte de hand van zijn zusje vast, 'heb je me niets te zeggen over Tom? Hebben jullie niet met elkaar gesproken?'

Ethel glimlachte.

'Nee. Heus.'

'Dan denk ik dat er een misverstand is... Arme Tom...'

'Maak je over hem maar geen zorgen.'

Er werd op de deur geklopt.

Mary kwam thee brengen. Ethel ging staan om haar te omhelzen en sloeg haar arm om haar heen om een wals met haar te gaan doen. Paul deed de deuren van de werkkamer open zodat ze de grammofoon konden horen.

John, de keurige butler, kwam binnen en keek verbijsterd naar wat zich daar afspeelde.

Mary kreeg niet eens de tijd om haar blad neer te zetten. Ze draaide in de kamer rond en slaakte kleine kreetjes. Ethel liet haar niet los. Samen dansten ze in het rond. Paul ving het eerste kopje in de lucht, daarna het tweede en toen de theepot. John kreeg Ethels schoenen toegeworpen.

De suikerpot eindigde met een geur van karamel in de haard.

De muziek werd oorverdovend.

Ten slotte liet Ethel Mary gaan.

'Ze zijn gek,' piepte het kamermeisje zielsgelukkig, en ze liet zich in Pauls armen vallen.

29
Mevrouw Victoria

Ergens in Frankrijk, een maand later, november 1935

Een sliertje witte stoom kringelde tussen de steile bergwanden omhoog. De trein reed pijlsnel door donkere dennenbossen, over woeste beken en tussen neergestorte rotsblokken door.

Viktor Voloj keek door een smalle opening naar het voorbijflitsende landschap.

Het was een trein van vijf geblindeerde wagons. Je kon onmogelijk weten in welk deel van het konvooi de gevangene zich bevond.

In de rest van de trein zaten diverse soldateneenheden.

Met een paar minuten tijdsverschil was er een soortgelijk treinstel uit Parijs vertrokken, met hetzelfde aantal soldaten, maar zonder gevangene.

Commissaris Boulard had het allemaal bedacht.

De gevangene zou naar een van de drie forten worden gebracht die voor hem in gereedheid waren gebracht. Een daarvan lag hoog op een rots in de Alpen, een ander ver in zee, voorbij het Île de Ré, en het laatste in de moerassen ergens in het midden van Frankrijk. Alleen Boulard wist welk fort op het laatste moment was uitgekozen.

Het doel van deze operatie was om iedere ontsnappingspoging onmogelijk te maken.

Viktor Voloj ademde de berglucht in. De koele lucht voelde aangenaam aan. Het was mooi weer. Viktor voelde nauwelijks hoe stram zijn benen en armen waren.

Zijn twee vuisten zaten vast aan een gietijzeren blok en zijn voeten waren verankerd aan de bodem van zijn kooi. De kooi had dikke tralies en stond in een van de wagons met geblindeerde ramen die ze van de Franse staatsbank hadden geleend. De trein was uitgerust om bestand te zijn tegen een tankaanval of een luchtoffensief.

Boulard stond op de kade in La Rochelle. Hij werd vergezeld door zijn trouwe Avignon, twee divisies van de strafgevangenis en een smid om Viktor te kunnen ontketenen.

Het station was door soldaten omsingeld.

Alles leek goed te gaan. Boulard had zijn handen in zijn jaszakken. Hij droeg een nieuwe hoed die hij bij de firma Mossant had gekocht.

De trein zou over een paar minuten aankomen. Hij was al gesignaleerd bij een overweg in de buurt van Marans.

'Hebt u nog iets gehoord van de andere twee treinen?' vroeg Avignon bezorgd.

Boulard maakte een gebaar naar de stationschef opdat die de vraag zou beantwoorden.

'Ja,' zei de man. 'Niets bijzonders. De treinen zullen waarschijnlijk precies op hetzelfde ogenblik hun station binnenrijden. Daar is hun snelheid op afgestemd.'

Boulard glimlachte tevreden.

Hij had deze dag lang geleden voorbereid. Dat het nu eindelijk zover was, had hij aan Zefiro te danken. Hij had beloofd dat hij Viktor Voloj voor de rest van zijn leven zou opbergen. Dat was de enige oplossing om het gevaar dat de padre en zijn monniken bedreigde de kop in te drukken.

Er klonk gefluit. Boulards ogen begonnen te glanzen.

'Daar is hij,' zei Avignon.

De locomotief kwam langzaam het station binnenrijden. De vijf wagons hielden stil voor het nagenoeg lege perron. Ze werden onmiddellijk door soldaten omsingeld.

'Nu zijn wij aan zet,' zei Boulard. 'Wagon vier.'

Het legertje verplaatste zich naar het achterste stuk van de trein. Avignon zweette.

'Hier is het,' zei hij.

'Doe de deur open!' riep Boulard.

Twee mannen stapten met een set sleutels naar voren. Ze maakten diverse sloten open. Boulard gaf hun een vijflettercode om het laatste combinatieslot open te krijgen. Toen zei hij: 'Je kunt naar binnen gaan, Avignon.'

De smid deed zijn brander vast aan.

Met de hulp van drie bewakers duwde Avignon de schuifdeur open. Hij wierp een zenuwachtige blik op Boulard.

'Vooruit,' zei de commissaris.

Avignon ging naar binnen. Ze hoorden een schreeuw. Hij verscheen weer in de deuropening.

'Er is niemand!'

'Ga dan elders zoeken, stommelingen!' brulde Boulard.

De vier andere wagons werden doorzocht. Daar zaten alleen de soldateneenheden die waren meegestuurd.

Met knikkende knieën kwam Avignon bij Boulard terug.

'Hij is er niet.'

Boulard keek naar de stationsklok.

'Dan denk ik dat hij goed is aangekomen.'

De commissaris legde zijn hand op Avignons schouder.

'Kerel, dacht je heus dat ik hem met een compleet welkomstcomité in het echte station zou opwachten? Voor wie zie je me eigenlijk aan? Bel inspecteur Rémi, in het station van Bourges.'

Avignon haastte zich naar de stationsrestauratie om te telefoneren.

'Pardon, meneer...'

Iemand draaide verlegen om de commissaris heen, die zijn doos droppastilles probeerde open te maken.

'Meneer de commissaris...'

'Ja,' zei Boulard.

Het was de smid. Hij voelde zich plotseling overbodig.

'Kan ik gaan?' vroeg hij.

'Wat denk je?'

De man wist niet wat hij moest zeggen.

'Kan... kan dat?'

'Of wil je mijn vullingen soms vernieuwen?' riep Boulard.

De stationschef gaf de smid onopvallend een teken dat hij moest gaan.

Inspecteur Avignon kwam binnen een mum van tijd terug, maar hij zag er nog even bleek uit.

'Nee commissaris, daar is hij niet. Er is niemand in de trein die in Bourges is aangekomen.'

Boulard deed alsof hij verbaasd was.

'Wat vreemd! Is het heus? Is hij niet in Bourges?'

Hij trok een wanhopig gezicht en zei: 'Dan is het afgelopen met mij.'

Nadat hij zijn hart met een denkbeeldige dolk had doorboord, wierp hij opnieuw een blik op de grote klok.

'Bel Chambéry, kerel.'

Avignon liep weer weg, op van de zenuwen. Het legertje soldaten keek de commissaris niet-begrijpend aan.

Deze keer was Boulard niet meer zo ontspannen als eerst. Hij zoog zenuwachtig op zijn droppastilles.

Hij wist maar al te goed dat het pleit nog niet beslecht was, en hij had al spijt van zijn toneelstukje. Viktor Voloj was geen figuur die zich leende voor een klucht of een tragedie. Het was een gladde aal die overal zijn weg vond, net als die dikke vliegen die levend en wel werden aangetroffen in drieduizend jaar geleden afgesloten graftomben van farao's.

Er kwam geen stoom meer uit de locomotief.

Avignon kwam niet terug.

Het was doodstil op het station.

Om de tijd te verdrijven probeerde Boulard zijn horloge met de stationsklok gelijk te zetten. Hij bleef met het horlogeknopje in zijn hand zitten.

'Waar blijft hij nou?!' riep hij ten slotte.

Ze vonden Avignon in de stationsrestauratie, waar hij was flauw-gevallen.

Iemand probeerde hem bij te brengen door hem met het spoor-boekje koelte toe te wuiven.

'Opzij jullie,' zei Boulard.

De commissaris ging boven op hem zitten en gaf hem twee oor-vijgen.

'Inspecteur!'

'Suiker, hij heeft suiker nodig,' zei de bazin van de stationsrestau-ratie, die met een fles limonadesiroop kwam aanzetten.

'Dank u wel, mevrouw,' zei Boulard beleefd.

'Wilt u een rietje?'

'Nee, dank u.'

Boulard tilde de fles hoog op en goot hem helemaal leeg in Avig-nons gezicht.

Eindelijk deed die zijn ogen open.

'Is de trein niet in Chambéry aangekomen?' vroeg de commissa-ris.

'Jawel. Natuurlijk. De trein was stipt op tijd.'

'En?'

'Viktor zat niet in de trein naar Chambéry.'

Viktor Voloj luisterde naar alle geluiden. Het was moeilijk om pre-cies te bepalen waar hij was. De trein was gestopt. Het raampje keek uit op een gele muur. Er klonk wat rumoer, een paar opgewonden stemmen waren rond de wagon te horen. Een hond blafte.

Hij dacht aan Zefiro.

Hij had altijd betwijfeld of die man dood was.

Een natuurlijke dood... Dat hadden ze gezegd. Hij hield niet van natuurlijke doden. Daar geloofde hij niet in.

Dat was zijn afwijking als kanonnenverkoper: hij liet zich nooit met natuurlijke doden afschepen en voelde zich pas op zijn gemak als hij wapens hoorde knallen en lichamen levenloos voor zich zag liggen.

Er klonk opnieuw geblaf, nu iets dichterbij.

'Ik wil weten in welke trein hij is gestapt!'

Boulard zag eruit alsof hij ieder moment een beroerte kon krijgen. Hij had Parijs aan de telefoon.

'Dat weet ik niet,' antwoordde de stem aan de andere kant van de lijn. 'Ik heb geen idee. Die treinen van jullie lijken ook zo op elkaar!'

'Kom nou toch!' zei Boulard. 'Is hij in de eerste trein gestapt? Die naar Bourges?'

'In de eerste trein?' zei de man. 'Ik zal het even aan mijn collega vragen... Nee. Niet in de eerste.'

'In de tweede dan? Die naar La Rochelle?'

'Momentje.'

Ze hoorden hem weer met iemand praten. Door het gekraak van de telefoonlijn klonk de man als een krekel.

'En?' riep Boulard na een paar tellen. 'Zat hij in de tweede?'

'De tweede?'

'Ja, ingevroren ossenkop!' foeterde de commissaris. 'In de tweede! Ik vroeg of hij in de tweede zat. Twee! Twee! Twee!'

'O, nee hoor, beslist niet in de tweede.'

'Dan zat hij dus in de derde!' tierde Boulard. 'Zeg me dat hij inderdaad in de trein naar Chambéry zat.'

'Wat?'

'In de derde! Drie! Drie! Twee plus een!'

'Nee, Chambéry, de derde ging naar Chambéry.'

'Ja,' kermde Boulard, 'de derde trein. Naar Chambéry.'

'Of hij in de derde zat? Even aan mijn collega vragen...'

'Geef mij je collega maar, verstopte varkensdarm! Geef je collega aan de lijn, of ik stuur je voor de rest van je leven naar Guyana!'

'Hallo?'

'Hallo? Bent u de collega van die uilenbal?'

'Nee, u spreekt nog steeds met mij.'

Boulard stond op het punt om zichzelf met de telefoondraad op te knopen.

Avignon pakte voorzichtig de hoorn uit zijn handen.

'Wij willen alleen maar weten of hij inderdaad op de derde trein is gezet,' zei inspecteur Avignon zo rustig mogelijk.

Boulard keek hem aan alsof hij wilde gaan bijten.

'Dat meent u niet,' zei Avignon na een paar tellen te hebben geluisterd. 'Weet u... Weet u dat zeker? Goed. We bellen nog terug.'

Hij hing op en keek Boulard aan.

'Ze zeggen dat Viktor in de vierde trein zat.'

Commissaris Boulard staarde wezenloos voor zich uit. Met het puntje van zijn tong tussen zijn lippen zei hij met de stem van een kind van vijf jaar: 'De... vierde. Goed, inspecteur. Bedankt. U kunt gaan. Dat is alles wat ik wilde weten.'

Hij leunde op de bar en vroeg iets te drinken.

'Hebt u ergens een voorkeur voor?' vroeg de bazin.

'Ja. Dat...'

Met een royaal handgebaar wees hij de hele eerste rij flessen sterke drank aan.

Er was nooit sprake geweest van een vierde trein.

Door zijn smalle treinraampje ving Viktor Voloj een glimp op van een glinsterende waterval die langs een rotswand naar beneden klaterde. De trein was alweer een hele poos aan het rijden.

De Pyreneeën. Ze waren er bijna.

De vierde trein was zojuist de grens gepasseerd tussen Cerbère en Portbou aan de Middellandse Zee.

Hij was op geen enkel station, bij geen enkele slagboom blijven staan en alleen ergens in het open veld gestopt om kolen en water in te nemen. Maar omdat er een hond blafte was hij onmiddellijk weer doorgereden. Waarschijnlijk hing er iemand in de omgeving rond.

Toen de trein over een heel hoge brug boven een verlaten dal reed, voelde Viktor hem eindelijk vaart minderen. Hij gleed nu geluidloos over de rails en ging een tunnel binnen. Midden in die tunnel wisselde hij van spoor en sloeg een andere tunnel in. Ten slotte kwam hij in een immense hal die in de bergen was uitgehakt en door felle schijnwerpers werd verlicht.

De trein stopte op een perron, waar een stuk of tien mannen stonden te wachten.

De deur ging open.

Er stapten twee gestalten in de trein. Hun gezichten gingen schuil achter lasmaskers. Ze zeiden geen woord tegen Viktor Voloj. Binnen een paar minuten hadden ze hem in het schijnsel van een blauwe vlam bevrijd. Viktor ging staan en liep naar het licht.

'Ziezo,' zei hij.

Vergenoegd stapte hij uit de trein op het perron en rekte zich uit.

'Gaat het goed?' vroeg een man hem.

'Hebben jullie onze padre?'

'Nee.'

Viktor wierp hem een dodelijke blik toe. Men had hem inmiddels laten plaatsnemen op een stoel midden op het perron, en drie personen verdrongen zich om hem heen.

'Dan gaat het dus heel slecht, Dorgelès. Hoe hebben jullie hem kunnen laten ontsnappen?'

'We hebben hem gevolgd vanaf het moment dat hij het politiebureau verliet tot aan het Gare d'Austerlitz.'

'Geweldig. Vijftien minuten met de metro! Wat knap van jullie om iemand zo lang te volgen! En toen?'

'We zagen hem de Jardin des Plantes in gaan.'

Viktor begon te applaudisseren.

'Gefeliciteerd, Dorgelès. Een man in een stadspark schaduwen... Tjonge, jij hebt je ogen niet in je zak zitten!'

De mannen en vrouwen die Viktor Voloj omringden glimlachten

met hem mee, als er geglimlacht moest worden. Ze leken net lakeien van de duivel. Allemaal hadden ze potloden en pruiken in hun handen. Ze waren bezig om hem op te maken. Hij was al niet meer te herkennen.

'We zijn Zefiro's spoor kwijtgeraakt in het Natuurhistorisch Museum,' legde Dorgelès uit.

'Wat spijtig...'

De ironie was uit Viktors stem verdwenen.

'Hij wist waar hij was, meneer Viktor. Hij wist precies waar hij was. Hij heeft ons afgeschud.'

'Je kan iemand alleen maar afschudden als je hem in de gaten hebt, Dorgelès. Hij had jullie in de gaten! Waarom wist hij dat jullie hem volgden? Nou? Waarom, meneer Dorgelès?'

'Zefiro is voorzichtig.'

'En jullie zijn niet voorzichtig genoeg.'

Dorgelès had het hele plan van Viktors ontsnapping bedacht. Hij had de vierde trein klaargemaakt, een heel regiment vermomd en bewapend, wisselwachters en nog tien anderen omgekocht, maar Viktor toonde zich volstrekt niet dankbaar.

'Heb je me niets anders te vertellen?' vroeg Viktor Voloj.

De grimeurs waren koortsachtig met zijn gezicht bezig. Zelfs zijn stem veranderde.

'Heb je me niets anders te vertellen, Dorgelès?'

'Ik heb een echt spoor. Een foto die bij het Gare d'Austerlitz is genomen.'

Viktor griste hem uit zijn handen en zei: 'Ik vraag je of je niets vergeten bent, Dorgelès!'

Viktor Voloj duwde de mensen om hem heen weg. Hij was niet meer wie hij was. Zelfs zijn stem was veranderd.

Dorgelès deed een stap naar achteren.

Voor hem zat nu een blonde vrouw van vijfenveertig jaar, die nauwelijks leek te zijn opgemaakt.

'Ik vroeg je iets, Dorgelès.'

Eindelijk begreep hij waarop Viktor zat te wachten.

'Ja. Het spijt me. Ik bied u mijn oprechte verontschuldigingen aan... mevrouw.'

Viktor reageerde niet.

Dorgelès liep weg. Hij wist dat zijn minuten geteld waren.

'En deze foto?' vroeg Viktor.

'Dat is iemand die met hem wilde praten, op het station. Hij ontweek hem, maar ik weet zeker dat hij hem kende.'

'En die persoon hebben jullie te pakken?'

'We hebben hem net in Londen getraceerd. Hij was een paar weken lang spoorloos. We zullen hem niet meer uit het oog verliezen.'

'Wie is het?'

'Een misdadiger die in verband met de moord op een priester wordt gezocht door uw oude vriend Boulard. Hij zegt zelf dat hij onschuldig is en dat hij wordt achtervolgd door moordenaars.'

'Zorg dat je hem te pakken krijgt voordat de anderen dat doen, en dat hij vertelt wat hij van Zefiro weet. Stel me niet teleur. Het is je enige kans om het goed te maken, Dorgelès.'

'Ik heb er al tien mannen op gezet.'

Viktor Voloj bleef alleen op het perron achter. Van nu af aan zou hij mevrouw Victoria heten. Dat was een personage dat uitstekend bij hem paste. In die vermomming hadden ze hem nog nooit herkend.

Het was koud, zo diep onder de grond. Mevrouw Victoria droeg een satijnen mantel over haar schouders. In de ene hand hield ze haar hooggehakte schoenen vast, en in de andere de foto die ze naar haar ogen met de lange wimpers toe bracht.

De foto was in de rook van het station genomen.

Aan de ene kant was padre Zefiro te zien, die recht in de camera keek, en aan de andere kant een jongeman die glimlachend op Zefiro afliep.

30
De baan van de sneeuwvlokken

Londen, de volgende nacht

Het regende. Vango rende over de brug. Er zaten nog drie mannen achter hem aan. Hij zag ze weer opduiken in het lichtschijnsel van een trein die van de andere kant kwam aanrijden. Sinds het donker was geworden hadden ze hem geen moment uit het oog verloren.

Over de hele breedte van de brug strekte zich een wirwar van tientallen spoorlijnen uit. Vlak voor Cannon Street Station was Vango uit een rijdende trein gesprongen, op de voet gevolgd door zijn achtervolgers.

Nu rende hij tussen de rails van deze spoorbrug over de rivier de Theems. In de verte zag hij het lichtschijnsel van de dokken.

Tot drie keer toe had Vango gedacht dat hij ze had afgeschud.

Eerst had hij ze de pub zien binnenkomen, waar hij nog maar net een baantje had aangenomen.

Hij had Europa lukraak van het zuiden tot het noorden doorkruist en zich alleen 's nachts op straat gewaagd. Hij had allang geen cent meer op zak en haalde zijn eten uit de vuilnisbakken op de binnenplaatsen achter de huizen. Toen hij daar, ergens in een voorstad van Londen, tussen het groenteafval aan het scharrelen was, had de kastelein van de Blue Fisherman hem gezegd dat hij als afwasknecht bij hem kon komen werken.

'Weet je hoe dat moet?'

'Ja.'

'Dan kan je morgen beginnen.'

Vango had ja gezegd. Met de paar centen die hij per dag verdiende, zou hij uiteindelijk het treinkaartje kunnen kopen dat hij nodig had om naar het noorden te reizen.

Al op de derde avond kwamen ze het restaurant binnenlopen. Vermoedelijk hadden ze hem op straat gevolgd en zo ontdekt waar hij werkte. In de gelagkamer zaten een stuk of vijf klanten. De bezoekers liepen regelrecht naar de keuken.

De kastelein wilde hen bij de deur tegenhouden.

'Het spijt me, jullie mogen hier niet komen.'

Hij kreeg een klap tegen de zijkant van zijn hoofd en viel bewusteloos op de grond.

Toen ze de keuken binnenkwamen, stak de kok zijn armen in de lucht, met een wortel in elke hand.

'Ik geef me over! Ik geef me over!'

'Hou je mond.'

'Moeten jullie mij hebben?'

'Nee. Die andere.'

'Pak hem dan! Ik ken hem niet!'

Ze duwden een grote sinaasappel in zijn mond om hem het zwijgen op te leggen.

Nou ben ik erbij, dacht Vango.

Hij zat als een rat in de val, achter in de keuken, een pijpenla met maar één uitgang. Ze waren met z'n vieren. Hij smeet de opgestapelde vuile borden en de gietijzeren schalen naast hem een voor een naar hen toe. De kok was onder een provisiekast weggekropen.

Bij gebrek aan verdere munitie om hen op afstand te houden gooide Vango het kokendhete, vette afvalwater over de vloer.

Toen gooide hij een tafel om, waardoor hij de kans kreeg om zich in de voorraadkamer op te sluiten. Terwijl hij ze hoorde glibberen over de tegelvloer van de keuken klom Vango boven op een kast, stootte met zijn elleboog een raampje kapot, klom naar buiten en belandde op de binnenplaats.

In een mum van tijd klom hij langs de muur naar het raam dat een verdieping hoger zat. De luiken waren gesloten. Hij klom nog een verdieping hoger, en nog een. Alle ramen leken vergrendeld te zijn. Het pand stond leeg.

Toen hij zijn gezicht met zijn arm afveegde, voelde hij iets warms in zijn hals druppelen. De elleboog waarmee hij het ruitje kapot had gestoten, bloedde hevig. Zijn rechterhand begon stijf te worden. Hij stopte hem diep in zijn zak en haalde hem er niet meer uit.

Er klonk lawaai uit de keuken.

Vango klom helemaal naar boven, als een verminkte spin maar toch razendsnel.

Op de bovenste verdieping klemde hij zich vast aan een van de brede luiken waarmee het raam was afgesloten. Hij wilde naar het dak toe.

Opeens verroerde hij zich niet meer, want onder hem klonken twee stemmen: 'Hij moet hier zijn. Hij kan de binnenplaats niet verlaten hebben.'

'Waar zijn onze Engelsen?'

In tegenstelling tot degenen die de keuken waren binnengedrongen, spraken deze twee mannen Frans.

'Die doorzoeken de verdiepingen,' antwoordde de ander. 'Ze zullen hem wel vinden, let maar op.'

Toen voelde Vango hoe het luik waaraan hij zich vasthield, openzwaaide.

'*Hey!*' riep een stem vlak naast hem.

De twee mannen sloegen hun ogen op naar degene die zojuist de twee luiken van het bovenste raam had opengemaakt.

'We komen weer naar beneden. Hier is niemand.'

'Dat rotjoch. We krijgen hem nog wel.'

Vango hing vlak achter het linkerluik; hij was onzichtbaar.

Vier uur later, toen er al een hele poos geen geluid meer te horen was geweest, durfde hij eindelijk langzaam naar beneden te klimmen totdat hij weer op de binnenplaats stond.

Hij had gehoord hoe de politie midden in de nacht het restaurant was binnengekomen om een onderzoek in te stellen.

De kastelein was toen al naar het ziekenhuis.

Vango had van achter zijn luik het heldhaftige relaas van de kok kunnen aanhoren, die vertelde hoe hij de jonge werknemer met een spies en een slagersmes had verdedigd: 'Ik ben geen moment gezwicht, totdat ze op hun knieën om genade smeekten en afdropen!'

Vlak voordat het ochtend werd glipte Vango de straat op. Alles leek rustig. De regen voelde ijskoud aan. Nergens brandde licht. Het enige wat je hoorde was het gerinkel van een paar muntstukken in zijn zak, en het geplons van zijn armetierige schoenen in de regenplassen.

Maar net toen hij de hoek van de straat wilde omslaan, startte er een auto die de achtervolging op hem inzette.

Er zou nooit een einde aan komen.

Zo hard hij kon rende hij door de nacht over de onverharde straat. Door de regen werden de straatgoten steeds groter.

Het water stond tot aan zijn enkels. Achter hem ronkte de motor.

Opeens werd dit geluid overstemd door een enorm kabaal. Vango dacht dat er een vuurgevecht losbarstte. Toen hij zijn hoofd omdraaide, begreep hij waar het geluid vandaan kwam. Achter de schutting aan de rechterkant liep een spoorlijn.

Er kwam een trein aan.

Vango stopte abrupt met rennen, waardoor de banden van de auto achter hem gierend tot stilstand kwamen. Hij nam een aanloop en sprong als een leeuw tegen de hoge schuttingplanken op, waar hij wonderbaarlijk genoeg overheen wist te klimmen.

'Niet schieten,' riep een van zijn achtervolgers. 'Niet schieten!'

Vango was al in de trein gesprongen.

Het was de eerste ochtendtrein. Hij reed naar het centrum van Londen. Er zaten een paar mensen op de houten banken te dommelen. Ze merkten niet eens de jongen op, die opeens in de wagon stond zonder dat de trein was gestopt.

Alleen een oude dame glimlachte naar hem, alsof ze alles wist. Vango reageerde niet. Hij was overal bang voor.

Hij liep naar de deur.

Hij vertrouwde niets en niemand meer.

Zelfs een pasgeboren baby zou hij met argwaan hebben bekeken.

Vango liet zich in een hoek van de bank vallen, vlak naast het raam. Zijn arm deed pijn.

Het regende niet meer, het sneeuwde. Grijze, vluchtige sneeuw.

Wat was dat voor een diepe afdruk die hij op de straatstenen of in het zand achterliet, waar hij ook ging, en die ervoor zorgde dat ze hem altijd weer vonden?

Hoe waren ze hem op het spoor gekomen terwijl er niets meer van hem op aarde te vinden was?

Niets meer. Zijn ouders, vader Jean, Mademoiselle, Zefiro... Alles was verdwenen. Vango zweefde erboven.

Ethel misschien. Ethel hield hem nog met een zijden draadje vast.

Hij keek aandachtig naar de neerdwarrelende sneeuw.

Zijn oogleden begonnen zwaar te worden.

Aan het eind van braakliggende stukken terrein stonden hoge fabrieken met rokende schoorstenen. Er liepen nu veel mensen langs het spoor. Hij zag ze in een flits voorbijkomen.

Hij zag ook de lange neerwaartse lijn van zijn leven weer voor zich.

Wanneer je kijkt hoe de sneeuwvlokken een stipje worden, gaat het op den duur vervelen, maar wanneer je één sneeuwvlok volgt, eentje maar, helemaal van boven af aan, wanneer je zijn dwarrelende baan volgt, is dat een spannende belevenis, een duizelingwekkende ervaring.

Bij het eerste station werd Vango wakker. Hij had maar een paar minuten geslapen. Toen hij zijn ogen opendeed, begon de trein te rijden en zag hij de mannen langs het perron rennen en op de trein springen.

'Nee...'

Hij stond op. De auto van zijn achtervolgers was sneller geweest dan hij.

De oude dame zat nog steeds op haar plaats.

Hij schoof het raam omlaag en stak zijn hoofd naar buiten. De sneeuw was nat, bijna lauw. Hij stak zijn linkerarm uit om te voelen waar hij zich aan het dak kon vasthouden en toen trok hij zich aan één arm omhoog.

Precies op het moment dat de mannen de coupé binnenkwamen zag de dame hem verdwijnen, alsof hij naar buiten gezogen werd. Ze zei geen woord. De mannen waren buiten adem en bukten zich om onder de banken te kijken.

Een van hen haastte zich naar het open raam en keek naar buiten.

'Dat raam zit vast, meneer. Als u kans ziet om het weer dicht te doen, zou u ons daar allemaal een plezier mee doen.'

De man duwde het raam met één vinger omhoog, het ging moeiteloos dicht.

'Hartelijk bedankt,' zei ze.

Ze knikte en deed haar ogen even dicht.

'Waarom zei u dat het raam vastzat?'

Ze deed haar ogen weer open. Dreigend kwam de man met zijn gezicht dichterbij.

'Nou? U hebt toch niets voor ons te verbergen, mag ik hopen...'

De andere reizigers deden alsof ze sliepen.

Een minuut later zag Vango, plat op zijn buik liggend op het dak van de trein die naar de brug bij Cannon Street snelde, hoe er in de wind een man opdoemde. Hij was door hetzelfde raam naar buiten geklommen.

'Hier jij!'

'Wie bent u?'

'Kom hier, jongen. Kom rustig hierheen.'

De man richtte dreigend een pistool op hem.

Vango begon naar hem toe te kruipen. De trein raasde tussen twee pijlers door.

De man hield zijn bewegingen nauwlettend in de gaten. De jongen was nog maar één meter van hem verwijderd. Hij kroop gehoorzaam naar voren. Nog even, en de man zou zijn hand kunnen aanraken. Op het ogenblik dat de trein onder een voetgangersbrug door reed, stond Vango plotseling op en greep zich met een sprong aan een metalen boog vast. In een mum van tijd was hij in de duisternis verdwenen.

Er werd een schot in de lucht gelost. Dat was het teken voor een paar mannen dat ze van de trein moesten springen.

En zo kwam het dat Vango boven de Theems over de spoorbanen van de brug bij Cannon Street rende. Zijn achtervolgers waren eerst blindelings onder de boog door gerend. Maar een andere trein had diverse waarschuwingssignalen laten horen bij het zien van die jongen op de spoorlijn. Toen hadden de mannen rechtsomkeert gemaakt en de achtervolging hervat.

Vango wilde het station van Cannon Street bereiken, waar het 's morgens vroeg wemelde van de mensen. Daar zou hij in de menigte kunnen opgaan.

Hij kreeg een voorsprong. Hij had een kans om aan hen te ontkomen.

De sneeuw was ondertussen overgegaan in regen.

Plotseling bleef Vango staan. Tegenover hem had hij een paar schimmen zien bewegen. Ze vielen hem van opzij aan.

Hij herkende de Fransman en twee andere nietsnutten die vermoedelijk bij het volgende station waren uitgestapt.

Vango zat in het nauw.

De klachten uit de Bijbel schoten hem te binnen.

Steeds erger wordt uw boosheid jegens mij,
Vijand na vijand overvalt me.

340

De mannen liepen op hem af. Daar waren ze.

Ze konden zelfs met elkaar praten.

'We zullen je geen kwaad doen,' zei de Fransman.

Er reden treinen voorbij, onverschillig voor wat zich hier afspeelde. Je kon de verlichte gezichten van de mensen achter de raampjes zien.

Mijn vrienden zijn onbetrouwbaar,
als beken die voorbijstromen.

Vango stond met zijn rug tegen de reling en liet zich langzaam maar zeker insluiten.

Hij haalde zijn pijnlijke hand uit zijn zak en legde die voorzichtig in de andere.

Hij was heel erg geconcentreerd.

'Verroer je niet,' zei de Fransman.

De vijand was nog maar twee passen van hem verwijderd.

Toen stak hij zijn twee in elkaar gevouwen handen omhoog, boog zich achterover, buitelde over de reling heen en dook in de rivier.

Friedrichshafen, Bodenmeer, diezelfde avond

Kapitein Lehmann kwam de kaartenkamer van de Graf Zeppelin binnen. Eckener was er aan het werk, met een lorgnet op zijn neus.

Het luchtschip bevond zich in de hangar.

'Uw goede vriend Paolo Marini is zojuist gearriveerd.'

'Wat?'

'Een zekere Paolo Marini. Hij zegt dat hij uw beste vriend is.'

Eckener vouwde zijn lorgnet op. Hij aarzelde heel even en riep toen uit: 'Paolo! Die ouwe padvinder! Zeg hem dat ik er dadelijk aan kom.'

'Hij heeft geen plaatsbewijs, commandant. Daarover is hij nu aan het discussiëren met de SS-officier.'

Eckener stond op achter zijn tafel. 'En ik?' riep hij verontwaardigd. 'Heb ik soms een plaatsbewijs? Paolo, dat ben ik, dat is mijn vriend, mijn broer, Paolo Murini...'

'*Marini.* Hij zei Marini.'

'Marini, ja, dat zei ik. Mijn oude vriend van de bevergroep... Sneeuwt het, kapitein?'

'Nee. Nog niet.'

Kapitein Lehmann ging weg. Hij begon gewend te raken aan die plotseling zo talrijke vrienden die de commandant nooit de deur wees.

Eckener ging weer aan zijn werktafel zitten en wierp een blik op de kaart.

Hij had geen idee wie die Paolo kon zijn.

Hij wist alleen dat sinds enige tijd onbekende vrienden uit het hele land naar hem toe kwamen. Hij was een veilige haven, een toevluchtsoord voor al diegenen op wie de nazi's jacht maakten. Er waren oud-militairen bij, kunstenaars en steeds meer joden. De ene wet na de andere werd tegen hen uitgevaardigd. Veel beroepen mochten ze niet meer uitoefenen. Ze konden geen advocaat of ambtenaar meer zijn. En sinds twee maanden waren huwelijken of welke betrekkingen dan ook tussen joden en niet-joden verboden.

Eckener probeerde zijn invloed aan te wenden. Hij deed alles wat hij kon.

De massieve, onaantastbare gestalte van Hugo Eckener kon velen die daar behoefte aan hadden nog een veilig heenkomen in zijn schaduw bieden.

Eckener liep door de zeppelin.

Het was donker geworden. Over twee uur zouden ze wegvliegen...

Misschien was dit het laatste gloriemoment van de Graf. Het luchtschip zou een korte reis naar New York maken en daarna terugkeren om de winter, wanneer er toch niet veel te doen was, aan de oever van het Bodenmeer door te brengen.

In de daaropvolgende lente zou iedereen alleen nog maar oog hebben voor de Hindenburg, de grootste zeppelin die ooit was gebouwd.

Het monster stond hiernaast al te trappelen in de hangar. Tweehonderdvijftig meter lang, vijfentwintig hutten, vijftig passagiers. Het pronkstuk van Hugo Eckener.

Maar toen hij zich bij het verlaten van de hangar nog even omdraaide naar het elegante silhouet van de Graf Zeppelin, voelde de commandant toch iets van een steek in zijn hart. Hij slaakte een zucht.

Er was een beetje sneeuw voorspeld. Hij zou het fijn hebben gevonden als dat zou gebeuren. Op een dag, lang geleden, had hij Vango geleerd om daar, achter een van die ramen, te kijken hoe de sneeuw neerviel.

Als kapitein Lehmann er al aan twijfelde of Hugo Eckener en Paolo Marini elkaar wel echt kenden, dan liet hij zijn twijfel onmiddellijk varen toen hij het weerzien tussen de beide mannen zag.

De uitroepen en de tranen waren oprecht. Ze bleven een hele poos met hun armen om elkaar heen staan.

Bij de deur van de hangar had Eckener gebeefd van blijdschap toen hij zijn grote vriend herkende.

'Hoe gaat het ermee, Paolo? Hoe gaat het ermee, ouwe bever?'

'Ik kom even onder jouw vleugels vliegen, beste commandant!'

Er was een groepje mensen om hen heen komen staan, met name een aantal soldaten, een paar Duitse passagiers en de SS-officier die alle passagiers controleerde.

Eckener fluisterde zijn vriend toe: 'Je bent gek. Je hebt tientallen toestemmingen nodig. Ga weg, Zefiro.'

Zefiro, want die was het, deed een stap naar achteren en riep de omstanders tot getuigen: 'Weet u wat mijn vriend Hugo Eckener net tegen me zei?'

Eckener verstarde.

'Hij zei dat ik gek was! Hoort u? Hij zegt dat ik niet aan boord kan gaan.'

De officier in uniform glimlachte onnozel.

Bij het zien van de gealarmeerde uitdrukking op het gezicht van de commandant legde Zefiro een hand op diens schouder.

'Ik maak maar een grapje... Het is mijn schuld. Ik stuur je nooit een berichtje en jij leest waarschijnlijk geen kranten.'

Hij gebaarde naar de officier.

'Laat hem de brief zien.'

Eckener pakte hem aan en las hem.

De brief was geschreven in het Duits en in het Italiaans. Hij was afkomstig van de voorzitter van de Raad in Rome. Die gaf Paolo Marini, 'drager van het oorlogskruis van de Fusillini en commandeur in de orde van de Minestrone', een speciale opdracht in het kader van de vriendschap tussen het Reich en het grote, fascistische Italië, namelijk om een reis te maken aan boord van de Graf Zeppelin, het symbool van de macht van het nationaalsocialisme. In de brief was ook sprake van 'de glorieuze alliantie tussen de twee landen', een 'grenzeloze hoop' en de 'onverwelkbare zuiverheid van hun lands-kinderen', uitdrukkingen die je in lachen zouden doen uitbarsten, ware het niet dat het precies de taal was van de redevoeringen die in die tijd in zwang waren.

De brief was ondertekend met een uiterst ingewikkelde pennen-streek waarin het woord 'Bibi' te herkennen was, maar daarboven stond in drukletters de naam van Benito Mussolini.

Eckener vouwde de brief dicht.

Hij drukte Zefiro's hand.

'Dan ben je welkom, Paolo Marini. Er is toevallig nog een hut voor je vrij. We vertrekken over een uur.'

Ze liepen samen weg in de richting van het kantoor van de commandant. In het voorbijgaan kon je Marini's vrolijke stem horen, die vol bewondering was over het fraaie luchtschip.

Toen Eckener de deur achter hen dichtdeed en ze eindelijk alleen waren, bood Zefiro hem zijn verontschuldigingen aan. Hij zette zijn koffertje op de grond en gaf hem een stomp in zijn gezicht.

Eckener wankelde even en gaf hem vervolgens een flinke peut in zijn maag. Zefiro sloeg dubbel en gaf een klap terug. Ze begonnen een robbertje te vechten, alsof ze op een schoolplein waren.

Eckener lag als eerste op de grond te kronkelen en te hoesten. Zefiro keek hem ziedend en buiten adem aan.

'Wat heb ik misdaan?' vroeg Eckener.

'Dat weet je donders goed.'

'Nee.'

'Je hebt de politie verteld waar het klooster ligt.'

'Ik heb het aan Esquirol en Joseph verteld omdat ze wilden dat jij Viktor zou identificeren.'

'Viktor is gisteren ontsnapt.'

Eckener zei niets.

'Ik moet Europa verlaten,' zei Zefiro. 'Dat klooster is mijn hele leven. Ik mag het niet in gevaar brengen.'

'Dat geldt ook voor mij, padre. Ik voel me ook nergens thuis. Ik herken mijn eigen land niet meer.'

Zefiro bukte zich om hem overeind te helpen.

'Ik doe alles wat ik kan,' vervolgde Eckener. 'Voor mij is Duitsland al in oorlog met zichzelf. Gisterochtend heeft de politie de naam van onze vriend Werner Mann van het oorlogsmonument in zijn dorp, vlak bij München, verwijderd. De naam van Mann, hoor je? Dat heeft Hitler drie dagen geleden bevolen. Er mag geen enkele joodse naam meer op de monumenten van de Eerste Wereldoorlog staan.'

Werner Mann, de held die was gestorven in de strijd en die met Zefiro en zijn vrienden het Violette-pact had gesloten, was uit de geschiedenis geschrapt.

De twee vrienden hielpen elkaar om hun kleren af te kloppen.

Zefiro depte met zijn zakdoek een beetje bloed van Eckeners lip.

'Ik zal je niet lang tot last zijn, Hugo. Ik blijf de hele winter in New York. Het is uitgesloten dat ik nu naar het klooster terugga. Ik moet een paar zaken regelen.'

'Dan moet je heel snel vertrekken,' zei Eckener. 'Die nepbrief van jou rammelt aan alle kanten. Ik snap niet hoe de SS daar is ingetrapt, maar dat zal misschien niet lang meer duren.'

Eindelijk verscheen er een glimlach op Zefiro's gezicht.

'Toch heb ik er eerlijk mijn best op gedaan. Je hebt gezien dat ik mezelf in de zevende regel met de medaille van mijn lievelingsham heb onderscheiden!'

Ze barstten allebei in lachen uit en pakten opnieuw elkaars handen vast.

'En Vango?' vroeg Eckener na een poosje.

Zefiro zweeg.

'Is er iets met hem gebeurd?' drong Eckener aan.

'Ik ben bang dat ik hem in een smerig zaakje heb betrokken.'

Zefiro probeerde zijn hoed weer in model te krijgen. Hij vertelde: 'Ik had ergens met Vango afgesproken, maar toen merkte ik dat ik werd gevolgd. Het was op een station in Parijs. Ik zag een fotograaf in de menigte, een van Viktors mannen. Achter het gordijntje van zijn fototoestel hield hij een geweer vast.'

'Ben je weggegaan?'

'Het was al te laat. Ik zag Vango mijn kant op komen. Ik moest doen alsof ik hem niet kende.'

'Niemand kon toch weten dat hij bij jou hoorde.'

'Jawel. Hij wilde met me praten. Hij liep op me af. Hij was blij om me te zien.'

'Ze zullen hem heus niet vinden,' hield Eckener vurig vol.

'Ik zag het fototoestel flitsen. Ze hebben een foto.'

Een halfuur later was de zeppelin opgestegen. De SS belde met de ambassade van Italië om door te geven dat de beroemde Paolo Marini zijn jas in de vertrekhal van Friedrichshafen had laten liggen.

Op de ambassade bleek die naam helemaal niet beroemd te zijn. Niemand had ooit van de man gehoord. Maar toen de officier de lijst van zijn onderscheidingen oplas, klonk er aan de andere kant van de lijn een bulderend gelach. Zijn medailles vormden de ingrediënten voor een complete Italiaanse maaltijd, vanaf de salami tot aan de panna cotta toe.

31
Een spoor van bloed

Moskou, een maand later, december 1935

Het jongetje rolde door de sneeuw. Hij was een jaar of zeven.

'Kostja! Kostja!'

De vrouw die hem riep zat op een bank aan de overkant van het pad. Ze had een meisje op schoot dat waarschijnlijk de oudste van de twee kinderen was.

'Tjotjenka, denk je dat ze nog zullen komen?'

'Wees maar niet bang. Ze komen altijd,' antwoordde de vrouw.

Tjotenka was heel lief. Het was een mevrouw die pas vijf of zes weken geleden bij hen in huis was gekomen, en het meisje was nu al dol op haar.

Waar kwam ze vandaan? Op een dag in oktober was ze door een man bij hen gebracht. Ze had een grappig accent wanneer ze Russisch sprak. Men had tegen haar ouders gezegd dat die mevrouw voortaan bij hen zou wonen en dat ze haar Tjotjenka moesten noemen, wat 'tantetje' betekent, zodat de buren niet vreemd zouden opkijken.

De ouders hadden haar hun grote bed aangeboden, dat in de woonkamer stond, maar dat had ze geweigerd. Ze had haar intrek genomen in de garderobekast naast de voordeur, waar Broer had geslapen toen hij er nog was.

De hele familie behandelde haar allang niet meer als een eregast. Ze deed veel meer dan haar aandeel in het huishouden. Het was moeilijk om haar tegen te houden. Behalve het piepkleine kamertje had de tjotjenka twee winterjassen van Broer geërfd. Het was altijd even slikken als je die, net als vroeger, aan de haak op de deur zag hangen.

Kostja kwam kletsnat naar de bank toe.

'Ik heb het koud,' zei hij.

'Ik ook,' beaamde zijn zusje Zoja.

De vrouw deed haar mantel open en ze kropen eronder.

'Ga je vanavond nog een keer de witte taart voor ons maken?' vroeg Kostja. Hij verlangde al naar het lichtpaarse suikerbloemetje dat op de stijfgeslagen room prijkte.

Tjotjenka was namelijk een keukenprinses, die regelrecht uit een sprookje leek te komen.

Tijdens haar uitstapjes, twee keer per week naar het Sokolnikipark, had Mademoiselle twee jassen aan die haar te groot waren. De lagen bont hielden haar warm in de ijskoude wind. De ene bontlaag droeg ze aan de binnenkant, op haar katoenen onderhemd, de andere aan de buitenkant, waardoor die wit kleurde van de rijp. Ze ging wandelen met de twee kinderen van het gezin, Konstantin en Zoja.

Mademoiselle wist dat ze bij elke stap die ze buiten zette, in de gaten werd gehouden. Ze vroeg zich altijd af wie van de voorbijgangers haar bewaker was.

Toen ze haar op Salina hadden ontvoerd, was ze bang geweest dat ze naar een kamp boven de poolcirkel zou worden gestuurd, maar ze was midden in Moskou terechtgekomen. Ze zat gevangen bij een gezin in een piepklein appartement, tussen een kolenkachel en muren die vol hingen met iconen.

'Daar zijn ze!' riep Zoja, en ze kwam uit haar bontnest tevoorschijn.

Ze rende een meisje tegemoet, dat de hand van de mevrouw die haar vergezelde had losgelaten.

De kinderen en de kinderjuffrouwen omhelsden elkaar en gingen dicht tegen elkaar aan op de bank zitten.

Sinds een maand speelde dit tafereel zich tweemaal per week af. Het was een vriendschap die op woensdag en zondag tussen twee meisjes en twee vrouwen tot stand was gekomen, onder het welwillende oog van Kostja.

Het meisje heette Svetlana, maar iedereen noemde haar Setanka.

Haar kinderjuffrouw vertelde niets over Setanka's familie. Ze praatte liever over vroeger, over de tijd voor de revolutie, toen ze nog bij de belangrijke families van Sint-Petersburg hoorde. Ze had gewerkt voor prinsessen, mensen uit de theaterwereld... Het had niet veel gescheeld of ze was zelfs naar Parijs gegaan!

Mademoiselle zei haast niets. Ze luisterde. Soms had ze tranen in haar ogen. Ze hield van die verhalen van vroeger.

Zoja en Setanka zaten op hun beurt zachtjes met elkaar te praten. De een vertelde over haar grote broer, die op reis was gegaan, en de ander over een jongen die ze de Vogel noemde en die ze nog nooit had gezien.

Setanka's kinderjuffrouw wierp af en toe een schuine blik op ze. 'Wat hebben die twee elkaar allemaal te vertellen?' fluisterde ze.

De meisjes hoorden het niet eens. Ze hingen aan elkaars lippen. In de loop van de woensdagen en de zondagen vertrouwden ze elkaar stukje bij beetje hun geheimen toe. Setanka werd een beetje verliefd op Zoja's grote broer, en Zoja op Setanka's Vogel.

Het begon donker te worden.

Bij de uitgang van het park namen ze afscheid van elkaar. Voor het hek stond altijd een zwarte auto Setanka en haar kinderjuffrouw op te wachten.

De anderen namen de metro bij het station Sokolniki. Dat vonden ze een belevenis. De eerste metrolijn was in het afgelopen voorjaar in gebruik genomen.

'Kijk, Tjotjenka. Kijk!'

Kostja rende het station in, dat eruitzag als een paleis van grijs marmer.

Toen ze die avond thuiskwamen in het appartement, dat rook

naar gesmolten was en wierook, troffen de kinderen hun moeder in tranen aan.

'Er is een brief van jullie broer,' zei ze met een doffe stem. 'Jullie krijgen veel liefs van hem.'

'Mag ik hem lezen?' vroeg Zoja.

'Het eten staat klaar.'

Ook na tafel mochten de kinderen de brief niet lezen.

Het was de eerste brief. Hij was via de buren gestuurd zodat de geheime politie hem niet te pakken zou krijgen. Het gezin stond onder bewaking.

Vreemd genoeg zat er een postzegel uit Groot-Brittannië op de brief.

Midden in de nacht, toen de vader van zijn werk thuiskwam, hoorde Mademoiselle, die al in bed lag, achter de deur van haar garderobekast dat de moeder naar de voordeur snelde.

'Er is een brief van onze zoon, lieverd. Een brief van Andrej.'

Er viel een stilte als een ingehouden snik.

'Het gaat niet goed met onze Andrej...'

Mademoiselle keek naar de drie kleine violen die boven haar bed aan de muur hingen.

Parijs, dezelfde nacht

Het was in een nachtclub aan de voet van Montmartre, het liep tegen de ochtend. De gasten hadden veel gedronken. De Mol was de enige die het bij limonade hield.

Naast haar zette Boris Petrovitsj Antonov zijn metalen bril af. Hij ging met zijn hand over zijn lijkbleke gezicht en wreef in zijn gele oogjes. Zijn andere hand lag liefdevol op die van de Mol.

Hij wilde haar niet loslaten.

Twee uur geleden was het allemaal begonnen.

De Mol zat te wachten in de dakgoot boven een Russische nachtclub in de Rue de Liège. Twee katten hielden haar in de sneeuw gezelschap. Het verlichte uithangbord 'Sheherazade' was net uitgegaan. Het was vier uur 's nachts. Haar mannetje was nog steeds niet naar buiten gekomen.

De Mol schaduwde Boris Antonov, in de hoop dat hij haar naar Andrej of naar Vango zou leiden.

Sinds een paar weken was ze Andrej door een onverwacht bezoek uit het oog verloren. De ouders van de Mol waren een paar uur bij haar langsgekomen, en daardoor was ze het spoor bijster geraakt.

De Mol vond haar vader veranderd, hij leek haar ongerust. Hij was bij haar gaan zitten. Hij had zelfs zijn jas uitgedaan en zijn hoed afgezet. Hij had het erover dat hij zijn zaken ging verkopen en naar Amerika wilde vertrekken. Hij zei dat hij uit Frankfurt in Duitsland kwam. Daar hadden ze zijn naam van de bakstenen muren van zijn fabrieken verwijderd en vervangen door een andere naam. Een naam die klonk zoals het hoorde.

Hij was alles in dat land kwijtgeraakt.

'Je hebt Frankrijk toch! En de fabrieken in België,' riep zijn vrouw vanuit de badkamer.

Hij trok een lelijk gezicht. In Frankrijk was het zo makkelijk nog niet.

Bij wijze van uitzondering had hij dus een paar minuten met zijn dochter zitten praten. Met verbazing keek hij haar aan, alsof hij haar voor het eerst zag.

'En jij, Emilie? Hoe gaat het met jou?'

De Mol zei niets. Een voornaam, drie knipogen en twee vragen waren niet voldoende om haar weer te paaien.

'Als ze alles van me afpakken,' zei haar vader, 'gaan we met z'n drieën weg.'

Zijn vrouw lachte hard voor haar spiegel en noemde hem een lafaard. Ze kwam de badkamer uit in een geur van rozen en jasmijn. Ze had niet eens haar wollen muts afgedaan; ze zei dat ze in de stad werden verwacht; ze gingen uit eten.

Ze streek alleen even met haar bepoederde handschoen over haar dochters wang.

'Tot gauw, liefje.'

Een uur later had de Mol geconstateerd dat Andrej niet was teruggekeerd naar het pension in de Rue du Val-de-Grâce, waar hij een kamer huurde.

Een van de katten naast de Mol miauwde.

Er kwam niemand meer naar buiten uit de nachtclub Sheherazade. Waar was die afschuwelijke kleine Boris Petrovitsj Antonov dan gebleven? Ze had hem toch duidelijk kort na middernacht naar binnen zien gaan.

De Mol dacht terug aan de tijd dat ze niet eens wist wat het woord 'eenzaamheid' betekende. De tijd dat ze zwevend boven de stad en de mensen doorbracht, dat ze nergens last van had. Die tijd lag nu heel ver achter haar.

Sinds Vango verdwenen was, sinds Ethel naar Schotland was teruggegaan en vooral sinds de knappe Andrej er niet meer was, wist de Mol maar al te goed wat eenzaamheid betekende. Ze wist het beter dan wie dan ook. Het gevoel dat ze iemand miste zou ze nooit meer kwijtraken.

Maar ze leefde weer op. Zelfs verbroken banden blijven bestaan. Ze kon ze nog steeds om haar enkels en polsen voelen. Al die banden deden haar goed. Ze had het gevoel alsof ze uit een jarenlange slaap ontwaakte.

Ze hield van Ethel en Vango. Maar bovenal hield ze van Andrej, ook al wist hij niet van haar bestaan.

De Mol wenste de twee katten welterusten en klom langs de zinken regenpijp naar beneden.

Ze moest poolshoogte gaan nemen.

Er was niemand op straat. Ze kwam op de grond terecht en deed een paar stappen in de sneeuw in de richting van de nachtclub. Toen ze midden op straat stond, ging de deur plotseling open.

Ze stonden oog in oog met elkaar.

Boris Petrovitsj Antonov was samen met een andere man.

Toen ze haar zagen hielden ze op met praten.

De Mol had precies die onduidelijke leeftijd waarop de ene helft van de mannen die ze tegenkwam haar vroegen: 'Ben je je ouders kwijt, meisje?' en de andere helft: 'Wil je wat van me drinken, schatje?' Een kleine verandering in haar houding of de glimlach om haar lippen maakte al het verschil.

Door een hand op haar heup te leggen zorgde ze ervoor dat de mannen meteen tot de tweede categorie behoorden.

Wankelend op zijn benen keek Boris Petrovitsj Antonov het meisje aan.

De straat was bezaaid met donkere voetstappen in de sneeuw.

Kwam het door de kou of de angst? Boris wist niet meer waardoor zijn schouders beefden. De man achter hem had een geladen pistool in zijn zak. Hij heette Vlad. Boris kende hem goed. In zijn omgangsvormen was hij net zo verfijnd en beschaafd als een gier die zijn aas aan stukken scheurt.

Ze hadden hem op Boris afgestuurd met de opdracht er een eind aan te maken.

Boris Petrovitsj Antonov had al maanden geen enkel resultaat geboekt met zijn klopjacht op Vango. Het was duidelijk dat Vlad de aasgier hem op de hoek van een straat uit de weg zou ruimen en zijn taak van hem zou overnemen.

Twee uur lang had Vlad in een donker hoekje van de nachtclub geprobeerd om de inhoud van het dossier te weten te komen. Hij wilde van alle sporen op de hoogte zijn voordat hij zich van Boris zou ontdoen. Maar die was niet erg spraakzaam. Hij wist wat hem na afloop van hun gesprek te wachten stond.

Toen de lichten in de zaal waren uitgegaan en de danseressen hun jassen over hun rode, met glitters afgezette danspakjes hadden aangetrokken, had men de laatste gasten verzocht de nachtclub te verlaten.

Nu stonden ze met hun drieën onder de lantaarnpaal op de stoep. Wie was dat meisje?

'Waarom gaat u niet mee om nog één glas met ons te drinken, juffrouw?'

Het was Boris' enige kans om het er levend af te brengen. Vlad de aasgier zou hem niet in het bijzijn van een getuige vermoorden. Ze hadden hem vast en zeker opdracht gegeven om zo discreet mogelijk te werk te gaan. Als het meisje toestemde zou ze onbewust zijn lijfwacht zijn totdat het licht zou worden.

'Laat haar met rust,' zei de aasgier.

Hij sprak alleen maar Russisch.

'We zijn in Parijs,' zei Boris. 'We kunnen zo'n mooi meisje niet helemaal alleen laten...'

'Hou je mond. Zeg haar dat ze moet doorlopen!'

Het meisje leek opgetogen.

'Eén glas dan. Ik ben moe, maar ik vind het niet prettig om 's nachts in mijn eentje op straat te lopen.'

Vlad kreeg de kans niet om zijn mond open te doen. Ze bood Boris haar arm aan en met de moed der wanhoop klampte hij zich eraan vast.

'U hebt gelijk,' zei hij. 'Het is niet veilig op straat.'

En dus liepen ze een poos te zoeken naar een café dat nog open zou zijn. Uiteindelijk vonden ze er een aan de voet van de Sacré-Coeur.

Toen ze ging zitten werd de Mol even duizelig. De gelagkamer was klein en stond blauw van de rook. De klanten praatten luidkeels. Ze voelde haar claustrofobie opkomen.

'Ik moet naar buiten,' zei ze, en ze kwam overeind.

'Wat?'

Ze keek de twee mannen aan. In in één oogopslag zag ze de angst op het gezicht van Boris en de voldoening op dat van Vlad. Met halfgesloten ogen ademde ze langzaam tussen haar lippen uit.

'Een extra groot glas grenadine,' zei ze.

Dapper liet de Mol zich weer op haar stoel zakken.

Alleen de verheugde blik van de aasgier had haar van gedachten doen veranderen.

Vlad probeerde woedend de laatste gegevens die hij nog miste, te achterhalen. Daarna zou hij Andrej moeten opsporen. Die jongen deugde nergens voor en hij wist te veel.

Vlad had de opdracht om hen allebei uit de weg te ruimen.

'Wat is er gebeurd met die jongen die je hebt ingeschakeld? De violist... Die moet ik ook nog spreken.'

'Andrej?'

De twee mannen spraken Russisch, maar de Mol herkende Andrejs naam. Ze stopte met limonade drinken. Ze was haar claustrofobie vergeten. De herinnering aan Andrejs grijze ogen hing als een glazen dak boven haar.

Boris gaf kort antwoord en ze verstond het woord 'afspraak'.

Hij had hem vast en zeker verteld waar en wanneer hij de jongen met de viool weer zou ontmoeten. Dat was ook de reden waarom ze hen was gevolgd, omdat ze dat wilde weten. De Mol vermoedde welk gevaar Andrej nu boven het hoofd hing.

De aasgier had begrepen dat hij van Boris niets meer te horen zou krijgen. Hij stond op en vroeg met een gebaar waar de telefoon was. Men wees hem een trappetje dat naar het souterrain leidde.

Op een gegeven moment merkte de Mol dat het lijkbleke gezicht van Boris Petrovitsj Antonov met zweetdruppels bedekt was.

'Ik ben zo terug.'

Ze zag hoe hij op zijn beurt wegliep. Hij daalde het wenteltrappetje af. Bij het passeren van de keuken had hij een slagersmes meegegrist.

De Mol hield haar adem in.

Aan de tapkast stonden een paar mensen te lachen. Ze kwamen van verschillende nachtelijke uitgaansgelegenheden in de buurt. Uit de kelder van La Boule Noire of L'Ange Rouge, een onlangs geopende danstent in de Rue Fontaine. De Mol kende ze alleen van bovenaf, omdat ze vanaf de daken de vechtpartijen tussen de bendes in de naburige straten gadesloeg. Zo was ze twee jaar geleden getuige geweest van de oorlog tussen de Corsicanen en de Parijzenaren.

Gaandeweg verspreidde zich een geur van koffie in de gelagkamer. Een schoorsteenveger, die op dit vroege uur nog helemaal schoon was, zat in een hoek te praten met een stoffenhandelaar. Het zag eruit alsof er een doodgewone dag in Parijs aanbrak.

Had ze gedroomd? Was ze in slaap gevallen?

Plotseling verscheen de aasgier met een vertrokken gezicht boven aan de trap. Hij hield zijn buik vast alsof hij gewond was. Hij keurde de Mol geen een blik waardig en haastte zich naar buiten, de straat op.

Een paar klanten begonnen te schreeuwen.

Er was een man dood in het souterrain aangetroffen.

Paniek maakte zich van de gelagkamer meester.

Buiten rende de Mol al door de sneeuw. Ze volgde het dunne spoor van bloed dat de aasgier achterliet.

32
Een jachtpartij in Schotland

Highlands, Schotland, kerstavond 1935

De kale hoogvlakten gingen over in bossen, maar door de regen, de modder en de mist was het verschil niet te zien. De honden blaften zich schor. Links en rechts werd er op jachthoorns geblazen, waardoor er tegenstrijdige bevelen klonken.

Zeven uur geleden was de jacht begonnen. En zeven uur lang had de meute slechts één dier achtervolgd. Een duivels, ongrijpbaar dier dat dertig ruiters en vijftig honden zo zoetjes aan gek maakte.

Ethel was in deze jachtpartij beland terwijl ze op zoek was naar een verdwaald moederschaap dat al drie dagen door een smartelijk blatend lam werd gemist.

Diezelfde morgen was Mary met het dikke, drie maanden oude lam in haar armen haar slaapkamer binnengekomen en had haar bazin gesmeekt om de moeder te gaan zoeken.

Ethel leidde haar paard door de mist langs de grenzen van Everland. Geen enkele jager besteedde ook maar de geringste aandacht aan haar.

Soms zag ze tussen de bomen een vrouwelijke ruiter in amazonezit opduiken, vogels verschrikt opvliegen of een groep honden uit het water opspringen. Niemand leek haar te horen of te zien.

Op een gegeven moment galoppeerde ze naast een man die moeite begon te krijgen met zitten... Elke keer als hij het zadel aanraakte slaakte hij een kreet.

'Bent u toevallig een schaap tegengekomen?' vroeg Ethel.

De man keek haar aan alsof ze niet goed bij haar hoofd was. Ten slotte nam hij de moeite om haar te antwoorden. 'Hier is geen schaap te bekennen, juffrouw!' schreeuwde hij. 'Dat kan ik u verzekeren... Of het moet een vliegend schaap zijn, of een schaap dat in de bomen klimt, dat gitaar speelt met onze zenuwen, en doedelzak met... au... mijn achterwerk!'

Ethel liet hem alleen met zijn zadelpijn. Ze stuurde haar paard een andere kant op en draafde door een bosje. Van rechts kwam het geblaf van de honden naderbij. Links van haar doken plotseling twee jagers op zonder haar te zien. Haar paard sprong zenuwachtig over een paar boomstammen. Het was niet gewend aan het lawaai van honden en jachthoorns.

Het paard en zijn berijdster voelden hun harten tegelijk kloppen, alsof zíj de prooi van deze jacht waren. Maar Ethel had helemaal geen zin meer om zich uit de voeten te maken.

Ze galoppeerde door een drassig stuk terrein in de richting van de blaffende meute. Waar was dat beest dan? Ethel was geboeid door het wilde dier dat een heel jachtgezelschap sinds het krieken van de dag wist te tarten.

Ze hoorde gekef en minderde vaart. Het was bij een paar opgestapelde rotsblokken midden in het bos. Een plek die bekendstond als de Chaos. Ethel had altijd horen vertellen dat daar 's nachts vreemde dingen gebeurden.

Er was een hond, in zijn eentje. Hij had een stuk zwarte stof in zijn bek. Hij leek opgewonden, snuffelde koortsachtig op de grond en blafte daarna in de lucht. Ze stapte van haar paard af.

'Kom. Geef maar hier,' zei ze terwijl ze op de hond afliep.

Ethel hield haar paard bij de teugel vast. Ze pakte het stuk stof uit de bek van het dier.

Toen ze de hond zo nat, hijgend en schuimbekkend zag staan, hoopte ze vurig dat haar hinde Lilly de veilige bosjes bij het kasteel niet had verlaten.

De hond hief zijn kop op.

In de verte klonk gefluit; hij werd naar de meute teruggeroepen. In een oogwenk was hij verdwenen.

Ethel stopte het afgescheurde stuk stof in haar zak. Boven haar vloog een zwerm vogels door de lucht. Ze klom weer op haar paard en reed weg.

De jacht begon op een dood punt te raken. Veel sporen bleken dood te lopen. De meute was verspreid geraakt. Op een gegeven moment reed Ethel zij aan zij met een jager die op een zwarte merrie zat. Ze kwamen langs een doornhaag.

'Ik begrijp het niet,' zei de man tegen haar. 'Dit heb ik nog nooit beleefd. Ik jaag al vijfenveertig jaar, maar zo'n jachtpartij heb ik nog nooit meegemaakt.'

'Het hert mag toch ook wel eens winnen,' mompelde Ethel.

De ruiter droeg zijn jachthoorn schuin over zijn schouder. Hij reed als een jockey.

'Het is geen hert,' zei hij.

'Wat is het dan?'

'Daar zou ik graag achter komen.'

Hij gaf zijn merrie de sporen, sprong over de doornhaag en reed weg zonder Ethel te groeten.

Ethel besloot nog een laatste ommetje te maken en dan naar huis te gaan. Ze was nog steeds erg benieuwd, maar haar paard begon moe te worden. Het was niet meer gewend om zo lang achter elkaar te galopperen. Sinds Andrew op de feestdag van Sint-Nicolaas was vertrokken, was er niemand meer die regelmatig op de paarden van Everland reed.

Hij had gezegd dat hij in april terug zou komen. Paul was daar vreemd genoeg mee akkoord gegaan, hoewel Ethel hem meermalen had gezegd dat ze alleen 's winters wat aan een paardenknecht hadden. Zodra het voorjaar werd, gingen de paarden immers naar buiten. Ethel had het niet op die Russische vagebond, die haar te vriendelijk en te knap was, die vijf maanden per jaar de hort op ging en die als een wonderkind in de garage vioolspeelde.

Ze sprong met haar paard over een greppel en belandde op een zanderig zijpad. Er werd heftig getoeterd. Het paard steigerde. Ze waren bijna geschept door een auto die in volle vaart kwam aanrijden. Hij had net op tijd geremd. Je hoorde de bestuurder vloeken.

Het regende pijpenstelen. De auto had een open dak.

Ethel bracht haar paard tot bedaren. Ze streelde zijn hals. Het pad was niet geschikt voor auto's. Er was geen enkele reden waarom je daar zou willen rijden.

Op de achterbank zat een vrouw haar uit te schelden.

Ethel liet het paard rustig naar de stilstaande auto toe draven.

De bestuurder had een paraplu opgestoken en stond door een loep naar een kras op de lak te kijken.

'Wel alledui...'

'Vandaal!' gilde de vrouw. 'Vandaal!'

'Uw paard heeft een kras op mijn auto gemaakt.'

'Mijn god, lieve hemel,' zei de vrouw. 'Kijk dan Ronald, het is Ethel.'

Die had inmiddels de voltallige familie Cameron herkend. Ze leken net een stelletje slappe vaatdoeken. Het knotje van Lady Cameron was helemaal uitgezakt onder een papieren servetje dat als hoofddoekje dienstdeed. De schoenen van vader Cameron maakten bij elke stap een verdacht soppend geluid.

Tom, die ook achterin zat, begon net zo lichtbeige te kleuren als de achterbank van de auto. Het was zijn lievelingscamouflage.

'Goedemiddag,' zei Ethel. 'Jullie maken een tochtje?'

'Nee liefje,' verbeterde Ronald Cameron haar. 'We jagen.'

'Jullie jagen?' vroeg ze verbaasd. Glimlachend keek ze naar de twee doorweekte picknickmanden achterin.

'Ja, we zijn uitgenodigd door graaf Galich'h. Hij is een vriend van ons. Ik heb zelfs een weiland beschikbaar gesteld, waar hij vanavond zijn paarden kan stallen.'

'Hij is een goede vriend van ons,' benadrukte Lady Cameron.

'We jagen per auto. Dat is sportiever,' zei Cameron.

De moeder nam het woord. 'Ik ben blij om je te zien, Ethel. Ik wilde juist met je praten over je plannen. Dat gedoe heeft nu wel lang genoeg geduurd.'

'Dit is niet de juiste plek,' zei de vader.

'Hou je mond, bange schijterd,' kefte de moeder.

De zoon had tot dan toe niets gezegd. Maar nu kwam hij overeind.

'En jij ook,' schreeuwde zijn moeder voordat hij een woord kon uitbrengen.

'Daar! Kijk dan!' wist Tom nog net uit te brengen.

Hij wees met zijn vinger naar de horizon.

Ethel draaide zich om en achter zich, aan het eind van het pad, zag ze een modderwolk opstuiven. Dertig ruiters en vijftig honden kwamen in volle galop hun kant op.

'Mijn god, lieve hemel,' zei moeder Cameron.

'Ik... ik kan de auto misschien beter aan de kant zetten.'

'Misschien wel, ja,' herhaalde zijn vrouw.

Je hoorde het donderende geroffel van de hoeven al op het vochtige pad.

Ronald Cameron zwengelde de motor met een slinger aan en ging achter het stuur zitten. Hij gaf gas. De wielen draaiden slippend rond, waardoor er grote hoeveelheden zand wegspoten.

'Mijn God, lieve hemel,' zei Lady Cameron nogmaals.

De aanstormende horde honden en paarden kwam steeds dichterbij.

Cameron drukte nogmaals het gaspedaal in. Zijn vrouw wipte op de achterbank op en neer.

'Ronald, dat doe je me niet aan... Dat doe je me niet aan!'

'Als ik iets mag zeggen,' waagde Ethel, 'dan raad ik u aan uit uw auto te stappen en aan de kant te gaan staan. Ik zal u helpen.'

'Nooit!' schreeuwde de man. 'Ik geef het niet op!'

'Nooit,' herhaalde zijn vrouw, badend in het zweet en trillend als een espenblad.

'Alsjeblieft, Tom,' zei Ethel, 'Stap uit en kom aan de kant staan.'

Tom wierp een blik op zijn vader en moeder.

'Tom, als je het laat afweten kijk ik je nooit meer aan,' zei de moeder.

'Mevrouw!' riep Ethel, 'Ze komen eraan! Daar zijn ze!'

'Zoiets doet een Cameron niet.'

'Bovendien gaat de auto zo rijden. Hij is nieuw.'

Tom verroerde zich niet.

Op het allerlaatste moment gaf Ethel haar paard de sporen.

Vijftig honden en dertig paarden denderden over de familie Cameron en hun nieuwe auto heen.

Het duurde niet lang, maar de auto was total loss.

De familie Cameron bracht het er niettemin zonder al te veel kleerscheuren af en zette de jacht koppig te voet voort.

Een uur later, net toen het jachtgezelschap het wilde opgeven, ging het gerucht dat het dier eindelijk gevonden was.

De jagers en de honden verzamelden zich rond een drassig terrein, waarin iets grijzigs lag te spartelen. Tom en zijn moeder stonden aan de kant en zagen er meelijwekkend uit.

'Hij heeft hem! Hij heeft hem te pakken!' riep Lady Cameron, en ze liep een man tegemoet die van zijn paard was afgestegen.

Te midden van de jankende meute herkende Ethel degene die haar bij de doornhaag had aangesproken. De man op de zwarte merrie.

'Graaf, beste graaf!' riep Lady Cameron.

'Wie bent u?' vroeg hij.

'Ik ben Lady Cameron.'

'Ik geloof niet dat ik u ken,' zei graaf Galich'h op een toon alsof het hem oprecht speet.

Hij was er zeker van dat hij dit modderige geval nog nooit eerder was tegengekomen.

'Ik heb het weiland voor uw paarden ter beschikking gesteld.'

'Het weiland... Ach ja, natuurlijk. Dat is mij verteld. Heel hartelijk dank daarvoor.'

'Kijk! Laat ze het hallali blazen. Dat is mijn echtgenoot. Hij heeft het hert met blote handen gevangen.'

En ze wees opnieuw op het wezen dat in het drasland spartelde.

Even later kwam het triomfantelijk overeind en terwijl de regen met bakken uit de hemel neerviel, constateerde Ethel dat Cameron inderdaad een levend dier in zijn armen hield.

'Een schaap,' zei de graaf zachtjes en met samengeknepen ogen.

'Mijn god, lieve hemel!' zei Lady Cameron. 'Het is een schaap.'

'Mijn moederschaap!' dacht Ethel.

Het schaap had een gebroken poot. Het was twee dagen geleden in dat moeras blijven steken. Jammer genoeg was het niet het dier waar de jagers zo hard achteraan hadden gezeten.

'Wat een wonderlijke dag,' zei de graaf.

Uit respect voor de Camerons wendde Galich'h zich af. Zelfs de honden kregen medelijden toen ze dit tafereel zagen. Ze hielden op met blaffen.

De poten van het mekkerende dier werden vastgebonden. Ethel klemde het voor zich op haar paard vast en reed weg.

Onmiddellijk daarna verdween het jachtgezelschap in de mist.

Tom Cameron had zich nog nooit zo geschaamd.

Voor de eerste keer was Paul met Kerstmis niet thuis. Zijn eskader was tot het regenseizoen in India gestationeerd.

Daarom werd Ethel 's avonds door Mary meegetroond naar de dorpskerk. Ze ging er ook heen om de dominee een plezier te doen; die had ze in haar hart gesloten sinds ze hem erop betrapt had dat hij paddenstoelen plukte in het bos van de Camerons. Hij verstopte ze in heuptassen onder zijn zwarte toga.

De kerk zat vol. Het was er warm. Het kerstgezang was tot achter in het dorp te horen.

De dominee zag Ethel op de achterste bank zitten. Vanaf de kansel richtte hij kort het woord tot zijn verdwaalde schapen.

Soms nam Ethel de dominee mee uit rijden in haar Railton. Terwijl ze met honderddertig kilometer per uur een heuvel afraasde, stelde ze hem allerlei filosofische vragen: 'Hebt u nooit zin om een broek aan te trekken?'

De dominee barstte in lachen uit. Ethel glimlachte. Het lukte haar maar niet om hem te choqueren.

'En vraagt u zich niet af wat u zou zeggen als al die dingen aan het eind van het liedje niet zouden bestaan?'

'Welke dingen?' schreeuwde de jonge dominee, terwijl hij zijn hand als een hoorn om zijn oor hield.

'Alles! Alles wat u vertelt! Alles wat u gelooft! De hemel en al dat andere... Stel nou dat dat niet bestaat!'

Toen begon de dominee weer te lachen en hij haalde zijn schouders op.

'Je mag het aan niemand vertellen, maar ik zou er niet wakker van liggen!'

'Maar waarom niet?' schreeuwde Ethel. Op het nippertje wist ze te voorkomen dat ze de dominee in de struiken liet belanden.

'Ik zou me afvragen of ik er dan echt liever níét in had geloofd.'

Ethel keek hem vragend aan.

'Waar het om gaat,' schreeuwde hij tussen de hobbels door, 'waar het om gaat is dat ik die ene vraag kan beantwoorden. Zou ik gelukkiger zijn geweest als ik er niet in had geloofd?'

Ethel fronste haar wenkbrauwen. Ze reed een poosje zwijgend door om daarover na te denken. Toen riep ze opstandig boven het geronk van de motor uit: 'En mijn ouders dan? En mijn ouders?'

De dominee zweeg. Ethel hield vol: 'Geef antwoord! Geef me antwoord!'

Hij keek in de achteruitkijkspiegel. Ze had haar stofbril omhooggeschoven. Hij zag hoe de wind en de snelheid de tranen van Ethels wangen veegden, en hij besefte dat dat de enige manier was om ze te verjagen: door ze weg te blazen.

Terwijl de parochieleden elkaar bij het verlaten van de kerk in de kou begroetten, stond Mary nog even te praten met de moeder van een meisje dat ze als derde linnenmeisje op Everland had aangenomen.

Mary liep terug naar Ethel om haar te vertellen dat ze het kerstmaal bij de familie van haar beschermelinge mocht gebruiken. 'Vindt u het niet vervelend om alleen te zijn?' vroeg ze opgewonden.

Ethel glimlachte en schudde haar hoofd.

'Vraag of u met Justin mag mee-eten,' zei Mary. 'Hij heeft zijn familie op bezoek.'

'Maak je om mij maar geen zorgen.'

'Weet u het zeker? Helemaal zeker?' vroeg Mary, die al luchtsprongetjes maakte.

'Vrolijk kerstfeest,' zei Ethel tegen haar.

Ze liep terug naar het kasteel. Haar voetstappen kraakten op de weg.

Ze zag licht branden in de keuken. Er klonk geroezemoes en gezang.

De voltallige familie van Justin Scott, de kok, was uit Glasgow overgekomen en ze hadden gevraagd of ze kerstavond in de bijkeuken mochten vieren. Ze waren met z'n tweeënveertigen.

Ethel liet zich niet zien. Ze liep de trap op naar haar kamer, kleedde zich uit en ging in bed liggen. De regen sloeg tegen de ruiten. Je hoorde het gelach in de andere vleugel van het kasteel.

Ze lag een poos naar het baldakijn van haar bed te kijken.

Ze was alleen. Ze was nog nooit zo alleen geweest. Ze draaide zich om en stopte haar gezicht in haar kussen. Het kraakwitte linnen knisperde onder haar voorhoofd.

Ethel had gehoopt dat er vanavond een kerstverhaal zou uitkomen. Ze had het in stilte gevraagd, beschaamd, toen ze voor de kaarsen in de kerk stond. Een kerstverhaal. Meer niet. Het was belachelijk, dat wist ze. Een deel van haar lachte erom, met haar parelende, ontgoochelde lach. Een ander deel maakte haar gevouwen handen en haar lakens nat van de tranen.

Zelfs het verloren moederschaap was weer terug bij haar familie in de stal. Maar Ethel was alleen.

Toen ze eindelijk in slaap viel, kreeg ze opeens een verschrikkelijke nachtmerrie. Af en toe kon ze het hart van het opgejaagde wild horen bonzen. Ze hoorde geschreeuw. Ze had het gevoel alsof ze in het struikgewas verstrikt was geraakt. Ze dacht dat ze haar paard hoorde hinniken en met zijn hoefijzers tegen de staldeur hoorde slaan. Opeens sleepte een woedende hond het lichaam van een man naar haar toe.

Snakkend naar adem deed Ethel haar ogen open.

Ze stond op en liep naar haar jas, die in een hoek hing.

Uit de zak haalde ze het stuk zwarte stof tevoorschijn dat de hond had losgetrokken. Ze keek er een poos naar en rook eraan. Toen deed ze een kast open en haalde er een jachtgeweer uit.

Vijf minuten later zat ze op haar paard. Ze had haar kleren over haar nachthemd aangetrokken. Ze had geen flauw idee meer waar ze mee bezig was. Haar paard stoof in galop over de heide. Het regende niet meer.

Ze passeerde bossen, beken en heuvels totdat ze in de buurt van de Chaos kwam. Het was bijna aardedonker. Door een paar openingen tussen de boomtoppen was de gloed van de hemel te zien. Ze steeg af en bond haar paard vast aan een tak. Zo nu en dan vlogen er een paar vogels langs in de stilte van de nacht.

Ze begon tussen de bomen door te lopen.

Haar handen betastten de stammen een voor een. Het geweer hing op haar rug. Ze naderde de rotsen. De takken boven haar gingen zachtjes heen en weer, alsof er een briesje was opgestoken, maar ze voelde geen zuchtje wind op haar gezicht.

Ze wist het zeker. Ze had de weerschijn van een vuur tussen de rotsen gezien.

Met haar hand gleed ze over haar schouder om het geweer te pakken. Ze hield het nu voor zich uit en kwam stapje voor stapje dichterbij.

De takken boven haar bewogen nog steeds heen en weer.

Ze liep naar de vuurplaats toe. Niemand.

Hij kon niet ver zijn. Hij moest haar zien.

Ethel had zich niet vergist. Het dier waar de hele dag jacht op was gemaakt, was een man. Ze had hem in haar nachtmerrie gezien.

Ze liep om de rotsblokken heen die tussen de bomen bij elkaar lagen. Ze voelde hoe haar laarzen in de modder wegzakten. Ethel bleef staan en liep terug. Ze huiverde. Haar benen waren zwaar.

Toen hoorde ze een hevig gekraak in de takken.

Ze hief haar ogen op. In de boom boven haar zag ze een schim die zich bliksemsnel voortbewoog.

Ethel begon te rennen. De schim verplaatste zich tegelijkertijd.

Het bos werd steeds dichter. Ethel kon geen hand meer voor ogen zien. Ze botste tegen de stammen op.

Ten slotte viel ze op de grond neer.

Haar hand begon te beven op het geweer. Ze richtte het naar boven en loste een eerste schot. De schim stopte en liet zich vlak boven haar naar beneden vallen.

'Nee!' schreeuwde Ethel.

Ze loste lukraak een tweede schot.

De schim slaakte een kreet en viel half op haar neer.

Hijgend en kreunend probeerde Ethel het te zware lijf op haar borst weg te duwen. Haar armen waren verstijfd. Ze hoorde een uitgeputte stem, die maar één ding in haar oor fluisterde: 'Ethel.'

Ze dacht dat ze dood was, op weg naar een andere wereld, want die stem was van Vango.

'Ethel, zijn ze daar?'

'Vango?'

'Zijn ze daar?'

'Alleen ik ben er, Vango.'

Ze sloeg haar armen om hem heen en kuste zijn voorhoofd en zijn ogen.

'Wie heeft er geschoten?'

'Dat was ik. Ik en niemand anders.'

Ethel snikte en glimlachte tegelijkertijd. Ze drukte hem heel stevig tegen zich aan.

'Waar kom jij opeens vandaan, Vango? Kom je zomaar uit de lucht vallen?'

'Ze zullen terugkomen,' zei hij.

'Nee. Ik hou je bij me.'

'Ze zoeken me. Ze zullen naar me blijven zoeken.'

'Hier vinden ze je niet.'

'Ze hebben zelfs honden. Ik ben moe.'

'Wees maar niet bang.'

'Je hebt me pijn gedaan,' zei Vango.

'Jij hebt míj pijn gedaan. Ik zit al zes jaar op je te wachten.'

'Ik was naar je op weg, Ethel. Ik ben vanuit Londen komen lopen. En van nog veel verder weg...'

'Kom hier.'

'Ze zullen me niet met rust laten. Het zijn er een heleboel. Ze hebben honden.'

'Blijf bij me.'

'Ik ben niet gek, Ethel. Ze zitten overal achter me aan.'

'Ik weet dat je niet gek bent. Ik weet dat ze je willen pakken.'

'Ethel...'

'Je hebt het me beloofd, Vango. In de luchtballon heb je het me beloofd...'

'Je hebt me pijn gedaan, Ethel.'

'Ik ben degene die pijn heeft. Ik hou van je. Ik ben er. Ik hou van je.'

'Je hebt in mijn arm geschoten,' fluisterde hij.

Ze slaakte een kreet. Ze voelde bloed aan haar handen.

'Vango!'

De eerste kogel had zijn arm doorboord, vlak boven de wond die hij in Londen had opgelopen. De tweede was rakelings langs zijn haren gevlogen.

Toen ze hem op de grond moest neerleggen om haar paard te gaan halen, had ze het gevoel alsof ze van haar wortels werd losgerukt.

Niets kon hen meer scheiden, zelfs niet de pikdonkere nacht en het dichte bos. Nadat ze hem voorzichtig op het paard had geholpen, dacht ze dat ze droomde toen ze haar paard de sporen gaf en Vango achter zich in het zadel voelde zitten, met zijn ene bruikbare arm stevig om haar middel.

33
Een verzonken wereld

Om drie uur 's nachts stapte het paard de keuken binnen.

Het kerstfeest van de familie Scott was nog in volle gang.

Justin had zojuist een braadspit op tafel gezet met vier kippen waarvan het geroosterde vel leek mee te ademen met het geborrel van kokend vet.

Bij het zien van het paard stond de hele familie onder het slaken van luide uitroepen van verbazing op.

'Schone doeken en een dokter!' riep Ethel zonder van het paard te komen. 'Justin, breng water en alcohol naar mijn slaapkamer.'

Vango was tegen haar rug aan flauwgevallen. Ethel leidde haar paard naar de gang. Daarna liet ze het de grote trap naar haar slaapkamer op lopen.

Even later kwam Mary thuis. Overal renden mensen in het rond. De tientallen ramen van het kasteel werden een voor een verlicht.

'Moet ik dat paard losmaken van de piano op de eerste verdieping?' vroeg Peter onverstoorbaar.

Ze begreep dat er iets aan de hand was.

Zodra ze de slaapkamer binnenkwam nam Mary het heft in handen. Ze vroeg niet eens wie die jongen was die op Ethels bed lag en begon direct de dokter te helpen.

Die was met de auto naar het kasteel gekomen en had een roodbruin hondje bij zich. Bij het zien van Vango's arm had hij een lelijk gezicht getrokken.

Eerst had hij het verband weggehaald dat Vango zelf om de wond had gebonden. Die was ontstoken. Vango had ermee in de Theems gezwommen, het hele land doorkruist en in schuren en veewagens geslapen. Er zaten nog stukken glas in zijn huid, en het geweerschot had het er niet beter op gemaakt.

Ethel gooide het verband in een teil. Toen het bloed zich in het warme water verspreidde, herkende ze de blauwe zakdoek. Langzaam maar zeker werd het borduurwerk weer zichtbaar. Boven de V van Vango straalde de ster.

Hoeveel koninkrijken hebben geen weet van ons.

Voordat de dokter aan de slag ging duwde hij Ethel de kamer uit en beval hij zijn hond om de wacht te houden. Ze mocht er niet meer in.

Ethel ging op het vloerkleed voor de deur liggen. Ze kon niet slapen. Ze liep over, als een bergbeek na een regenbui. Eerst zie je de regen niet eens in het kolkende water vallen, maar langzaam maar zeker begint het waterpeil door de regen te stijgen, en op een goede dag treedt de beek buiten zijn oevers en loopt alles onder.

De volgende morgen kwam de dokter naar buiten. Hij zag er niet uit: zijn haren waren in de war, zijn gezicht was lijkbleek en hij had donkere kringen om zijn ogen, die leken op maansverduisteringen.

Ethel snelde naar hem toe.

'Als u wil dat hij blijft leven...' zei de dokter ernstig.

Hij was bezig om zijn met bloed besmeurde overhemd op de overloop los te knopen. Ethel keek hem aan terwijl hij halfnaakt voor haar heen en weer liep.

'Als u echt wil dat hij blijft leven, juffrouw...'

Hij pakte een schoon overhemd uit zijn tas en trok dat aan.

'Welnu, dan moet u om te beginnen niet meer op hem schieten.'

Ethel glimlachte.

'Gaat het beter met hem?'

De dokter knikte terwijl hij zijn das strikte. Stralend legde Ethel haar hand op de deurknop. Het hondje gromde.

'Nee,' zei de dokter. 'U moet hem vierentwintig uur laten slapen.

Ik vertrouw u niet, juffrouw Ethel. U mag niet naar binnen gaan voordat hij zich kan verdedigen.'

Op dat moment verscheen Mary.

'Ik zal hem wel in de gaten houden,' zei ze.

'U kunt beter dit dametje in de gaten houden, mevrouw.'

Hij floot zijn hondje en liep de trap af.

'Ik kom morgen terug.'

Vango sliep geen vierentwintig uur. Hij sliep vierentwintig dagen en vierentwintig nachten. Hij zou zelfs honderd jaar hebben geslapen, net als in de sprookjes, als hij niet telkens wanneer hij een oog opendeed Ethel naast hem had zien zitten of voor het venster had zien staan.

Hij had ook de indruk dat hij tijdens zijn slaap haar ademhaling op zijn gezicht had gevoeld.

's Nachts, wanneer het vlammetje van de nachtlamp kleiner werd, zag hij niet meteen dat het meisje geknield naast zijn bed zat. Dan dacht hij dat hij alleen was, maar langzaam maar zeker ontwaarde hij het ivoorwit van haar ogen die in het donker naar hem opkeken.

Vango at een beetje, probeerde met zijn dik omzwachtelde arm een paar stappen te zetten, en ging weer liggen.

En zo werd hij het jaar daarop wakker, in de derde week van januari 1936.

En vanaf die dag begonnen ze te praten.

Het begon langzaam, timide, met lange stiltes. Maar toen ze tot aan het raam konden lopen, tot aan het bordes, tot aan de bomen, nam de woordenstroom met het aantal stappen toe.

Week na week vulden ze de jaren van stilte met woorden op.

Ethel vertelde hoe ze zeven jaar geleden, na de grote reis om de wereld met de zeppelin, zijn plotselinge verschijning en verdwijning had ervaren. Ze vertelde met een ijskoude stem van de daaropvolgende jaren die ze met haar broer op Everland had doorgebracht. Van de tijd die ze in Edinburgh en Londen had gesleten, toen ze vijftien was en niet anders deed dan dansen, zwieren en proberen wakker te blijven om hem te vergeten. En daarna van haar wanhoop, de dag dat ze een briefje had gekregen dat ze had opgevat als de aankondiging van een huwelijk in de Notre-Dame, haar verbazing toen ze voor de bruiloft naar Parijs was gekomen en Vango op het plein voor de kathedraal had zien liggen. Ze vertelde van de sluipschutter die ze had ontdekt, van het politieonderzoek, van haar bezoekjes aan Eckener en Boulard, van haar ontmoeting met de Mol...

Vango vertelde op zijn beurt hoe hij halsoverkop was gevlucht, hoe iedereen om hem heen werd vermoord of verdween: vader Jean, Mademoiselle, Zefiro, en zelfs Mazzetta en zijn ezel. Hij vertelde van zijn jeugd, de kliffen, het klooster, het pijnlijke geheim dat hij eindelijk te weten was gekomen: het grote zeilschip met de ster, het zingen van zijn moeder, de piraten, de dood, de schipbreuk. Alle vragen die overbleven... Hij vertelde van Mazzetta's schuld, van de dood van de tweede piraat, van het vertrek van de derde naar Amerika. En van de buit die hij misschien met zich mee had genomen...

'Een schat!' riep Ethel uit.

'Waarom heeft Cafarello zijn vriend vermoord? Dat doet me vermoeden dat er misschien iets te verdelen viel.'

Vango vertelde ook van Ethels briefje met de woorden 'Wie ben je?', dat hem abrupt wakker had geschud. En altijd die schimmen die hem op de hielen zaten, die steeds weer zijn spoor terugvonden, die hem boven op een zeppelin of een trein achtervolgden, hem in een rivier lieten springen...

Daarna zochten ze allebei naar verklaringen voor deze aaneenschakeling van raadsels...

Halverwege de maand maart, toen Paul net had laten weten dat hij binnenkort uit India zou terugkomen, konden ze af en toe een moment van stilte laten vallen. Die stiltes zeiden nog veel meer. Soms brachten die stiltes hen helemaal naar de andere kant van Loch Ness.

En nu? Dat zeiden die stiltes. En nu?

Ze keken elkaar aan en wendden hun blik af. Ethel vond dat ze zich voorbeeldig gedroeg. Sinds de kerstnacht had ze niet meer 'ik hou van jou' gezegd.

Ze wachtten.

Op een ochtend, toen ze op een platte steen aan de oever van het meer zaten, zei Ethel tegen Vango: 'Hoe heette die ezel ook alweer?'

'Welke ezel?'

'De ezel van Mazzetta.'

Hij hoefde geen antwoord te geven. Hij balde zijn vuist.

Vango had het begrepen.

De volgende ochtend vertrokken ze.

Salina, Eolische Eilanden, de eerste lentedag in 1936

Dokter Basilio zag het vliegtuigje op zee landen, vlak voor het kiezelstrand. Er stapten een meisje en een jongen uit. Ze gingen naar de verlaten haven, die in de rots was uitgehakt, en liepen omhoog naar de krater van Pollara. Het vliegtuigje was alweer vertrokken. De jongen en het meisje hadden het uitbundig uitgezwaaid.

Ze kwamen langs het huis met de olijvenboom en de dichtgetimmerde luiken.

In het tegenlicht van de ondergaande zon kon de dokter hun gezichten niet zien.

Hij zag alleen maar dat ze het pad tussen de bremstruiken en de wilde venkel insloegen. Daarna verloor hij hen uit het oog.

Dokter Basilio ging zitten op het krukje van drijfhout. Daar trok hij zich elke ochtend en avond terug. Hij wachtte op Mademoiselle.

Parijs, de eerste lentedag in 1936

Om acht uur 's avonds sloeg de klok van de Église Saint-Germain.

Commissaris Boulard blies over het badschuim om eilandjes in het water te maken.

Er zaten twee duiven op de vensterbank naar hem te kijken.

Er werd op de deur van de badkamer geklopt.

'Wat is er, mama?'

Sinds 1878, vanaf het prille begin van zijn jeugd, kon commissaris Boulard niet ongestoord in bad liggen. Nu hij zeventig was begon hij er genoeg van te krijgen.

'Er is iemand die je wil spreken.'

'Ik lig in bad, mama.'

'Het is nogal dringend. De meneer is de woonkamer binnengelopen. Hij ziet er niet erg opgewekt uit.'

'Wie is het?'

Op rustige toon vroeg mevrouw Boulard: 'Zou u mij uw naam nog een keer willen noemen?'

Boulard hoorde vier letters die werden uitgesproken door een stem die van de steppen kwam: 'VLAD.'

Achter de deur stond Vlad de aasgier, met een metalen stang in zijn hand.

New York, de eerste lentenacht van 1936

Zefiro sloeg zijn ogen op.

Hij stond aan de voet van het Empire State Building.

De hoogste wolkenkrabber ter wereld was driehonderdtachtig meter hoog.

De top was in 1931 voltooid met de bedoeling dat er luchtschepen zouden kunnen aanmeren. Maar toen was de crisis uitgebroken, en daardoor was het project niet verder afgemaakt. Desondanks was er op de honderdentweede verdieping al een ruimte waar de passagiers konden wachten voordat ze aan boord gingen, en wat lager bevonden zich het kantoor van de douane en de luchthaventerminal.

In de rest van de toren waren nog meer kantoren en een luxehotel gevestigd.

Zefiro liep met zijn koffer de hal van het Sky Plaza binnen. Hij had geweigerd om die koffer aan de portier af te geven. Hij begaf zich naar de receptie en vroeg naar de kamer van mevrouw Victoria. De receptioniste glimlachte hem begrijpend toe.

'Wie kan ik zeggen dat er is?'

'Ik ben meneer Dorgelès,' antwoordde Zefiro.

'Ik geloof dat mevrouw Victoria al bezoek heeft.'

De receptioniste pakte de telefoon, zei iets en wachtte.

Boven de balie hingen vijf klokken die de tijd in de grote wereld-steden aangaven. Los Angeles, Rome, Londen, Parijs en Tokio. Het wachten viel Zefiro erg lang. Op straat was een bedelend jongetje achter het raam blijven staan. Hij had zijn beide handen tegen de ruit gedrukt en keek de padre strak aan. Van de ene hand op de andere waren in het Engels drie woorden te lezen: *God bless you.* God zegene u.

Hij werd onmiddellijk weggejaagd door een hotelbediende in een paars kostuum, die de auto's van de gasten in de garage zette.

'Rotkind,' zei de receptionist, die het tafereel, met de telefoon aan zijn oor, had gevolgd. Het was duidelijk dat hij op een goedkeurende reactie van Zefiro hoopte.

Die zei niets. Het wachten begon hem zorgen te baren. Zefiro dacht aan de echte Dorgelès, die hij twee straten van Central Park vandaan gekneveld in de kofferbak van zijn auto had achtergelaten.

Plotseling hing de man achter de receptie op. Hij keek Zefiro aan.

'Ze verwacht u, meneer Dorgelès. Vijfentachtigste verdieping.'

Vader Zefiro glipte de lift in. Voordat een van de liftjongens het in de gaten had, drukte hij al op het knopje van de juiste etage. De deur ging dicht. Hij was alleen.

De liftcabine kwam in beweging. Hij deed zijn koffer open en haalde er een haak uit, die hij tussen het hek van de lift door stak. De lift stopte meteen. Hij pakte twee in een lap gewikkelde voorwerpen uit. Het waren machinepistolen. De rest van de koffer verstopte hij onder het fluwelen bankje. Hij controleerde de wapens, zette er een extra magazijn op en stopte nog twee andere magazijnen in zijn zakken. Hij hield zijn horloge in zijn hand en wachtte.

Hij nam de tijd om diep adem te halen en dacht even aan de open plek in het bos van Falbas bij Verdun, aan het vliegtuig van Werner Mann dat in de boom was beland, aan de steeneiken bij het witte klooster, aan zijn broeders, aan Vango, aan zijn kloosterbijen... En toen aan Viktor Voloj, die zich enkele tientallen meters boven hem bevond. Aan de ontknoping die zo nabij was. Toen de grote wijzer van zijn horloge helemaal boven aan de wijzerplaat stond, haalde hij de metalen haak uit het hek. De lift kwam weer in beweging.

Over veertig seconden zouden de deuren van Viktor Volojs suite openzwaaien.

Salina, Eolische Eilanden, de eerste lentedag van 1936

De zwaluwen maakten sierlijke buitelingen om Vango heen. Ze scheerden vlak langs zijn lijf. Met één hand schermde hij zijn ogen af.

Ethel was met haar benen over de rand van de klif gaan zitten. De zon ging achter de eilanden onder. Vango begon in de grond te graven.

De zwaluwen waren tegelijk met hen op het eiland aangekomen. Ze kwamen uit de Sahara en ze laafden zich aan de zachte lentelucht.

Ethel, Vango en Paul hadden de nodige omwegen gemaakt om hier te komen, want onderweg hadden ze drie keer moeten tanken, in Orléans, Salon-de-Provence en in Cagliari op Sardinië. Het omgekeerde van het traject dat de zwaluwen nog voor de boeg hadden. Die zouden daags hierna bij de Notre-Dame in Parijs aankomen.

Het vliegtuig was inmiddels aan de horizon verdwenen. Paul kon niet bij hen blijven. Hij werd in Spanje verwacht, waar republikeinse vrienden van hem, die nog maar net in de regering waren gekozen, zich zorgen begonnen te maken over een staatsgreep.

Overal in het struikgewas bloeiden bloemen. Ethel snoof de geuren op die Vango's jeugd hadden omringd. Ze dacht aan Salina, aan Everland, aan al die bedreigde paradijzen waar mensen opgroeiden.

Vango had geen gereedschap bij zich om te graven. Hij had zojuist zijn nagels aan een heel hard voorwerp gescheurd. Hij herkende on-middellijk de ijzeren nagels op het halster van de ezel. Het dier was tot ontbinding overgegaan en had een nagenoeg schoon skelet ach-tergelaten. Vango wist het reusachtige halster uit de grond te trekken.

Mazzetta's laatste woorden waren voor zijn ezel bestemd geweest.

Vango sleepte het halster naar een kleine rots.

De zwaluwen vormden een steeds dichtere cirkel om hem heen. Ook de valken, nog hoger in de lucht, hadden Vango herkend. Ze lie-ten zich als stenen vallen om weer langs de rotswand weg te zweven.

Met alle kracht die hij bezat tilde Vango het halster boven zijn hoofd en smeet het tegen de rots. Het leren omhulsel scheurde en een berg goud en diamanten belandde tussen de bloemen.

'Ethel... Moet je kijken.'

Ze kwam aangerend.

Mazzetta had zijn ezel Tesoro genoemd, 'Schat'.

Samen keken ze naar de grond, die bezaaid was met edelstenen. De waarde ervan was onschatbaar.

In hun boot van licht waren een man en een vrouw omgekomen. En ergens bevond zich degene die schuldig was aan die misdaad, met nog eens twee keer zoveel in zijn bezit.

Twee keer die berg goud voor een moordenaar.

Vango keek in de diepte. Waar was die man?

Wie waren die ouders, die met zo'n fortuin de zeeën bevoeren?

Wie wilde Vango dood hebben?

Voor de eerste keer had hij de indruk dat zijn wilde tocht ergens diep in de geschiedenis van de eeuw zijn oorsprong vond.

Vango was geen gewone wees. Hij was de erfgenaam van een ver-zwolgen wereld.

Hij boog zich naar Ethel toe.

Een zwaluw dook op hen af en vloog weer omhoog.

Het zou hem niet zijn gelukt om tussen hen door te vliegen. Ze zaten zij aan zij, dicht tegen elkaar aan.

Illustratieverantwoording

p. 119 Foto afkomstig uit de privécollectie van de auteur
p. 123 © McMaster (uit: *Dirigeables*, Gallimard 1997)
p. 270 © Vincent Brunot

Inhoud